os quatro cavaleiros

VERONICA ROSSI

os Quatro cavaleiros

Tradução
Alice Mello

1ª edição

— **Galera** —

RIO DE JANEIRO

2017

CIP-BRASIL. CATALOGAÇÃO NA PUBLICAÇÃO
SINDICATO NACIONAL DOS EDITORES DE LIVROS, RJ

R743q   Rossi, Veronica
        Os quatro cavaleiros / Veronica Rossi; tradução de Alice Mello. – 1ª ed. –
        Rio de Janeiro: Galera Record, 2017.

        Tradução de: Riders
        ISBN: 978-85-01-10933-0

        1. Ficção juvenil americana. I. Mello, Alice. II. Título.

                                        CDD: 028.5
17-40367   CDU: 087.5

Título original:
Riders

Copyright © 2016 by Veronica Rossi

Direitos de tradução negociados por Sandra Bruna Agencia Literaria, SL, em associação
com Adams Literary.

Texto revisado segundo o novo Acordo Ortográfico da Língua Portuguesa.

Adaptação da capa original: Lívia Prata

Direitos exclusivos de publicação em língua portuguesa somente para o Brasil adquiridos pela
EDITORA RECORD LTDA.
Rua Argentina, 171 – Rio de Janeiro, RJ – 20921-380 – Tel.: (21) 2585-2000,
que se reserva a propriedade literária desta tradução.

Impresso no Brasil

ISBN 978-85-01-10933-0

Seja um leitor preferencial Record.
Cadastre-se em www.record.com.br e receba
informações sobre nossos lançamentos e nossas promoções.

Atendimento e venda direta ao leitor:
mdireto@record.com.br ou (21) 2585-2002.

ABDR
ASSOCIAÇÃO BRASILEIRA DE DIREITOS REPROGRÁFICOS
EDITORA AFILIADA

Para Andy, Wes e todos aqueles
que devotaram sua vida
a proteger a liberdade.

Capítulo 1

uando abro meus olhos, vejo apenas a escuridão.

Não consigo me mexer... não consigo falar... não consigo pensar por causa dessa dor de cabeça lancinante. Fico imóvel, tentando ter alguma ideia de onde estou ou de quanto tempo fiquei apagado, mas nada acontece. Uma coisa eu sei com certeza: estou amarrado a uma cadeira, amordaçado e a minha cabeça está coberta com uma espécie de capuz que fede a suor e vômito.

Não é o que eu esperava de um resgate.

Meu pescoço range como uma corrente enferrujada quando me endireito, a escuridão piora, e a minha cabeça começa a girar. Tudo gira sem parar e o meu estômago desiste de lutar contra o enjoo. Uma saliva quente sobe à minha boca. Eu sei o que acontecerá em seguida, então respiro fundo, inspiro e expiro até a vontade passar, e fico bem novamente. Permaneço aqui, apenas sentado nessa cadeira, suando loucamente.

Não posso acreditar nisso. Eles me *drogaram*. Me deram um tipo de sedativo, porque estou calmo *demais* no momento. É provável que também tenham me dado analgésicos. Não consigo sentir meu ombro, mas o corte que vejo nele é profundo. O deltoide parece carne crua. Até mesmo eu deveria estar sentindo um ferimento desse tipo.

Ótimo. Muito bom trabalho, hein, governo norte-americano? Basicamente o mundo inteiro está se acabando. Eu sou uma das poucas pessoas que podem ajudar — e é assim que eles me tratam?

Tento me concentrar para escutar algo. De vez em quando consigo ouvir passos ou um pigarro. Presto atenção aos sons, tentando descobrir quantos homens estão na minha guarda. Dois é o meu palpite.

Atrás de mim, um aquecedor estala sem parar, como se alguém estivesse batendo com uma chave inglesa no metal. O calor aumenta nas minhas costas, como a luz do sol. Algo estranho em meio a toda essa escuridão. Após alguns minutos, o aquecedor desliga e o silêncio se aprofunda. Minhas costas estão começando a perder calor quando uma porta se abre bruscamente. Ouço passos que vêm em minha direção e então param. Em seguida uma cadeira é arrastada pelo chão.

É a hora do show. Hora das respostas.

— Tire o capuz dele — ordena uma voz feminina.

Sinto um puxão, uma onda de ar fresco atinge meu rosto, então fecho os olhos por causa da claridade. Eu não estava preparado para arrancarem também a mordaça, então alguns pedaços da minha língua são extraídos no processo.

— Leve o tempo que precisar — diz a mulher.

Como se eu tivesse escolha. Por alguns segundos, tudo o que posso fazer é tentar recuperar um pouco de saliva na boca. Faço força contra as amarras nos meus braços, seguindo o instinto de coçar meus olhos, que ardem. Demoro um século para conseguir visualizar a figura diante de mim.

Uma mulher — na casa dos 40 anos, acho — está sentada atrás de uma pequena mesa de madeira. Ela ostenta um tom de pele moreno-claro, tem cabelo preto e seus olhos são escuros e brilhantes como garrafas de vinho. O terno azul-marinho parece caro, e a vibe dela é de alguém que tem um doutorado, como se soubesse tudo sobre algum assunto. A ponto de escrever um livro sobre isso. Ela é civil. Posso apostar.

— Olá, Gideon. Meu nome é Natalie Cordero — apresenta-se ela. — Vou fazer algumas perguntas.

Ela cruza as mãos à sua frente e faz uma pausa para que eu saiba que está no controle, que fala com caras iguais a mim todos os dias, mas tenho certeza de que isso é impossível. Não existe ninguém no mundo como eu. Ninguém.

O rastro do perfume dela me atinge — um combo de cítrico floral e almíscar forte, uma bomba de fragrância, mas é melhor que o fedor do capuz.

Dois homens estão parados atrás dela. O cara de boné dos Texas Rangers é imenso, do tamanho da porta que ele está vigiando. O outro cara é mais compacto, moreno com orelhas de lutador. Ele encosta a mão na pistola Beretta em seu coldre e me lança um olhar que diz, *Preciso de uma única desculpinha para usar isto aqui.*

Ambos têm barba, o rosto vermelho de frio e vestem calça jeans, botas de trilha e casacos Patagônia, mas são de algum grupo de operações especiais. Exército ou Fuzileiros Navais. Ninguém consegue exibir essa postura calma, relaxada e totalmente alerta sem ter condições de sustentá-la.

Eu reconheço os caras. Estavam na equipe que me resgatou hoje na Noruega. Ou ontem... ou seja lá quando foi que isso aconteceu.

Natalie Cordero examina minha camisa e calça cargo, o sangue seco, as partes queimadas, a crosta de lama, a fina camada de cinzas. Admiro que já estive em condição melhor. Em seguida, acompanho os olhos dela até meu ombro. Pelo rasgo da camisa posso ver que meus raptores — que deveriam ser meus aliados — botaram uma bandagem sobre o corte. Legal da parte deles.

— Água? — pergunta Cordero.

Tento algumas vezes até conseguir responder alguma coisa.

— Sim. Sim, por favor.

O guarda maior dos Rangers traz uma garrafa de plástico com um canudo dobrável. O rosto dele é rosado e quadrado como um tijolo. A barba está ficando branca, os olhos são azuis. É o cara que me apagou em Jotunheimen. Não que eu tenha dado muita opção a ele. Surtei quando Daryn ficou para trás. Eu não esperava que ela fizesse isso. Fui pego de surpresa e perdi totalmente o controle. Mas isso não pode acontecer novamente. Não posso perder as rédeas da situação, então me concentro nisso enquanto bebo a água, reabastecendo meu corpo desidratado.

Estou em um cômodo pequeno com paredes e chão revestidos por tábuas de madeira. Até os adornos são de madeira. Se não fui engolido por uma árvore, estou em uma cabana. À minha esquerda há uma janela com cortina xadrez azul. Nem som nem luz passam por ela, então ou é noite ou o vidro tem alguma película. Vou chutar que as duas opções são verdadeiras. A única fonte de luz no cômodo vem do canto, de uma luminária de ferro sem cúpula, apenas com a lâmpada, que deve ter um trilhão de watts ou meus olhos estão sensíveis demais por causa dos remédios.

Uma brisa gelada entra pela fresta de 5 centímetros sob a porta. Não é fácil sentir qualquer odor acima do perfume da Cordero, mas consigo captar carpete velho e lenha queimada. Para uma cela de prisão, até que o lugar é bem aconchegante.

— Eu deveria ter perguntado mais cedo — desculpa-se Cordero, quando minha pausa para beber água acaba. — Prefere que eu chame você de Gideon ou Sr. Blake?

Eu estava certo. Ela não é militar, senão teria me chamado de "Soldado Blake".

Tento engolir novamente, e a minha garganta começa a melhorar.

— Senhora, prefiro que me solte e me diga onde estou.

Imediatamente sinto vontade de dar um soco em mim mesmo por causa do *senhora*. Ela está me mantendo *prisioneiro*. Que se danem os bons modos.

Ela não responde, então tento outra pergunta.

— Ainda estamos na Noruega? — Nada. Olho para os caras na porta. — Voltamos para os Estados Unidos?

— Não posso fornecer essa informação no momento, Gideon — responde Cordero, decidindo por conta própria como deve me chamar. Eu tenho 18 anos, provavelmente metade da idade dela, então posso entender porque ela não escolheu me chamar de Sr. Blake.

— Por que não posso saber onde estou? Por que tudo isso? — Sinalizo com a cabeça para mim mesmo. — Não vou fugir. Fui *eu* que chamei vocês, lembra? Eu que pedi ajuda? Então que tal me soltarem?

— Vou liberar você assim que terminar o interrogatório.

— Me liberar? — É tão absurdo que preciso rir. — Eu não fiz nada de errado.

— Não? — Ela se inclina para a frente e semicerra os olhos. — Você causou um dano de milhões de dólares ao Parque Nacional de Jotunheimen. Não acha que isso é errado? O dinheiro para consertar esse estrago vai sair do bolso dos contribuintes norte-americanos. O mesmo povo que pagou para que você e seus amigos se livrassem daquela confusão. Você tem sorte da imprensa ainda não ter se dado conta. Você quase causou uma crise internacional. Tem noção disso? Até eu descobrir o que você estava fazendo na Noruega e por que decidiu destruir muitos hectares de um campo impecável, você não vai deixar este cômodo. Estou falando sério, Gideon. É melhor se acomodar.

— Você acha que isso aqui tem a ver com o estrago a um pedaço de terra? Com *dinheiro*?

— Se eu achasse que era só isso, você não estaria aqui.

Não vou ficar nesse joguinho.

— Você quer realmente saber o motivo disso tudo? Eu digo para você. O mal em pessoa está à solta. Corremos perigo... e não estou falando dos cidadãos norte-americanos. Estou falando da humanidade. Estou falando de *todo mundo*. E você prende uma das poucas pessoas que pode fazer algo a respeito. Então, que tal me desamarrar?

— Desista, Gideon — aconselha ela, ignorando tudo o que acabei de falar. — E antes que fique hostil de novo, *eu* vou dizer algo a você. Perder a calma não vai ajudar.

Que desperdício enorme de tempo. Preciso sair daqui. Encontrar os outros. Recuperar a chave.

— Onde está o coronel Nellis?

Confio no meu comandante. Quero falar com ele, não com uma estranha.

— Esse incidente ultrapassa a jurisdição do exército norte-americano — argumenta ela.

— Quem você representa? O Departamento de Defesa? A CIA?

— Vou soletrar para você. *Eu* faço as perguntas, *você* responde. É assim que a coisa aqui funciona.

Ela não soletrou nada, mas ok. Minha paciência acabou. Hora de trazer minha fúria à tona.

Tento entrar em contato com a minha raiva, com minha espada, com Riot.

Mas nada acontece. Meus poderes sumiram. Os remédios neutralizaram tudo. Estou completamente zerado.

Não faz sentido algum, então começo a gritar. Ela está cometendo um grave erro. Sou do time do bem. Essa mulher não faz ideia de com quem está falando. Tudo que estou dizendo parece mentira e maluquice, mas é a verdade. É a verdade.

Cordero olha para seu relógio.

— Parece que está na hora de novo. — Ela via para o cara com a Beretta. — Controle-o.

Beretta tira um saquinho de um dos bolsos da calça, em seguida, veste um par de luvas de látex e retira uma seringa com agulha hipodérmica enquanto grito e luto contra as amarras, obtendo absolutamente nenhum resultado.

O cara maior, Texas, se posiciona atrás da minha cadeira e me dá um mata-leão.

— Relaxa — diz ele. — Relaxa.

Relaxar é a última coisa que pretendo fazer, mas então estrelas piscam nas paredes de madeira e a sala se apaga. Eu também. Não estou mais gritando porque desmaiei.

Beretta enfia a agulha no meu antebraço e empurra o êmbolo. Uma queimação lenta se espalha pelo meu corpo. Meu rosto fica dormente. Meus músculos relaxam. Eu relaxo.

Não quero relaxar, mas relaxo mesmo assim.

Texas me solta, e eu puxo o ar. Com força. Oxigênio é a melhor coisa que já inventaram.

Beretta aponta uma lanterna de bolso para meus olhos.

Luz forte.

Não é bom.

Fechar olhos.

Tenho a vaga sensação de que reagi muito lentamente. Reações não devem acontecer em etapas. A não ser que seja uma só etapa. Uma única etapa controlada.

É... acho que é isso.

— O garoto está dopado — diz Beretta ao tirar as luvas. Ele e Texas dão um passo para trás, voltando à posição de guarda da porta.

Manter a cabeça erguida se torna minha nova meta. Não é fácil. Parece algo como equilibrar uma bola de basquete na ponta do dedo enquanto tento processar um monte de informação ao mesmo tempo. Só que, embora se pareça muito com uma, minha cabeça não é uma bola de basquete.

É. Tô chapado.

Cordero descruza as mãos. Ela tamborila os dedos na mesa e me observa.

— Agora está pronto para falar?

— Você não tem ideia do tamanho disso... que está acontecendo. Não tem ideia de quem eu sou.

Demoro um segundo para perceber que aquelas palavras foram ditas por mim.

Mau sinal.

Cordero para de tamborilar os dedos.

— Então por que você não me conta?

Cheguei tão perto de soltar a verdade, *toda* a verdade, que quase me sinto como se tivesse feito isso. Há alguma coisa errada aqui. Está rolando um motim dentro da minha cabeça. Todos os meus pensamentos querem sair. A minha história quer sair. Imagens das últimas semanas giram na minha mente, exigindo para serem liberadas. Contê-las exige todo o meu corpo. Estou preso a uma cadeira, mas meu coração está fazendo um triátlon. Meu rosto fica quente, e o fundo da minha garganta começa a coçar. Que porcaria é essa que eles injetaram em mim?

Cordero me dá um tempo.

— Ok, Gideon. Vamos tentar novamente em meia hora. — Ela para na porta. — Posso fazer isso o dia todo. E você?

Depois que ela sai, deixo minha cabeça pender para a frente segundo sua própria vontade.

Respire, Blake. Respire.

Eu podia ter lidado melhor com a situação. Mas dizer para uma estranha o que estava acontecendo? Quem eu sou? O *que* eu sou?

De jeito nenhum. Cordero teria entrado em pânico. Teria perdido a cabeça. Mas as palavras continuam na ponta da minha língua. Bem na pontinha.

Eu sou a Guerra, quero dizer.

Eu sou a Guerra.

Capítulo 2

Demoro menos de um minuto para me dar conta de que preciso responder às perguntas feitas por Cordero. Os remédios destruíram absolutamente todo o meu arsenal de habilidades. Ficarei preso a essa cadeira até eu confessar o que ela quer. Não tem outra saída. Preciso falar.

Texas, o guarda mais alto, sai da sala para buscá-la, mas ela espera meia hora para voltar, como uma mãe dando uma lição de moral ao filho. *Não me teste, Gideon Blake. Eu faço o que digo e digo o que faço.*

Ela joga uma pasta preta sobre a mesa, produzindo um som de tapa. É meu histórico militar. É uma pasta bem grossa se levarmos em consideração que faz apenas dois meses que fui enviado para a base, logo após terminar o colégio; mesmo assim eu já tinha uma participação considerável no exército.

Cordero enfia as pernas sob a mesa.

— Fico feliz que tenha mudado de ideia.

Ela abre a pasta e espera, como se quisesse que eu agradecesse.

Em vez disso, falo:

— Você deveria ter camuflado as tomadas.

Ela ergue as sobrancelhas escuras.

— Como?

— Se não queria que eu soubesse que estamos de volta aos Estados Unidos. Só uma dica para a próxima vez que for deter alguém ilegalmente.

— Anotado. Mais alguma sugestão sobre como posso ser melhor no meu trabalho?

— Sim. Assim que a gente acabar aqui, Nat, no *exato segundo* que a gente acabar, você me solta e chama o coronel Nellis.

Ela ergue os cantos dos lábios. Não é exatamente um sorriso. Está mais para um primo do sorriso.

— Pare de me chamar de "Nat" e entramos num acordo.

Faço que sim com a cabeça, mas não tenho certeza de que vai funcionar. Tudo que eu disse saiu meio sem querer. Meus pensamentos ainda estão em motim, cansados de ficar presos em minha cabeça. Constantemente tenho que controlá-los e torcer para que fiquem lá dentro.

Uma voz abafada no corredor chama a minha atenção para a porta. Sebastian, Marcus e Jode deixaram a Noruega comigo. Somente Daryn que não. Eles devem estar aqui. Em salas adjacentes, sendo interrogados por suas respectivas Cordero. Aposto que Marcus não disse uma palavra, mas posso apenas imaginar a diarreia verbal de Bastian e Jode. Nenhum dos dois precisa de remédio algum para abrir a boca.

Pensar neles me faz lembrar de Daryn novamente. Dessa vez, consigo acessar a fundo a memória e a vejo torcendo o longo cabelo sobre um ombro, sorrindo para mim.

Está olhando o quê, Gideon?

Você. Estou olhando você.

E como estou?

Perfeita, é o que deveria ter dito. Mas não disse.

— Gideon? Está me ouvindo?

Nossa. Não mesmo. Quanto tempo fiquei viajando? Prioridade número um: livrar meu corpo dessa droga. Está me deixando lento demais. Não terei a menor chance contra a Ordem desse jeito. Preciso terminar esse relatório, encontrar os outros e voltar à luta.

— Sim — respondo. — Estou.

— Que bom. Vamos começar pelo acidente em Fort Benning. — Cordero lê nos arquivos. — O último registro de movimentação sua é de seis semanas atrás. Você sofreu ferimentos graves num incidente durante um treinamento. O relatório diz que você fraturou o fêmur, o rádio, a ulna... as costelas... que teve uma concussão séria. Aqui também diz que você ficou mais de dois minutos sem batimentos cardíacos. Tinha acabado de ser declarado morto, e, então, ressuscitou. — Ela ergue os olhos do relatório. — Me diga o que aconteceu durante o treinamento. Você estava de paraquedas?

Faço que sim com a cabeça.

— Mas não deu certo... eu quiquei.

Atrás dela, Texas e Beretta trocam um olhar. Aposto que estão pensando, *Milico idiota. Merdinha incompetente.*

— Quicou? — pergunta Cordero.

— Bati na terra a uma velocidade muito alta.

— Sim. Isso está escrito aqui, mas gostaria de ouvir o relato com suas próprias palavras.

Certo. Minhas próprias palavras. Mas não consigo começar. Contar tudo desde o início vai me fazer perder tempo demais. Como posso ficar aqui sentado, falando, quando a Ordem está à solta, ferindo pessoas inocentes? Por outro lado, se eu contar o que está acontecendo para Cordero sem fazer uma introdução antes, ou ela vai entrar em pânico ou vai tomar uma decisão precipitada, ou vai achar que eu sou maluco e não acreditará em mim — e não quero nada disso. A maneira mais rápida de sair daqui é contando a história toda, e o salto certamente foi o ponto inicial. O começo. Ou o fim, dependendo da perspectiva. A morte geralmente é o final.

— Me conte cada etapa, Gideon. Momento a momento — instrui Cordero, como se sentisse que estou finalmente pronto.

— Ok. O acidente.

CAPÍTULO 3

Você está com o meu histórico militar em mãos, Cordero, então sabe como cheguei lá: como eu embarquei em um avião que seguia para Fort Benning, na Geórgia, no dia seguinte da minha formatura em maio. O último ano tinha sido difícil, não muito divertido, e eu mal podia esperar para deixar o colégio e começar a fazer algo com o qual eu me importasse de verdade.

Passei o verão fazendo o Treinamento Básico, depois o Treinamento Avançado de Infantaria, depois Escola de Aviação e, finalmente, cheguei onde queria: o Programa de Seleção e Treinamento Ranger. O RASP, como é conhecido, é o modo mais rápido para se tornar um soldado do 75º Regimento Ranger. Meu pai fez parte dessa formação de combate de elite, e eu estava determinado a integrar o mesmo time, mesmo que isso me matasse — o que de fato aconteceu, mas ainda vou chegar nessa parte.

Resumindo, o treinamento RASP são oito semanas de pura punição cujo objetivo é excluir quem não deveria estar ali. O programa aplica testes mentais e físicos constantes sem oferecer quase nenhuma comida ou uma quantidade ainda menor de sono. É intenso. Mas meu parceiro e eu estávamos comprometidos. Alguns anos mais velho que eu, Cory vinha de Houston e era incansável. Encarava uma corrida de 20 quilômetros com toda a indumentária de combate e um sorriso no rosto, seu lema pessoal em mente: *Ninguém nunca se afogou no próprio suor.*

Após quatro semanas, nossa turma tinha sido reduzida à metade, chegando a cinquenta candidatos. Saímos da fase de constantes marchas pelas estradas e de manuseamento de armas para os saltos de paraquedas. A maioria de nós havia acabado de aprender a saltar na Escola de Aviação, e eles queriam manter o treinamento em dia.

Subimos em um C-130 da Força Aérea logo após as 10 da manhã. Cory e eu sentamos lado a lado, como de costume no último mês. Quando as turbinas do avião foram ligadas, a ansiedade pela emoção que estava por vir apagou as dores que vinham tomando conta do meu corpo. Uma vez no ar, eu já estava sorrindo. Como qualquer outro idiota com cinco saltos de histórico.

Meu primeiro salto, algumas semanas antes, tinha exigido uma fé cega para atravessar a abertura do avião. Mas então o velame do paraquedas se abriu quatro segundos depois, exatamente como deveria ser, eu relaxei e foi incrível. A descida foi muito silenciosa e tranquila, e a vista era imbatível.

Aquele seria o sexto salto. Como tínhamos apenas a intenção de refrescar nossas memórias, saltaríamos no estilo Hollywood, ou seja, sem armas, tralhas ou munições. Sem o equipamento, eu me sentia mais confortável e também sabia que a descida levaria mais tempo. Em um salto a mil pés de altitude, a coisa toda não dura mais que um minuto — um paraquedista de combate precisa chegar rapidamente ao chão —, mas sem toda a tralha como peso, talvez eu conseguisse ficar alguns segundos a mais no ar.

Eu estava relaxado. Em comparação às outras coisas que andava fazendo, aquilo seria um passeio.

Atento ao som do motor, meus olhos desviaram para os caras sentados nos assentos de salto, que ficavam junto às paredes da aeronave, e nas fileiras no meio. Fazia muito tempo que não me sentia no lugar certo, fazendo a coisa certa.

E, então, Cory enfiou o cotovelo na minha costela.

— Tranquilo, Blake?

A pergunta parecia casual, mas eu sabia que não era. Na semana anterior, marchávamos durante a madrugada em Cole Range — um terreno de floresta na Geórgia reservado para nosso treinamento — e começamos a conversar sobre as piores coisas pelas quais tínhamos passado. Eu estava sem dormir havia tanto tempo, com tanta fome e dolorido, que deixei escapar que nada me parecia tão difícil depois da morte do meu pai em 2 de agosto do ano anterior. E, coincidentemente, fazia um ano naquele dia. Eu estava sentado naquele avião no aniversário de morte dele — E Cory havia lembrado.

Mas eu tinha tudo sob controle.

— Tranquilo, Ryland — respondi. E então mostrei o dedo do meio como forma de agradecimento por ter perguntado.

No corredor interno, o mestre de salto iniciou a passagem da sequência do salto. *Prepare-se, levante, prenda o equipamento, confira a linha estática, confira o equipamento, em voz alta.* Fiz cada uma das etapas, assim como os cinquenta caras ao meu redor. A Escola de Aviação treinava milhares de soldados exatamente do mesmo jeito todos os meses, e todas as etapas foram executadas com perfeição.

Quando nos aproximamos da zona de salto, o instrutor abriu a porta e o ar gelado entrou pelo avião. Suor escorria pelas minhas costas conforme a adrenalina pulsava dentro de mim. A sensação de estar na ponta dos pés à beira dos meus próprios limites era familiar. Eu tinha me apoiado nisso com muita força no último ano, porque me fazia esquecer exatamente do que Cory havia acabado de me lembrar.

O mestre de salto deu o comando, e os caras no início da fila começaram a saltar, um após o outro, puxando a linha estática com firmeza até chegarem à porta e se jogarem para o céu.

A fila andava rapidamente. Em poucos segundos chegou a vez de Cory. Ele saltou e desapareceu, e então era a minha vez. Dei meus últimos passos dentro do avião e me joguei para fora. Quando a corrente de ar me agarrou, travei os pés e os joelhos fechados, conseguindo uma boa saída. O som do motor do avião desapareceu rapidamente atrás de mim. Como eu estava em um salto de linha estática, meu paraquedas se abriria automaticamente. O meu trabalho era me certificar de que isso acontecesse de forma correta.

Com as mãos apoiadas no paraquedas reserva, fiz a contagem regressiva conforme meu treinamento.

— Um mil, dois mil, três mil, quatro mil.

Mas que m...?

Cadê o puxão?

Olhei para cima, procurando pelo paraquedas aberto como tinha visto em meus saltos anteriores.

Não estava aberto.

O que eu vi sobre mim foi uma torção de seda transparente. O velame havia se enrolado em uma linha. De cara entendi que havia um defeito —

era um caso de paraquedas enrolado, também chamado de encharutado por causa do formato.

Como o velame não tinha a menor capacidade de elevação, eu continuava em queda livre. Passei voado por Cory e então o vi acima de mim, suspenso pelo próprio velame do mesmo jeito que eu deveria estar. Em meio ao barulho do vento, pensei ter escutado ele gritar meu nome.

Em seguida, tudo ficou em câmera lenta e meu treinamento entrou em ação.

Puxei o controle do paraquedas reserva e, incrédulo, assisti enquanto ele subia em direção ao principal e se enrolava nele.

A essa altura eu sabia que tinha um grande problema, mas continuei fazendo o que aprendi no treinamento. Meu cérebro tinha sido condicionado a reagir a uma falha de abertura do reserva puxando-o de volta com as mãos e lançando-o mais uma vez ao ar, para longe do paraquedas principal. Quantas vezes fosse necessário. Pelo resto da minha vida. Então fiz isso. Puxei o reserva como se estivesse na batalha do século.

Eu não havia perdido um segundo com as minhas reações, tudo parecia instintivo, mas parte de mim estava chocada por eu estar sofrendo uma falha dupla, o pior pesadelo de qualquer saltador. Acontecia muito raramente — mas naquele momento não parecia nada raro. A zona de aterrissagem se aproximava com rapidez. Muita rapidez. Eu finalmente consegui segurar o reserva como uma bola. Com um impulso, joguei o paraquedas para baixo e para longe com a maior força possível e *bum*! Meu arnês puxou contra mim, pressionando minha virilha.

Meu reserva finalmente estava aberto. O principal se balançava ao lado, ainda enrolado, mas agora sem causar problemas.

Isso deveria ter sido uma ótima notícia, mas, quando olhei para baixo e vi a terra se aproximando como uma bala de revólver do tamanho de um planeta, eu sabia que era tarde demais. Minha velocidade não permitiria uma aterrissagem segura. Ou até mesmo capaz de garantir minha sobrevivência.

Tive um pensamento final sobre o meu pai e a coincidência do evento, os dois caindo para a morte no mesmo dia, e então me lembrei da posição correta para queda em caso de falha de paraquedas.

Pés e joelhos juntos. Queixo e cotovelos para dentro. Aterrissagem sobre a bola dos pés, em seguida rolagem para a panturrilha, coxa, arquear o corpo...

Bati no chão tão rapidamente que pareceu que tinha aterrissado sobre todas as partes ao mesmo tempo — pés, bunda, cabeça.

Lembro de ouvir por último o estalo dos ossos no meu braço e nas minhas pernas quebrando. E foi isso.

Foi meu fim.

Capítulo 4

— O que aconteceu depois da queda? — pergunta Cordero.

Os olhos dela têm uma nova intensidade. Os guardas na porta também. Até agora os dois haviam aparentado indiferença. Quase tédio. Não mais.

— Depois que eu caí? — pergunto, enrolando para me recuperar da lembrança e desacelerar meus batimentos cardíacos. Eu realmente disse tudo que acho que disse? Acabei de contar para ela sobre o meu *pai*?

Concentre-se, Blake. Responda à pergunta. Somente o que ela perguntar. Mas nem isso é tão simples. O que eu digo agora... a verdade?

Eu caí, meus ossos quebraram, e então tudo ficou em silêncio e flutuei pelas estrelas, cercado por elas, respirando-as, sentindo-as, morto, eu sabia que estava morto, mas ainda conseguia ouvir os caras gritando, sentia Cory fazendo compressões no meu peito para manter meus batimentos, e, em seguida, algo apertou forte meu pulso esquerdo e senti a vida voltar a meu corpo. É isso que devo dizer?

De jeito nenhum. Não vou contar. Ela ainda não está pronta. Mas esses remédios no meu organismo são poderosos.

Eu acho.

As palavras simplesmente saem.

O que é perigoso.

E a minha memória parece vívida demais. Real demais. Agora há pouco me senti voltando ao passado. Conforme eu falava, minha mente mergulhou ainda mais fundo. Pude ver cada detalhe. Sentir cada sensação. Literalmente acabei de reviver a minha morte.

— Gideon?

— Sim?

Eu estava viajando de novo. Ficar sequelado é uma péssima notícia. O fato de a Ordem estar à solta e eu estar preso a essa cadeira é ainda pior. O aquecedor voltou a funcionar. Nem o ouvi ligando.

— O que aconteceu depois da queda?

— Eu acordei no hospital. Centro Médico Walter Reed. Eu estava no CTI havia alguns dias quando acordei. Minha mãe pegou um avião e foi ficar comigo, mas me lembro disso vagamente. De quase tudo durante aquele período, na verdade, porque eu estava o tempo todo inconsciente ou drogado. Meio como agora. Aliás, Nat, Natalie... Cordero. Eu tenho um estômago supersensível, e ele não está curtindo o que quer que você tenha me dado. Vomitar é uma especialidade minha. Espero que você seja rápida.

— Seus arquivos do Walter Reed são interessantes — diz ela, sem perder um segundo. — Você teve alta uma semana depois de chegar. — Ela ergue o rosto e arregala os olhos ligeiramente. — Isso é incrivelmente rápido.

— Rápido mesmo.

— Para onde você foi depois disso?

— Para casa. Minha condição ficou estável bem mais rápido do que os médicos esperavam. Eles não sabiam muito bem o que precisava ser consertado em mim. O status dos meus ferimentos... foi descrito como "dinâmico". Então eles fizeram o possível, endireitaram os ossos principais; fêmur e tíbia, e decidiram esperar o inchaço diminuir antes de me internarem de novo para uma investigação mais profunda.

— O status dos seus ferimentos era *"dinâmico"*?

— Em constante mudança.

— Obrigada, eu sei o que significa. Onde você mora?

— Half Moon Bay, Califórnia.

— E o que aconteceu lá?

— As coisas ficaram estranhas.

Cordero se recosta na cadeira. Entrelaça os dedos.

— Fale sobre a parte em que fica estranho — pede ela.

E eu obedeço.

Capítulo 5

Ok. Minha casa.

Eu só fiquei lá tipo um dia, mas muita coisa aconteceu nesse período. Foi quando reparei pela primeira vez que eu não parecia normal.

Assim que eu acordei, me senti tão desorientado que não reconheci meu próprio quarto. Lembro de pensar que a mesa e a prancha de surf pendurada acima da janela me pareciam familiares antes de perceber que eram de fato coisas minhas. E eu estranhava meu corpo. Não era como eu esperava me sentir naquele estado. Eu usava bota e tipoia imobilizando minha perna e braço esquerdos — foi desse lado que eu caí —, mas não sentia dor nenhuma. Meus músculos só pareciam inchados, como se tivessem sido estofados com bolas de algodão. Botei a culpa em todos os analgésicos que me deram.

Outra coisa estranha sobre aquela manhã era que eu estava sozinho. Durante dias, e também durante a transferência para a minha casa, eu estivera sob vigilância constante de médicos e enfermeiras no Walter Reed. Antes disso, vivia cercado por um monte de homens o tempo todo, em atividade constante. Pode-se dizer que o RASP é um ambiente bem *dinâmico*. Mas, naquele dia, tudo o que eu conseguia ouvir do meu quarto era o som distante da Autoestrada 1. Eu estava hiperconsciente de que não precisava estar em lugar algum pela primeira vez em meses, então fiquei ali por um tempo, encarando os feixes de luz pela cortina, absorvendo minha nova situação.

Minha mãe não tinha trocado nada de lugar desde que saí de casa. Minha mesa continuava lotada de troféus de beisebol. O equipamento de camping e as mochilas empilhadas no canto. Meu chapéu e beca da formatura continuavam em cima da cadeira. Tudo parecia frágil e colorido. Eram brinquedos em comparação com o equipamento que eu usava no exército.

Após alguns minutos tomei coragem para me examinar. Meus ferimentos certamente podiam ter sido piores, mas também não eram leves. Sob os imobilizadores e as roupas, eu sabia que estava púrpura. Remendado como uma colcha. Um completo estrago. Assim que o inchaço diminuísse, possivelmente eu iria precisar de cirurgias no braço, no punho e na perna, seguidas de meses de fisioterapia antes de sequer pensar em voltar para Fort Benning. No Walter Reed haviam dito que poderia demorar até um ano, mas eu tinha me recusado a pensar no que isso significava na frente da minha mãe e dos médicos. Mas, agora que estava pensando, era quase insuportável.

Não espero que compreendam, mas, quando me alistei no exército, foi... hum. Foi muito bom para mim, sabe? Eu estava na pior desde a morte do meu pai. Mas o RASP mudou tudo. Foi um acontecimento positivo no momento que eu precisava, e, deitado na cama naquela manhã, eu não conseguia aceitar o retrocesso pelo qual tinha acabado de passar. Eu perderia *um ano* me recuperando. Isso não podia acontecer. Eu não podia voltar para o estado de antes.

Conforme a ficha caía, a raiva tomou conta de mim de um jeito inédito. Era um sentimento muito mais forte que a frustração ou a decepção. *Ódio.* Um ódio que parecia um calor dentro do peito, uma febre de um milhão de graus. Tão forte que parecia mensurável, com a lente e o equipamento certos seria possível enxergar as ondas de calor ao meu redor.

Eu tinha ordens expressas de só me mexer quando estritamente necessário. Partes do meu fêmur haviam se dilacerado e estavam recém-acomodadas. Naquele instante, eu não podia me importar menos. A tal raiva dentro de mim tornava impossível continuar deitado.

Fui me arrastando até a beirada da cama, deslizei minhas pernas para fora do colchão e sentei. Senti uma tontura absurda, a pulsação do sangue gritava em meus ouvidos, o quarto girava, mas eu sabia que havia mais. Tomei coragem para sentir a dor que estava por vir.

E ela nunca veio. Além da tontura e da raiva que parecia queimar dentro de mim, eu me senti bem. Meu braço e minha perna esquerda estavam inchados e um pouco dormentes, mas era só isso.

Minha mãe havia deixado um bilhete sob o copo de água e remédios para dor — uma farmácia inteira na mesa de cabeceira. Tinha ido rapidinho ao supermercado. Eu deveria tomar os remédios assim que acordasse porque já estava com duas horas de atraso. Ela também deixara as minhas muletas encostadas na parede. Ignorei os remédios, peguei uma muleta para meu braço bom e me levantei.

Continuava tudo bem.

Segui em frente.

Para andar com apenas um lado do corpo eu precisava arrastar a muleta em um semicírculo à frente — pisar, arrastar, pisar —, como um compasso humano. Descobri isso ao sair do quarto e pisar no corredor curto da nossa casa, por onde passei por fotografias de mim e da minha irmã gêmea, Anna, pelados, brincando na praia quando ainda éramos bebês. Depois passei por uma foto de quando eu ainda usava aparelho e tinha espinhas, vestindo uniforme de beisebol. Mais uma foto de aparelho e espinhas no baile do 9º ano. Atribuo muito da minha força mental ao fato de ter crescido passando todos os dias por aquele corredor.

Tracei uma meta de chegar até a porta da frente, porque eu traço metas para tudo e porque precisava continuar em movimento. Precisava sentir que ainda era capaz de me movimentar por conta própria. Se eu simplesmente conseguisse passar pela porta da frente, seria um sinal de que tinha retomado o controle e de que já estava me recuperando.

Enquanto mancava por nossa pequena sala, reparei em algumas caixas de mudança empilhadas sob a janela e parei. A pintura do mar feita por Anna havia sido tirada da parede atrás do sofá e estava encostada na parede. Nossa estante de livros estava vazia com a exceção de dois porta-retratos. Uma foto mostrava meu pai ajoelhado ao lado de um peixe-espada no barco do melhor amigo, a outra fora tirada quando eu era criança, magrelo, e me exibia surfando uma onda de meio metro como se fosse rei do mundo.

Os sinais estavam todos ali. Estávamos vendendo a casa.

Eu não esperava aquilo, mas deveria. Minha mãe gerenciava um restaurante de frutos do mar na orla. O salário era ok, mas ela pagava a faculdade de Anna. Eu tentava ajudar. Contribuía o máximo possível com meus soldos, mas não era muita coisa. Sem a renda do meu pai, eu sabia que não teríamos condições de manter nossa casa — a casa que meu pai tinha construído — e bancar a faculdade da minha irmã. Ainda assim. Eu não tinha me dado conta de que estávamos tão próximos de vendê-la. Eu detestava a ideia da minha mãe ter que fazer tudo isso — a venda, a mudança, a *vida* dela — sozinha. Mas não sabia como ajudar. Como eu poderia aliviar um pouco daquele peso? Ainda mais agora que eu estava ferrado.

Mancando em meio às caixas de mudança, alcancei a porta da frente e pisei do lado de fora. A calçada de concreto era gelada sob meu pé direito; o esquerdo estava protegido pelo imobilizador.

Half Moon Bay, o lugar onde eu havia crescido, é uma pequena cidade ao sudoeste de San Francisco, no litoral do oceano Pacífico. É uma cidade de pescadores e surfistas, e o aroma é uma combinação de armadilhas para lagosta, combustível e restaurantes turísticos. Sabem o cheiro de *fish & chips*? É o cheiro que me faz lembrar de casa. Cem por cento. É o melhor cheiro do mundo. Tinha sentido falta dele, mas agora não conseguia parar de pensar na mudança. Em pouco tempo esse lugar *não seria* mais a minha casa. Para onde minha mãe iria? E em toda parte havia memórias do meu pai. A rua onde a gente costumava jogar basquete. A frente da garagem, onde lavávamos a picape. A oficina dentro da garagem.

Eu já tinha perdido meu pai. Agora eu também teria que perder todas aquelas lembranças?

A vizinha do lado, Sra. Collins, estava do lado de fora, cuidando da roseira que cultivava na cerca. A Sra. C tinha acabado de se aposentar depois de quarenta anos como enfermeira. O marido havia pilotado aviões F-4 na Força Aérea durante a guerra do Vietnã. Como nunca tiveram filhos, ela meio que tinha adotado a mim e a Anna como netos não-oficiais. Ela amava fazer bolos e tinha um senso de humor incrível. No dia que me alistei, ela fez uma torta de frutas silvestres para mim e entregou com um bilhete que dizia, *Querido Gideon, o exército também pode ser um bom caminho, acredito.*

Mas por mais que gostasse dela, não estava no clima para conversar. Acabei virando o corpo em sua direção mesmo assim porque sabia que a minha mãe me mataria se eu não desse um oi.

— Oi, Sra. C — falei, tentando me acalmar. A atmosfera beligerante que eu tinha desenvolvido ainda pairava sobre mim, como um calor intenso transbordando da pele. — Como vai?

— Gideon? —Os olhos dela encontraram os meus. Pareciam embaçados, como se ela não conseguisse me enxergar direito. Paralisada, a Sra. C tinha deixado cair a rosa vermelha que havia acabado de cortar.

— Sra. Collins? Está tudo bem?

Ela demonstrou surpresa.

— Claro que sim. Eu não esperava vê-lo.

— Desculpe. Não quis assustar a senhora.

— Não disse isso. O que você quer? — perguntou ela, com as bochechas tremendo.

Não entendi a pergunta logo de cara. A Sra. C pareceu muito grosseira, e seu olhar havia mudado de embaçado para frio.

— Eu ia até a praia.

Na verdade, eu torcia para que ela tivesse descoberto sobre o meu acidente e para que se oferecesse para fazer uma torta de "melhoras", mas nada mais que isso. Ela estava começando a me assustar.

— *Mentiroso.* — Ela apontou a tesoura para mim. — Você não está indo à praia, jovem. Está parado aí, desperdiçando meu tempo!

— Hum, *oi*? — Eu não conseguia entender. Era a mesma senhorinha que me pedia para caçar e libertar aranhas. Que sorria da varanda... sentada sozinha. Tipo... *desperdiçando seu tempo*? Ela amava as visitas que eu e Anna fazíamos.

— Anda logo! — gritou ela, tirando uma luva de jardinagem e jogando-a em mim. Não consegui desviar muito bem com o gesso e as muletas, e ela bateu nas minhas costas. — Chispa daqui!

Pareceu uma boa ideia. Fui me arrastando pela rua, confuso e abalado. Fiz uma anotação mental para lembrar de falar sobre isso com a minha mãe. A Sra. C estava ficando velha. Talvez estivesse na hora de fazer uns exames.

Manquei pela casa dos Marshburn e dos Harrington até o final da nossa rua. Eu sabia que não devia pisar na areia por causa dos meus ferimentos, então parei no começo da trilha. Atrás das dunas e sob a neblina, lá estava o mar, grande e confiável. O mar seria sempre o mar, isso era certo.

Ali parado, percebi que ainda não sentia dor na perna e no braço. Meus médicos tinham errado feio nas estimativas para a minha recuperação.

Falaram *um ano*. De jeito nenhum. Seis meses era a minha nova meta para voltar a Benning. Por que não? Fisicamente, eu me sentia melhor do que esperava. Mentalmente, eu tinha um tanque cheio de frustração e raiva para me abastecer. E a minha vida pré-Exército não oferecia nada que eu quisesse. Meus amigos e minha irmã estavam na faculdade. Com a venda da casa, eu sequer teria para onde voltar. Precisava sair dali.

Na praia, avistei o cachorro dos Harrington saltando pelas ondas baixas. Jackson parecia mais um urso que um labrador. Ele costumava ser meu parceiro de corrida antes de eu ir para o Exército. Eu o chamei e sorri enquanto ele vinha correndo na minha direção.

Quando estava a apenas 3 metros de mim, ele cravou as patas na areia e parou em estado de alerta, orelhas levantadas, como se não me reconhecesse.

— Calma, garoto. Sou eu.

Eu o conhecia desde que ele tinha apenas algumas semanas de vida.

Mas Jackson retesou a boca e mostrou os dentes, soltando um rosnado baixo e surdo.

— Jackson, sou e...

Ele avançou antes que eu terminasse a frase, o pelo eriçado e a boca aberta. Agitei a muleta no ar.

— *Sai*, Jackson!

Mas não importava o que eu gritasse, ele continuava rosnando e me enfrentando, me empurrando em direção à areia, onde eu sabia que perderia o equilíbrio. Antecipei o que fazer em seguida: eu usaria meu braço imobilizado para me proteger das mordidas.

Eu tinha acabado de pisar fora do asfalto quando Jackson parou. As orelhas se levantaram. E então ele saiu correndo, respondendo ao chamado de uma voz que eu não conseguia ouvir no final da rua.

Assisti enquanto ele sumia pela lateral da casa dos Harrington, o coração disparado no peito.

O que tinha *sido* aquilo?

Eu já havia tomado ar fresco suficiente. Voltei para casa andando rápido, aliviado em ver que a Sra. C também sumira. Entrei em casa depressa e dei de cara com a minha mãe.

— Nossa! Mãe! Eu estava...

Eu estava o quê? Assustado com uma senhorinha e um cachorro? Mas ver a minha mãe me fez esquecer disso tudo e me senti bem. Era realmente bom vê-la sem estar sob efeito de analgésicos.

Nós não conversávamos de verdade havia semanas, desde antes de começar o RASP, e eu tinha um monte de perguntas. Se ela estava bem com a questão da casa. Se ela se sentia sozinha sem mim e Anna por perto. Se já tinha pensado em namorar de novo — um sim ou não seria o suficiente para essa pergunta. Eu sabia que ela seguiria em frente em algum momento. Minha mãe é uma mulher forte. E jovem. Ela teve os filhos com apenas 20 anos, e sempre cuidou de si e tudo mais. Muitas vezes as pessoas achavam que ela era a irmã mais velha de Anna, porque as duas são muito parecidas. Bem mais do que eu e Anna somos, mesmo gêmeos.

Alguns segundos se passaram antes que eu me desse conta de que ainda estávamos parados ali. Minha mãe não tinha dito nada, nem eu. Apesar de tudo que eu queria dizer, não sabia por onde começar. E ainda tinha aquela fornalha de irritação queimando dentro de mim. Quando finalmente abri a boca, as palavras que saíram foram estas:

— Você estava planejando me contar da casa em algum momento?

Ela me olhou, surpresa.

— A gente *não* vai falar sobre a casa agora, Gideon. Vamos falar sobre *você*. Estava tentando me matar de susto? Saio de casa por meia hora e você some? Não era sequer para você ter saído da cama!

Uma sacola de compras tombou no balcão da cozinha, e uma maçã rolou para dentro da pia.

— Estou bem, mãe. Eu só precisava de um pouco de ar.

Mas parecia que ela não estava me ouvindo.

— Liguei para Anna — continuou ela. — Estava prestes a ligar para Cory. Não acha que eu já tive uma semana difícil o suficiente? Acho que você não entendeu o que isso tudo fez comigo. Você sabe o quão perto de morrer esteve?

— Eu estou bem, mãe. Só precisava sair de casa um segundo. Fique calma, ok?

Mas ela não ficou. Continuou gritando comigo, dizendo que não conseguia acreditar na minha falta de noção. Será que eu não entendia a gravidade dos ferimentos? Será que eu estava me machucando de propósito só para machucá-la? Ela raramente havia perdido a paciência comigo desse jeito antes, com tanto destempero. Quando finalmente se acalmou, eu disse que ia voltar para a cama.

— É uma ótima ideia — rebateu ela, mas o tom era mais para *suma da minha frente.*

Eu me apressei até o quarto. Nada parecia normal, e eu precisava pensar.

Me joguei na cama e fiquei encarando o teto, relembrando cada passo que eu tinha dado desde o momento em que saí de casa. Estava relembrando o episódio de raiva de Jackson quando me dei conta. Eu voltei *correndo* para casa. Estranhamente, com os imobilizadores e a muleta. E não foi uma corrida manca de um cara com os ossos quebrados. Não mesmo. Enquanto minha mãe gritava comigo fiquei apoiado nos dois pés. Em seguida, fui andando para o quarto e me deitei. Sem mancar. Sem me arrastar. Sem dor.

Olhei para minha perna e movi os dedos do pé. Depois flexionei os músculos dentro do imobilizador e fiz as contas. Vejamos... eu estava duas horas atrasado na minha dose de analgésicos, tinha acabado de correr uma colina com um braço e uma perna esmigalhados e estava me sentindo *bem*?

— Gideon? — Minha mãe bateu na porta. — Desculpe por ter gritado, querido. Não sei o que me deu. Acho que é o estresse. Eu não esperava ver você andando tão cedo e fiquei assustada. Não quero que se machuque novamente, mas não tenho o direito de descontar em você.

Agora sim parecia a minha mãe. A doçura da voz me acalmou um pouco.

— Não tem problema.

— Está precisando de alguma coisa?

Ela queria uma desculpa para entrar, mas eu estava com a cabeça cheia demais.

— Não, obrigado. Vou descansar agora.

— Tudo bem. Estou aqui se precisar.

Assim que ouvi os passos se afastarem, me sentei e encarei a perna imobilizada, debatendo internamente se eu queria olhar ou não.

Eu tinha uma resistência razoável a sangue. A comida e remédios, nem tanto. Mas ver sangue e ferimentos era algo que eu conseguia aguentar bem. A questão é que era a *minha* perna. Será que eu queria vê-la inchada e cheia de hematomas? Coberta de grampos?

Decidi que sim. Eu queria. Eu precisava descobrir o que estava acontecendo. Abri os fechos de velcro e removi as estruturas de plástico do imobilizador.

Minha perna parecia a minha perna, com algumas cicatrizes tão claras que eu mal conseguia vê-las. Nenhum hematoma. Nenhum inchaço.

Certo. Ok, então... Eu estava *sonhando*? Vendo coisas?

O pânico foi aumentando à medida que eu abria e removia o imobilizador do braço.

Mais uma surpresa. Assim como a perna, meu braço estava curado. Era absurdo. Completamente absurdo, mas havia outra coisa. Algo *em* mim.

Uma grossa braçadeira de metal envolvia meu punho. Tinha 5 centímetros de largura e era feita de um metal diferente de tudo que eu já vira. Parecido mercúrio, mas com um brilho avermelhado. A luz que saía dela era de um vermelho intenso. Cor de sangue.

Minha reação inicial foi pensar que era uma braçadeira medicinal. Só podia ser uma daquelas pulseiras magnéticas curativas. Mas eu não conseguia achar uma fechadura ou uma fivela. O metal percorria meu punho sem qualquer sinal de arranhão, botão ou gancho. E estava bem apertado. Colado na pele. Eu não fazia ideia de como aquilo fora colocado em mim.

E, mais importante, não fazia ideia de como aquilo um dia iria sair.

Capítulo 6

— P ode parar, Gideon.

Pigarreei, surpreso pela interrupção de Cordero. Demoro mais alguns segundos para sair completamente do transe. Deixar o passado é um processo lento. Denso. Pegajoso. É como se arrastar por um pântano.

Será que os remédios que me deram são autorizados? Já perguntei isso?

— Se o que está dizendo é verdade, você se recuperou do acidente em cinco dias? — pergunta Cordero.

— Estou falando a verdade. Então, sim. Em cinco dias.

— E ninguém achou isso estranho? Sua mãe não comentou nada? Seus médicos?

— Não voltei ao médico desde que saí do Walter Reed, e a minha mãe... — Dou de ombros. — Ela com certeza teve suspeitas naquele dia, mas como não falamos desde então, não sei muito o que ela achou.

Cordero baixa os olhos para meu punho, que está coberto pela minha camiseta de manga comprida e amarrado à cadeira com amarras de plástico.

— Você ainda está com o bracelete?

Faço que sim com a cabeça.

— Como eu disse antes, não sai.

Ela ergue dois dedos, sinalizando para os homens atrás dela.

Texas se aproxima e ajoelha ao meu lado.

— Não faça nada idiota — aconselha ele com um forte sotaque. Ao lado da porta, Beretta saca a pistola e aponta para a minha testa.

Texas tenta levantar a minha manga, mas o plástico está apertado demais. Ele olha para Cordero, que autoriza com um gesto de cabeça. Texas saca um assustador canivete suíço de um compartimento na cintura, corta as amarras e puxa minha manga para cima. Por um segundo meu olhar encontra os olhos azuis dele — uma repetição silenciosa do mesmo aviso — e, em seguida, Texas agarra meu punho e o gira.

— Está aqui. Não tem nenhum ponto de junção. — Ele vira o ombro para que Cordero consiga ver.

A cadeira range quando ela se inclina para a frente. Cordero examina o bracelete do mesmo jeito que fiz naquele dia no meu quarto, meio admirada e confusa. Um semblante que basicamente resume meu último mês.

— É claramente algum tipo de liga, só que refrata a luz, como uma pedra preciosa... como um rubi.

Eu queria ter descrito desse jeito. Soa bem melhor do que *luz cor de sangue brilhante*.

— E a textura? — pergunta ela.

Texas me encara novamente. Ele mantém o canivete na mão direita. Com a esquerda, passa dois dedos sobre o bracelete.

— Macio. Parece mais vidro que metal. Temperatura corporal. — O olhar demonstra uma curiosidade genuína. — É pesado?

— Não. Não sinto peso algum. É a mesma coisa com a espada e a armadura.

Bum.

Parece que uma granada silenciosa foi detonada. Ninguém se mexe. Todos olham para meus olhos, depois para o meu punho, indo e voltando algumas vezes.

Provavelmente deixei escapar antes da hora. Valeu, soro da verdade. Mas eu nunca fui o melhor dos contadores de história. Sebastian é o especialista. Aposto que a Cordero que está com Bastian já mandou alguém comprar pipoca e caramelo.

Sou o primeiro a interromper o silêncio.

— Devo continuar?

Cordero recosta na cadeira e coça os nós dos dedos distraidamente. Parece um pouco menos apática que antes. Como se eu a estivesse entretendo.

— Amarre-o novamente — exige ela. — E, sim, Gideon. Continue.

CAPÍTULO 7

N a manhã seguinte, a primeira coisa que ouvi foi a voz da minha mãe falando ao telefone.

Seus gritos, na verdade. Por isso acordei.

Eu tinha dormido de bruços, sem os imobilizadores, e não tomava analgésicos desde o dia anterior. Era para eu estar urrando de dor, mas não estava.

Eu já ouvira minha mãe levantar a voz antes. Ela é descendente de irlandeses e não leva desaforo para casa. Mas algo no modo como gritava me pareceu especialmente grave. E ainda tinha a questão de como tinha agido comigo no dia anterior. De repente, algo que costumava ser muito raro estava acontecendo toda hora.

Ela desligou, e eu ouvi passos em direção ao meu quarto. A porta se abriu bruscamente, e ela ficou ali parada. A boca retesada e a careta que estampavam seu rosto me fizeram lembrar de quando uma vez, durante as férias, quebrei a janela da frente três vezes em três semanas, tentando aperfeiçoar minha rebatida de beisebol.

— Aconteceu uma coisa no trabalho — disse ela. — Preciso ir até lá nos próximos dias, mas falei com a sua irmã. Ela está vindo cuidar de você.

Isso já havia sido arranjado. Durante a minha recuperação minha mãe cuidaria de mim durante a semana e trabalharia de sexta a segunda. Anna, que era caloura na Politécnica da Califórnia e só tinha aulas durante a semana, cuidaria de mim nos finais de semana.

Mas era terça-feira. A ligação da minha mãe tinha remexido os termos do acordo.

— Anna vai estar em aula — falei.

— Bem, ela vai ter que se virar. Você é mais importante.

— Mãe, eu...

— Não discuta comigo, Gideon. Ela vai chegar na hora do jantar. Vou pedir para a Sra. C vir aqui dar uma olhada em você até...

— Não... tudo bem. Vou ficar bem até Anna chegar.

Minha mãe me deu um beijo na testa, disse para eu tomar meus remédios e saiu.

Assim que ouvi a porta da frente fechando, calcei meus tênis de corrida, enfiei algumas roupas na minha sacola militar e peguei as chaves. Tranquei a casa e entrei no meu Jeep, modelo CJ 1985 que eu e meu pai íamos reformar, mas nunca conseguimos por motivos óbvios.

Fiz tudo aquilo — me vesti, arrumei a mala e tranquei a casa — com os membros funcionando. Completamente saudáveis. Ao tocar no volante, o pedaço brilhante de metal vermelho me chamou a atenção. Coisas que não faziam o menor sentido estavam acontecendo, e a sensação era parecida demais com a que tive quando meu pai morreu. Meu instinto me dizia para me mexer porque estar em movimento — correndo, escalando, dirigindo, qualquer tipo de movimento — sempre ajudava a me acalmar. Botava as coisas em perspectiva, e eu precisava muito disso. Saí da entrada da garagem, peguei a estrada em direção ao sul e simplesmente... dirigi.

Quando parei diante do dormitório da minha irmã três horas mais tarde, as coisas faziam tão pouco sentido quanto antes. Eu não tinha uma nova perspectiva.

E não tinha me acalmado.

O quarto da minha irmã ficava no segundo andar de um dormitório novo na ponta do campus da Politécnica, com colinas verdejantes e trilhas por toda parte, uma piscina aquecida e uma quadra de vôlei de praia no centro do quarteirão. Basicamente um resort de luxo.

Ninguém atendeu quando toquei o interfone, e, como sou idiota, eu tinha deixado meu celular em casa. Sendo assim dei a volta no prédio, pensando que talvez pudesse escalar pela varanda. Com sorte, a porta de vidro estaria destrancada.

Uma garota com mechas azuis no cabelo pintava as unhas do pé no terraço do apartamento embaixo ao da minha irmã. Ela acomodou o esmalte sobre uma pilha de livros didáticos ao lado dos pés e olhou para mim.

Dessa vez eu estava preparado. As reações da Sra. C, Jackson e da minha mãe tinham algo em comum — eu. Perto delas, eu tinha sentido essa raiva fervorosa, então, quem sabe não era eu quem estava afetando as pessoas? Não fazia sentido, mas foi a única conclusão que me ocorreu.

Levantei as mãos, mostrando que não tinha más intenções.

— Oi, tudo bem?

Por dentro, eu implorava para que ela ficasse calma, buscava sentir uma paz interior com todas as forças do meu corpo, visualizava tranquilidade, buscava meu lugar feliz e coisa e tal quando *bingo*.

Ela sorriu.

— Quem é você? — perguntou ela.

— Sou o irmão de Anna Blake. Gideon.

— O irmão gêmeo dela, o cara do exército?

— O irmão gêmeo dela, o cara do exército.

Ela me deu uma conferida, a única coisa realmente boa que tinha acontecido em uma semana, e se apresentou como Joy.

— Você não se parece muito com ela.

Dei de ombros.

— É, ela é bem mais bonita que eu. Tento não sentir ciúmes.

O sorriso de Joy ficou ainda maior.

— Vocês são meio Luke e Leia.

— As pessoas dizem isso às vezes. Você se importa se eu usar a sua grade? Anna ainda não chegou.

— Vai nessa. Pode usar o que quiser.

— Valeu. — Joguei minhas tralhas na varanda do segundo andar. Em seguida, pulei, segurando as barras sobre a minha cabeça, e lancei meu corpo para cima. Nada mal para um cara com um braço e uma perna quebrados.

— Gideon? — chamou Joy, se espichando do andar de baixo. — Vamos receber um pessoal mais tarde. Apareça.

Agradeci novamente. Uma festa parecia ideal para relaxar a cabeça.

A porta de correr do apartamento da minha irmã estava destrancada e abriu com facilidade, o que era ao mesmo tempo bom e ruim. Anna deveria ser mais cuidadosa. Passei pela porta e congelei ao ouvir o som de alguém chorando.

Larguei minha mala e corri para o quarto de Anna, onde a encontrei enrolada na cama com os olhos fechados, como se tentasse segurar as lágrimas, e o telefone na mão.

— Anna? — Sentei na cama e botei a mão no ombro dela. — O que está acontecendo?

Ela se retesou com um grito.

— *Gideon*? — Ela virou os olhos na minha direção, como se não conseguisse acreditar que eu era real, e em seguida jogou os braços em volta do meu pescoço. — Eu estava tão preocupada. Mamãe disse que você tinha quebrado o braço e a perna. Disse que você quase *morreu*.

— Eu sei — falei, retribuindo o abraço. — Mas eu estou bem, Banana. Está tudo bem. — Eu estava mesmo bem; todas as partes do corpo estavam, menos a cabeça.

Ela se afastou e me examinou. Como eu disse, Cordero, não somos muito parecidos fisicamente. Não só na cor da pele. Anna é muito magra. Não é muito atlética. Ela me mataria se me ouvisse falando isso. E eu... bem. Você está me vendo. Eu pareço com o meu pai. Quando ele era vivo. Tenho a mesma altura, o mesmo porte.

A única coisa que Anna e eu temos em comum são os olhos dele. Azul-claros. O formato também, um pouco caidinho nas extremidades. As pessoas acham que isso nos dá um olhar muito expressivo, sorridente. Parecem os olhos de Paul Newman — é o que sempre dizem os mais velhos. Para mim são os olhos de alguém que ouve com toda a atenção do mundo quando outra pessoa está falando; minha irmã é exatamente assim, e meu pai também era. Ver Anna era bom, mas também me fez sentir ainda mais falta do meu pai do que eu sentia em casa, e isso era péssimo. Eu tinha dividido uma barriga com a minha irmã e quase todos os dias da minha vida desde então. Olhar para ela era muito difícil, e isso não me deixava feliz.

Anna balançou a cabeça, sua expressão implorava por respostas que eu não tinha.

— O acidente não foi tão ruim quanto eles pensaram?

— O diagnóstico inicial talvez tenha agravado a situação. E eu ainda estou meio dolorido — expliquei, embora não estivesse.

— Agravou *muito*. Não achei que você fosse se machucar no treinamento.

— Nem eu. Mas não dá para escolher quando um acidente vai acontecer, não é?

Aquela palavra, *acidente*, dava a sensação de reabrir uma ferida que não se cura nunca. O mesmo para Anna. O luto era uma sombra em seu rosto. Precisei desviar o olhar. Sobre a escrivaninha havia um porta-retratos com uma foto do Natal de um ano e meio atrás, todos nós de chapéu de Papai Noel, sorrindo feito doidos. Ainda éramos quatro membros da família Blake. Um grupo de quatro pessoas.

— O que você está fazendo aqui, Gideon? Por que não está em casa?

O que ela quis dizer era *por que não está de cama*, mas respondi à pergunta que ela fez.

— Pensei que você podia cuidar de mim aqui. Assim você não precisa perder aula. — Em seguida, apontei a cabeça para o telefone dela, pronto para esquecer o assunto sobre os meus não-ferimentos. — Quer me contar o que está acontecendo?

Ela deu de ombros e alisou as mãos na calça do pijama. Eu tinha dado aquele pijama para ela no mesmo Natal da foto. De flanela vermelha, com estampa de torre Eiffel porque o sonho dela era estudar em Paris. Minha irmã era uma artista. Quando a gente era criança, Anna fazia lindos desenhos, pinturas e cerâmicas colecionáveis. Já eu era o cara que quebrava as coisas. Bicicletas, tacos, pranchas. Corações. Esse último é brincadeira.

— Ah. Um lance com Wyatt — disse ela.

— *Wyatt?* — Eu conhecia o cara. Era um idiota mimado de uma escola particular perto da nossa cidade. Ele e Anna começaram a namorar no último ano da escola, quando se conheceram em um grupo júnior de Política. Fiquei com ódio quando descobri que ele ia estudar na mesma faculdade que ela. O ensino médio era para ter sido o fim de Wyatt Sinclair. — Achei que você tinha terminado com esse idiota.

— Eu terminei — disse Ana. — Nós dois terminamos. Quero dizer, a gente decidiu junto que era melhor assim. Ele disse que queria um tempo, então eu dei.

— Como se ele fosse uma criancinha, esse idiota? É esse tipo de tempo?

Anna ignorou meu comentário.

— Ele achou que o relacionamento estava ficando sério demais. Disse que queria "viver a faculdade". — Ela fez as aspas com os dedos. — Achei que tinha acabado mesmo. Eu sei que ele ficou com outras garotas desde então. Mas a gente estava tecnicamente dando um tempo, então não conta, né?

O que contava tecnicamente era que Wyatt era um babaca, mas Anna claramente não enxergava isso. Olhei para a pilha de roupas jogada na cadeira e para a caneca de café na mesa. Não podia acreditar que estávamos falando sobre relacionamentos, sendo que eu tinha caído de um avião uma semana antes. E não tinha nenhum ferimento.

Anna levantou o telefone.

— Ele acabou de ligar e disse que foi um erro terminar comigo. Disse que estava totalmente enganado e que me quer de volta.

— E você mandou ele para aquele lugar, né?

— Eu amo Wyatt, G.

— Anna. Meus *ouvidos*.

Ela riu.

— Ok, talvez não ame. Mas gosto. Ele é inteligente e me tratava bem quando a gente estava junto. Ele está vindo até aqui para conversarmos. Sinto que devo pelo menos ouvir o que ele tem a dizer.

— Ele realmente está vindo? Que ótimo! Meu punho está louco para conversar com a cara dele.

— *Não*, Gideon. — O sorriso dela desapareceu. — Fique fora disso. É assunto meu.

Sustentei seu olhar e me perguntei se aquilo era minha culpa. Quando nosso pai morreu, eu estava sempre longe, por conta própria. Acampando. Dirigindo. Simplesmente me escondendo, sozinho. Eu não conseguia ficar perto de ninguém. Não confiava em mim mesmo para isso. Mas, assim como eu não precisava de ninguém naquele momento, a minha irmã tinha precisado de alguém, e Wyatt Sinclair havia se encaixado nesse papel. Ele chegou e ocupou esse espaço e, se havia uma coisa que aprendi com tudo isso é que o luto não é um oponente que joga limpo. A gente tem que fazer o que for preciso para derrubá-lo. Era necessário lutar sujo, simples assim. Então eu entendia. Anna não amava Wyatt. Ela amava o fato dele ter estado presente no pior momento da vida dela.

— O que é isso? — Anna levantou a manga da minha camisa antes que eu pudesse impedi-la. — É um bracelete?

— É, e daí? — Abaixei a manga. — Não posso usar joalheria?

— Para começar, não se fala joalheria, e sim joias. E não dá para passar a vida odiando e do nada começar a gostar.

— Eu não odeio joias. — Eu só não gostava de ter nada em mim que não tivesse um motivo para estar ali.

— Balela. Você não usa nem cinto.

Verdade. A meu ver, cintos e braceletes compartilhavam muito da mesma essência. Eu os evitava até muito pouco tempo atrás. No exército, o uso de cinto era obrigatório.

Anna de repente parecia ter ganhado na loteria.

— Você conheceu alguém! Conheceu, não foi?

Eu nunca tive uma namorada, oficialmente, e por algum motivo isso enlouquecia minha mãe e Anna. De um modo geral os gêmeos Blake eram bem ruins em matéria de relacionamentos. Anna tinha um que era péssimo. Eu evitava todos completamente.

— Sossega, Banana. É um negócio chamado XT3. É uma Pulseira de Terapia Experimental, terceira geração. Altamente confidencial, então só posso dizer isso.

Eu disse tudo aquilo, mas ainda não tinha ideia do que aquilo realmente era. Talvez eu estivesse certo?

— Sério, qual é nome dela?

— Você sabe o que eu acho disso. Se eu quisesse compromisso arranjava um cachorro.

— Nossa! — Ela esticou o braço para pegar e abraçar uma almofada decorada com uma caveira gigante e brilhosa. — Muito romântico.

Fiz uma careta, porque quem em sã consciência quer ser romântico? E então não consegui parar de pensar na almofada de caveira.

— Diz uma coisa, irmã. Por que a gente precisa que as caveiras sejam fofas? Certas coisas não deveriam ser alteradas. Armas, por exemplo. Privadas... papel higiênico... armas de novo... tudo isso deveria se manter funcional. Sem brilho.

Ela revirou os olhos.

— Até parece. Eu iria amar ter uma privada toda de lantejoulas. E você também, nem tente negar. Você ia amar uma privada chique.

Eu neguei, o que nos levou a um debate amigável. As discussões banais eram a essência do nosso relacionamento, e me senti bem de estar ali com a minha irmã... até alguém bater na porta. Anna parou a frase no meio e saltou da cama. O babacão tinha chegado.

— Oi, Ursinha! — Eu ouvi Wyatt dizer na sala. Todos os apelidos são absurdamente ridículos, mas esse ganhava o primeiro lugar. — Como você está?

— Sinceramente, já estive melhor — respondeu Anna.

— Eu sei — murmurou Wyatt. — Eu também. Mas estou melhor agora que estou aqui com você. Senti sua falta, Ursinha.

Agarrei a almofada com a caveira brilhante e cravei meus dedos nela. *Ignore, Blake, ignore.*

— Não sei se consigo passar por isso de novo, Wy. Como eu vou acreditar que você realmente quer ficar comigo? Ou que vai ficar aqui dessa vez?

Não tem como, Anna. Sai dessa.

— Vamos viver um dia de cada vez. Você sabe que eu nunca parei de gostar de você. — Ele baixou a voz. — Anna, as outras garotas não foram nada para mim. Não significaram nada. Não como você.

Não... ele realmente disse isso?

Saltei da cama.

— Fique exatamente aí — disse Ana no instante que passei pela porta.

Obedeci e me encostei ao batente da porta. Ver Anna chateada tinha feito com que eu deixasse meus problemas um pouco de lado, mas agora aquela raiva, pesada e tangível, estava de volta, fervilhando sob a pele. Eu não conseguia controlar. Era a minha irmã. Meu autocontrole estava sitiado.

Wyatt ficou perplexo e deu meio passo para trás.

— O seu *irmão* está aqui, Anna? Achei que ele estava machucado.

— Desculpe te decepcionar, babaca. — Acho que saiu sem querer. Mas eu não me importava. Wyatt pode ter sido bom para Anna no passado, mas estava se aproveitando disso.

— Eu disse para você não se meter, Gideon — retrucou Anna.

— Isso! Fique fora disso, *por favor.* — Wyatt passou a mão pelo cabelo de almofadinha. Como regra geral, não gosto de caras que arrumam o cabelo como se tivessem acabado de acordar. Ficar com o cabelo bagunçado nunca deveria ser um objetivo. Deveria ser uma consequência. — Meu Deus, Anna. Acho que isso não vai dar certo. Como a gente vai conversar com ele por perto?

— Eu não sabia que ele estava vindo, Wyatt. Desculpe.

Ela realmente estava pedindo desculpas a *ele*?

Você não tem que pedir desculpas, Anna. Você tem que ficar com raiva.

Anna balançou a cabeça, como se estivesse afastando um pensamento.

— Espere aí um minuto. Você passou o último mês saindo com outras garotas e agora está irritado porque o *meu irmão* está aqui?

Agora, sim.

Wyatt fechou a cara, obviamente surpreso pelo fora.

— Achei que a gente fosse tentar resolver as coisas, Ursinha. A presença dele vai interferir.

— Não estou interferindo. Estou simplesmente parado aqui.

Eu sorri.

— Viu? Ele já está interferindo. Anna, achei que você quisesse ficar comigo. Vai ver eu estava errado.

Que porcaria de chantagem. Não caia nessa, Anna.

— Eu estava enganada, Wyatt. — Ela abriu a porta do apartamento. — É melhor você ir embora.

Wyatt deu um passo à frente na direção da Anna, virando de costas para mim.

— Vim aqui porque queria você de volta na minha vida — disse ele com uma voz sussurrada. — Mas a gente nunca vai resolver isso se você agir de forma irracional.

Irracional? Era o suficiente para mim. *Manda ver, irmã.*

Anna deu um tapa na cara dele. A cabeça de Wyatt chicoteou para o lado. Por alguns segundos, ninguém respirou. Ficamos ali, ouvindo o eco do tapa, até que Anna disse:

— Vá embora, Wyatt. Agora.

Ele me lançou um olhar furioso e acusatório, como se suspeitasse da minha participação nas ações da Anna. Eu não suspeitava tanto. Aliás, eu tinha bastante certeza de que havia influenciado o comportamento dela. De alguma forma, eu havia concentrado minha raiva nela e a guiado durante todo o processo. Mas como isso sequer era *possível*?

Depois que Wyatt saiu, Anna se apoiou contra a porta.

— O que eu acabei de fazer?

— Resolver a situação. Você não precisa desse idiota na sua vida, irmã. Fez a coisa certa.

— Eu bati nele. — Ela olhou para a mão, como se não fizesse parte de seu corpo. — Eu dei *um tapa* nele.

— Você foi mais legal do que eu teria sido.

Anna balançou a cabeça, os olhos se enchendo de lágrimas.

— Você não está ajudando, Gideon.

Em seguida, ela saiu apressada em direção ao quarto e bateu a porta.

Encostei na maçaneta no instante em que ela girou a tranca.

— Abra a porta. Por favor, Anna. É ele quem está perdendo, irmã. — Dava para ouvi-la chorando do lado de dentro; um dos piores sons do mundo para mim. — Anna... me deixe entrar. — Tentei novamente, mas estava claro que não ia rolar por um bom tempo.

Excelente. Eu tinha conseguido deixá-la ainda mais chateada. E agora?

Atrás de mim ouvi o som de chave enquanto alguém entrava no apartamento. Só podia ser a colega de quarto de Anna, Taylor. Mais uma interação social bizarra era a última coisa de que eu precisava.

Então corri para a varanda, desci e fui embora.

Capítulo 8

omo eu disse, estar em movimento ajuda a clarear meus pensamentos. Sempre fui muito bom em corrida. Isso havia tornado o RASP bem mais fácil para mim que para muitos caras. Quando digo mais fácil, quero dizer menos torturante. Às vezes, já próximo de completar uns 8 quilômetros, sinto a chamada euforia do corredor. Que para mim, na verdade, é uma sensação de calma e estabilidade. No entanto, ao pegar a trilha que seguia para longe dos dormitórios, indo em direção ao morro que cercava o campus, duvidei de que fosse capaz de encontrar essa estabilidade. Eu tinha coisas demais a desvendar. A recuperação rápida. O metal misterioso no meu pulso. A minha nova habilidade em fazer o quê? Deixar as pessoas irritadas?

Eu já tinha essa habilidade. Não precisava ficar ainda melhor nisso.

Nada fazia sentido, e eu não tinha nada, nenhuma teoria. Não tinha sequer chegado a um beco sem saída porque não estava percorrendo trilha alguma. Acabei pensando sobre os meses pouco antes da morte do meu pai, um truque que meu cérebro gostava de fazer comigo. Ele puxava lembranças de trás da minha orelha e as revelava, como um mágico de quinta categoria.

Dessa vez, tinha a ver com beisebol, logo depois do último jogo do meu primeiro ano no ensino médio. Meu jipe tinha ficado sem bateria, e todo mundo já tinha ido para casa, então meu pai e eu ficamos presos no campo. Ligamos para Anna, que ia trazer os cabos de carga que ficavam na picape do meu pai, e então voltamos para dentro do campo e esperamos.

Ficamos sentados no banco de reserva do time da casa, assistindo ao sol descer atrás do placar. O campo estava todo arrumado, a marcação branca muito nítida, as bases guardadas. Pensei em como algo havia se revelado para mim naquela temporada. Eu tinha melhorado meu jogo em todos os níveis e já tinha sido procurado por alguns olheiros — universidades menores que me queriam como jogador —, mas sempre soube que podia conseguir coisa melhor. Eu tinha as notas necessárias e talento suficiente. O esforço era a peça final, e essa era a minha especialidade. Quando chegasse a primavera, eu teria uma bolsa de estudos de uma grande universidade.

Sonhei com isso por muito tempo. E, naquela noite, me pareceu possível. Tudo me parecia possível naquele momento. *Tudo* era possível. E enquanto esperávamos Anna chegar, eu disse a meu pai o que eu queria. O que eu faria.

Quando terminei de falar, lembro que ele ficou olhando para mim por um bom tempo. Acho que foi como se ele estivesse vendo um homem sentado ao seu lado, e não apenas seu filho. E então ele sorriu e disse: "Eu acho que gostaria de passar mais quatro anos na arquibancada."

Ele acreditava que eu conseguiria. Meu destino parecia definido. De certa forma, eu quase sentia como se eu já tivesse *conseguido*. O meu sonho ia se tornar realidade. Só que ele morreu seis semanas depois e eu nunca mais pisei em um campo de beisebol.

Enfim.

É fácil adivinhar que pensar no meu pai não melhorou o meu humor. Ele não estava mais por perto, e jamais estaria novamente, mas ele sempre fora a pessoa com quem eu podia falar sobre qualquer coisa. Seria bom poder contar com isso naquele momento. Como não era uma opção, corri até a minha camiseta ficar ensopada de suor, por 8 quilômetros.

Parei ao chegar no alto do morro. O sol poente deixava o céu vermelho, e o campus se estendia ao longe. Até ali, eu mal tinha sentido a presença do bracelete no meu pulso. Era como não ter nada no braço, e não era para ser assim, confortável, levando em consideração que eu detestava acessórios. Mas agora, enquanto recuperava o fôlego e olhava para ele, pude perceber um leve tremor, um zumbido de abelha vibrando no braço.

Cheguei ao meu limite. Tive a impressão de que aquele pedaço de metal era o responsável por tudo. Estava na hora de me livrar daquilo. Peguei a primeira pedra grande que vi, apoiei meu braço na terra e atirei a pedra sobre ele.

Um grito explodiu em meus ouvidos — agudo, terrível. Como se alguém estivesse sendo assassinado. E, ao mesmo tempo, o ar se esvaiu dos meus pulmões e a minha visão ficou vermelha, brilhante como um incêndio, e caí de cara na terra. A última coisa da qual me lembro é o som do meu sangue pulsando em meus ouvidos.

Parecia o som de cascos de cavalos.

A cho que fiquei apagado por alguns minutos. Quando recuperei a consciência, o sol tinha acabado de se pôr e o céu passava por uma lenta transição do vermelho para o roxo. No caminho de volta para o apartamento, tive uma longa conversa comigo mesmo sobre manter a compostura.

A colega de quarto da Anna, Taylor, atendeu. Na sala de estar, algumas pessoas estavam espalhadas nos dois pequenos sofás e uma pirâmide de latas de cerveja vazias estava empilhada na mesa de centro.

Eu já tinha me certificado de manter minha aura de raiva pessoal pulsando fraca, com baixa chance de explosão. Agora eu confirmava isso enviando uma espécie de mensagem mental na sala antes que qualquer coisa ruim pudesse acontecer.

Estamos bem. Todo mundo pode relaxar. Fiquem calmos.

Todos me ignoraram, o que era perfeito, a não ser por Taylor, que começou imediatamente a contar sobre o quanto tinha ouvido falar de mim e sobre o quanto amava Anna e o quanto elas se divertiam juntas. Respondi enfatizando o quanto eu precisava de um banho, e fui para o banheiro. Quando saí, minha cabeça estava mais arejada e eu tinha um plano. Enfrentaria aquilo com base no meu treinamento no exército. Reúna informações. Crie uma estratégia. Execute. Eu ia descobrir o que estava acontecendo comigo, e então reverteria a situação.

Anna estava diante da escrivaninha quando entrei no quarto. Ela girou a cadeira e guardou o celular no bolso do casaco.

— Que lindo, caçula — disse ela, apontando o queixo para a toalha rosa em volta da minha cintura. Eu tinha nascido dois minutos depois dela, e a Anna adorava me lembrar que eu havia chegado ao mundo em segundo lugar. — As meninas do apartamento de baixo estão dando uma festa. Joy disse que chamou você. Você vai, né?

— Aham, é claro. Wyatt vai estar lá?

— Acho que não. — Ela franziu a testa, me examinando mais atentamente. — Gideon, você não parece nem um pouco machucado. Está parecendo maior.

— É? — Olhei para mim mesmo. Eu só conseguia ver a minha barriga, na verdade, então dei um tapinha nela. — É o treinamento físico. — Eu sempre tive um porte atlético, mas a vida no exército apenas havia potencializado isso.

— Você fez alguma coisa errada?

Demorei um segundo para entender o que ela estava insinuando. Ela achava que o acidente tinha sido inventado para acobertar algo?

— Anna, *não*. Não fiz nada.

Ela não disse nada por alguns segundos. A gente sempre sabia quando o outro estava escondendo algo, e isso tinha sido o motivo pelo qual eu tinha me afastado no último ano. Eu não queria arriscar que ela seguisse o mesmo caminho que eu. Agora não era diferente.

Passei a mão pelo cabelo molhado, que já estava quase seco por ter 1 milímetro de comprimento.

— Para de me olhar assim. É bizarro.

— Você que é bizarro. — Ela se levantou. — Vejo você lá embaixo.

— Espere. Preciso ligar para a mamãe.

— Eu já disse para ela que você está aqui. Ela surtou. — Anna jogou o celular dela para mim e sorriu. — Divirta-se.

Quando ela saiu, botei uma calça jeans e sentei em frente à escrivaninha. A primeira coisa que eu precisava fazer era reunir informações. Peguei o relatório de alta do hospital de dentro da mala e achei o número do médico do exército que estava cuidando de mim. Como meu caso era grave, eu tinha o número do celular do Dr. Katz. Ele atendeu imediatamente.

— Soldado Blake, como está? — perguntou ele.

— Bem, senhor. Estou bem... talvez um pouco bem demais.

— Não existe "bem demais" quando o assunto é saúde. Fico feliz em saber disso. — Eu ouvi o som do teclado ao fundo. — Parece que temos um encontro daqui a uma semana para alguns exames de rotina. Em que posso ajudar, jovem?

— Major, o senhor ou algum outro médico colocou um bracelete médico em mim?

— Você não tem nenhuma alergia ou condição preexistente. Não há motivo para um bracelete de identificação.

— Não me refiro a um bracelete de identificação. E sim a um bracelete de tratamento. No meu pulso esquerdo?

— Não tenho nenhum registro disso, soldado. Não quero desmotivá-lo, Gideon, mas um bracelete magnético não ajudaria muito considerando a extensão dos seus ferimentos. Mais alguma pergunta? Como está a dor?

— Está tudo bem, senhor. Obrigado. Não tenho mais perguntas.

Desliguei e abri o laptop da minha irmã. O apartamento estava silencioso, e o único som vinha do pulsar da música na festa no andar de baixo.

Digitei uma sucessão de termos de busca ridículos.

Cura rápida inexplicável
Manipulação de raiva em outras pessoas
Bracelete de metal misterioso

Basicamente todas as buscas deram no mesmo lugar: sites de super-heróis.

Era o suficiente de pesquisa para mim.

Fechei o laptop, recostei na cadeira e ri descontroladamente.

Capítulo 9

Festas de universidade eram um fenômeno ainda inédito para mim. Ao contrário dos meus amigos de colégio, que haviam passado os últimos meses enchendo a cara em festas espalhadas pelo país, eu tinha passado esse tempo raspando a cabeça, aprendendo a rastejar e lustrando minhas botas até ver o meu reflexo nelas.

Os primeiros meses no exército foram brutais, e não apenas porque eram exaustivos física e mentalmente. No Treinamento Básico, havia muitos caras folgados, que não queriam estar ali, e eu me senti de volta a uma festa do pijama no sexto ano — um monte de delinquentes animados com a primeira noite fora de casa. Até chegar a uma fase mais avançada, e conhecer outros caras parecidos comigo no RASP, eu tinha questionado seriamente a minha decisão de estar ali.

Encostado na parede da sala de Joy, vendo aquelas pessoas virando suas bebidas e dançando ao som de um rap, questionei tudo novamente. Tinha umas quinze garotas naquela sala pequena, e todas eram gatas. Eu havia sido cercado quase exclusivamente por homens durante muito tempo, então a mudança de cenário era boa.

Mas nem todo mundo estava feliz com a minha presença. Alguns dos caras na festa estavam me olhando de cara feia, deixando clara a insatisfação com a minha invasão de território. Ocasionalmente termos como "Comandos em ação" e "milico" sobressaíam-se à música. Também ouvi alguns jogadores de futebol americano recitando falas de *Nascido para matar*. Deviam ser os mesmos caras que ficavam emocionados com o hino nacional antes do Super Bowl, comovidos com três minutos intensos de patriotismo. E tudo isso me incomodava, sabe? Para mim, patriotismo não é uma questão de humor ou de momento. É bem mais do que isso.

Ignorei a todos e me concentrei em passar a noite com Anna e Taylor. Eu ainda tinha comigo essa energia escaldante, uma carga imensa de raiva bem ao meu alcance. Inflamável. Parte de mim se perguntava se isso estava dentro de mim havia muito tempo e eu apenas o estivera ignorando. Agora não dava mais. Tudo que eu podia fazer era tentar controlar.

Acabei descobrindo que Taylor era bastante engraçada. Era uma grande fã dos Dodgers, e a gente quase saiu no braço por causa disso, mas de uma maneira amigável. Estava feliz que a minha irmã tinha conseguido uma boa amiga na faculdade. Assim que eu comecei a relaxar, Wyatt apareceu.

Eu tinha prometido a mim mesmo que não interferiria novamente, então fiquei na minha quando Anna saiu para falar com ele. Mas não pude deixar de prestar atenção. Até isso me incomodava. A expressão do cara era intensa demais. Tipo, meu Deus. Por que esses olhos de maluco? Baixa a bola um pouco. Eu não sabia como Anna conseguia lidar com isso. Ela devia se sentir falando com uma máquina de pinball.

— Você sabe que não precisa se preocupar, né? — disse Taylor, rindo da minha cara. — Ela já esqueceu. E estou de olho na sua irmã.

Taylor tinha razão. E Anna era esperta. Sabia o que estava fazendo.

Quando Taylor foi falar com a namorada no terraço, Joy veio falar comigo. Ela se apoiou na parede ao meu lado e bateu no meu cotovelo, derrubando um pouco da cerveja dela na minha manga.

— Qual o problema, soldado? Você não bebe?

De vez em quando, mas não muito. Eu tinha sido amaldiçoado com um estômago que não tolerava muitas coisas. Açúcar demais, conservantes, óleos. Se eu não comesse direito, eu sofria. Especialmente com bebidas, o preço era muito alto, então eu precisava escolher em quais brigas entrar. E essa não era uma delas. Com tudo que estava acontecendo, a última coisa de que eu precisava era perder a cabeça ou passar a noite abraçando a privada.

— Pra falar a verdade, Joy — respondi —, ao que tudo indica eu deveria estar fisicamente destruído nesse momento, mas parece que eu desenvolvi uma habilidade bizarra de cura acelerada e, possivelmente, um leve estresse pós-traumático também. Então talvez seja melhor ficar fora dessa hoje. Não quero forçar a barra, sabe?

Joy levou a mão em concha ao ouvido.

— O quê? Foi mal, tem muito barulho aqui!

— Não posso beber hoje! — Saquei o celular de Anna do bolso. — Caso aconteça uma emergência nacional!

— Aaaah, entendi! — Joy franziu o nariz. — Tipo, é muito *nobre* você fazer esse tipo de coisa!

Por enquanto, o exército tinha sido o oposto de um trabalho nobre. Na hora, me veio a imagem de Cory com fio de catarro escorrendo do nariz depois de um treinamento de natação. Mas, né? Um dia eu arriscaria a minha vida pelo meu país, então não vi nenhum mal em deixá-la dizer aquilo.

Joy e eu ficamos batendo papo aos berros por um tempo. Ela era bonita e parecia legal. Contou sobre as praias maravilhosas nas Filipinas, de onde ela vinha. Um lugar chamado Cebu. Eu não tinha certeza de como estava me saindo naquele flerte.

Você vai achar isso chocante, Cordero, mas eu nem sempre fui esse espécime que você está vendo. Não tinham sido só o aparelho ou as espinhas que me prejudicaram no colégio. Eu nunca tentei *de verdade*. Só que essa minha falta de charme nunca me incomodou muito. Eu jamais tinha conhecido ninguém que fizesse isso ter importância. Até Daryn. Mas estou me precipitando.

Anna estava conversando novamente com Taylor. Minha irmã não parecia chateada, parecia bem. Do outro lado da sala, Wyatt e seus amigos playboyzinhos competiam para ver quem mostrava mais dentes ao sorrir.

Meu olhar se desviou para o terraço onde eu tinha conhecido Joy mais cedo. Havia uma garota parada lá fora com algumas outras pessoas, mas claramente ela não estava no grupo. Estava sozinha em frente à porta de correr. O que chamou minha atenção, além da beleza, foi a expressão em seu rosto. A garota me encarava de maneira intensa e determinada. Como se a gente estivesse no meio de uma briga embora não tivéssemos trocado uma palavra sequer.

Ela entrou no apartamento e passou em meio às pessoas dançando sem desviar o olhar. Como parecia um desafio, aceitei e a encarei de volta. Eu não ia ceder primeiro, mas a minha confusão devia ser aparente. Joy parou de falar e seguiu meu olhar.

— Você conhece aquela garota? — perguntou ela.

— Acho que sim. — Ela certamente parecia me conhecer. — Me dá licença um minuto?

— Claro. — Joy olhou para seu copo de plástico. — Eu já precisava mesmo ir reabastecer — disse ela antes de partir.

A garota do terraço veio direto até mim e parou bem na minha frente. Ela claramente tinha algo planejado. A mim parecia que a coisa certa a fazer era esperar que ela tomasse a iniciativa, então fiquei ali parado, tentando parecer tranquilo.

Ela era mais bonita de perto — cabelo louro comprido jogado em cima do ombro e pele bronzeada. Não estava com muita maquiagem. Talvez nenhuma. Usava uma jaqueta de couro preto surrado, calça jeans justa e botas gastas. Tinha uma mochila pendurada no ombro direito. Mas não era aluna da faculdade. Simplesmente não parecia ser. A garota tinha olhar penetrante e uma postura de *não se meta comigo*. Parecia alguém que sabe tomar conta de si. Superconfiante.

O olhar dela recaiu sobre o meu pulso esquerdo. Fiquei imediatamente arrependido por não ter vindo com um moletom para cobrir o bracelete. Quando ela ergueu o olhar novamente, a expressão em seu rosto era uma mistura tão insana de curiosidade, alívio e medo que por um segundo me perguntei se não a tinha conhecido em algum momento no passado, a ofendido e esquecido completamente da existência dela.

Mas era impossível. Ela não era uma garota que alguém esquecia. Eu a conhecia havia cinco segundos, mas já sabia isso.

— Preciso que você venha comigo — disse ela. — Imediatamente.

— Aposto que isso funciona com todos os homens.

Como eu disse, tenho zero charme, mas ela era intimidante para caramba. A festa atrás dela estava intensa, corpos se agarrando e música alta, mas ela estava ali, imóvel como um farol.

— Não estou brincando. — Ela olhou de relance para a porta da frente. — A gente precisa sair daqui ou você vai se machucar.

Eu ri.

— Desculpe... O quê?

Ela semicerrou os olhos.

— Você não sabe de nada, não é?

A pergunta não desceu bem. Tocou em um ponto que já estava bastante sensível.

— Eu sei algumas coisas.

— Então por que você não encontrou os outros?

— Ah, espere. Você está falando sobre *os outros*? — Desencostei da parede. — Posso explicar. Olha só, eu tentei encontrar o pessoal, mas a nave foi embora quando cheguei lá. Simplesmente foi. Dá para acreditar que fizeram isso comigo? Uns babacas. — Eu estava dando uma de espertinho, mas não queria que ela fosse embora. — Olha, por que a gente não começa de novo? — Estendi a mão, porque... Qual é o problema, certo? Acho que eu estava a fim de tornar a situação ainda mais constrangedora. — Eu me chamo...

— Gideon. Eu sei — cortou ela, colocando a palma da mão sobre a minha, os dedos firmes. — Me chamo Daryn. Vamos sair daqui.

Ela deu um giro de 180 graus sem soltar da minha mão, e começou a me arrastar em direção à saída.

Eu precisava de um segundo para processar muitas coisas. O comportamento bizarro dela. O fato de ela ser garota, mas ter nome de homem. O fato de que ela sabia o *meu* nome. O fato de que ela estava me levando... para onde? E que eu deveria achar isso bom, ótimo, mas por algum motivo não achava.

Ela parou abruptamente. Dei de cara com as costas dela.

— Nossa, desculpe — pedi, mas Daryn não estava prestando nenhuma atenção em mim.

A porta da frente tinha acabado de ser aberta de um golpe só. Três pessoas entraram, dois homens e uma mulher. A adrenalina rugia dentro de mim. Soube imediatamente, por um instinto animal, que algo estava prestes a acontecer.

O primeiro cara devia ter uns 25 anos. Cabelo preto curto e o tipo de rosto que tornava a vida mais fácil para ele. A roupa estava superbem passada, era moderna, e o cara era forte. Devia ter pelo menos 12 quilos a mais do que eu, mas isso não necessariamente me preocupava. Eu sabia me virar em uma briga. O que me preocupava era o fato de ele parecer que também se virava.

Atrás dele havia um cara mais baixo, de porte médio, enfiado dentro de um terno alguns tamanhos acima do que seria correto. Tinha um cabelo castanho escorrido, a pele esburacada de quem sofreu com uma acne pesada e olhos pretos e brilhantes que disparavam para todos os cantos do apartamento. Parecia um gambá. A garota tinha altura e porte médios, mais ou menos a minha idade, cabelos vermelhos presos em um rabo de cavalo e um monte de piercings — sobrancelha, nariz, lábio. Exibia a mesma postura audaciosa de Daryn... que naquele momento já não parecia mais tão audaciosa.

— Gideon, *corra* — disse ela, me empurrando.

O cara mais alto olhou para ela imediatamente, como se Daryn fosse a única pessoa na sala. Ele disse algo para os outros dois, e todos eles focaram num só alvo.

Daryn não parava de me mandar correr, mas eu não iria a lugar algum. Recuar não faz meu estilo, e ela estava correndo algum tipo de perigo. Não parei para refletir que ela era uma completa estranha, que talvez ela merecesse o que tinha acabado de aparecer na porta, que talvez eu não devesse me envolver.

Parti pra cima imediatamente.

Capítulo 10

Vou dizer logo de cara, Cordero. O nome do cara alto é Samrael. Não quero ficar chamando ninguém de "cara alto" porque, sei lá, é idiota. Falando nisso, a garota com o cabelo vermelho se chama Ronwae e o cara-de-gambá com acne e olhos inquietos se chama Malaphar.

Não se preocupe. Você vai conhecê-los em breve. E mais outros quatro, porque são sete membros da Ordem no total. Mas estou me precipitando novamente.

De volta à festa.

Samrael parecia estar no comando, então fui atrás dele, pronto para brigar por uma garota que eu sequer conhecia. A teoria que surgiu na minha cabeça enquanto eu atravessava a sala dizia que ele era o ex-namorado violento e ciumento de Daryn. Parecia plausível levando em consideração o olhar intenso que mantinha sobre ela. Mas a presença de Ronwae e Malaphar não se encaixava muito bem nessa teoria.

Enquanto eu forçava passagem pelas últimas pessoas em meu caminho, vi Daryn correr para o terraço. Ronwae se jogou no meio da multidão e a seguiu. Tomei a decisão rápida de manter meu plano de ação. O melhor que eu poderia fazer seria impedir que os dois caras na porta se juntassem à perseguição.

Joy havia chegado à porta alguns segundos antes de mim e exigia saber quem eram eles.

— Vocês vão sair daqui — disse eu para Samrael ao me juntar a Joy. — Agora.

As pessoas estavam começando a parar de dançar e conversar, conforme a ameaça iminente rondava o apartamento. Os convidados perambulavam, alguns com o celular a postos, prontos para filmar qualquer confusão.

— Vamos embora quando conseguirmos o que viemos buscar — disse Samrael.

A voz dele era estranhamente calma, quase solene, mas pude ouvi-la perfeitamente sobre o rap alto que tocava. Havia algo de perigoso na total ausência de emoção em seus olhos. Samrael olhava diretamente para mim, mas podia estar olhando para uma cadeira ou para um abajur. Além disso, sua postura disparava sinais de alerta dentro de mim. Eu tinha passado muito tempo perto de caras que ganhavam a vida reprimindo a agressividade. Sei reconhecer o potencial para a hostilidade.

Repeti minha ordem usando uma linguagem mais incisiva. A atenção dele se voltou para mim de forma mais concreta, como um peso palpável recaindo sobre os meus ombros.

— Quem é você? — perguntou Samrael calmamente, lançando um olhar desinteressado.

Uma pressão se acomodou sobre meus olhos como o início de uma dor de cabeça, mas logo começou a doer de verdade. A sensação era como se dedos invisíveis procurassem alguma coisa em volta dos meus olhos, com força. Aquilo me paralisou. Tentei me mexer, mas não conseguia. Não podia nem falar. Pontos pretos surgiram nos cantos da minha visão, e o ardor de uma ferroada se espalhou pelo meu couro cabeludo. O medo contraiu meus pulmões, mas eu sabia que não estava desmaiando. Ainda podia sentir meus músculos tensionados, embora não conseguisse parar seja lá o que estivesse acontecendo.

Os pontos se transformaram em escuridão, e meu campo de visão diminuiu. Em seguida, o negrume começou a girar ao meu redor até se transformar em um túnel. Meus pés estavam no chão da sala do apartamento de Joy, mas eu me sentia andando para trás. Senti a festa se afastar, tudo ficar mais distante à medida que eu afundava em um funil preto.

— Quem quer que você seja — disse Samrael —, é um fraco.

A pressão na cabeça se intensificou como se perfurasse meu crânio.

Ele sorriu.

— Gideon Blake... Tão cheio de raiva...

Eu me ouvi gemer. Queria lutar, mas minhas pernas e braços não respondiam. Só havia uma saída.

Lutando contra o túnel preto com o máximo de concentração, senti meu corpo se reaproximar da festa. Meu olhar parou sobre os jogadores de futebol americano perto da porta — os mesmos caras enormes que haviam me chamado de "Comandos em Ação" uma hora antes. Eles já estavam prestando atenção em mim.

Abri os portões da raiva.

Manda bala, falei a eles. *Podem começar a porradaria.*

Eles reagiram instantaneamente, saltando para a frente, como se tivesse sido dada a largada. O cara maior passou batido por mim, baixou os ombros e se lançou contra as costas de Samrael. O outro cara foi atrás de Malaphar, que se jogou no meio da multidão.

O controle mental que Samrael exercia sobre mim foi interrompido. A dor se dissipou, e sua ausência era tão forte que por um segundo me senti como se estivesse voando. Minha visão ficou nítida, o redemoinho de escuridão se afastava, e meus braços e pernas destravaram.

O jogador de futebol americano e Samrael se atracavam ao meu lado. Consegui avistar Anna, mas nada de Daryn.

Samrael conseguiu se libertar e, usando uma força selvagem, pegou a cabeça do jogador com ambas as mãos e levantou o joelho. Ouvi um som nauseante quando o golpe o atingiu, e gritos de horror percorreram o apartamento. Os olhos do jogador de futebol se reviraram, e ele caiu; 140 quilos no chão como uma rocha.

Parti para cima, golpeando enquanto o sujeito ainda caía. Meu punho atingiu Samrael no rosto, bem na mandíbula. O cara parecia uma parede; era como se eu tivesse acabado de tentar derrubar a Grande Muralha da China. Ele se afastou, e minha mão soltou um *estalo* audível.

A dor veio subindo pelo meu braço. Com meus instintos gritando, segurei minha mão. Eu precisava recuar, avaliar o estrago. Mas Samrael agarrou meu pescoço e me arrastou pela sala. Anestesiado pela dor, eu só conseguia andar para trás. Batemos em uma mesinha, e o abajur que estava sobre ela voou no chão. Em seguida, minhas costas atingiram a parede com tanta força que pude senti-la rachar atrás de mim.

Samrael me prendia contra a parede. Meus pulmões não conseguiam puxar ar suficiente. E eu devo ter batido a cabeça porque o rosto dele saía e entrava de foco. A sala havia ficado mais escura com o abajur quebrado, mas mesmo na penumbra eu podia ver uma gota de sangue fresco escorrendo pela boca dele até o queixo.

— Seu tolo — sussurrou ele, mas seus olhos sem vida tinham acordado. — Quem enviou você?

Ele não esperou que eu respondesse. A pressão em meus olhos estava de volta. Samrael me dominava novamente. Conforme a dor se espalhava pelo meu couro cabeludo, a escuridão voltou a girar à minha volta. Senti a desconexão, senti que estava me separando da realidade.

Eu não sabia como lutar daquela maneira. Então como me defender? Não conseguia sequer me *mexer*.

Samrael sorriu. A mão esmagava minha garganta, e eu continuava sem conseguir respirar.

— Sabe, por um instante pensei que talvez você não fosse patético. Acho que estava errado, Patético Gideon. — Ele inclinou a cabeça lentamente para a esquerda, depois para a direita. — Mas você não está assustado, está? Que tal agora?

O sorriso dele aumentou. Não... era a boca. A boca aumentou e aumentou e aumentou, alongando-se para um focinho ou... um bico? O que era aquilo? Uma *tromba*?

A pele começou a se transformar em couro envelhecido à medida que seu crânio mudava de formato. Os olhos subiram, inclinados, as íris pretas giravam em redemoinhos, iluminadas por algo sinistro que vinha de dentro. Vi um mar de tormenta nos seus olhos. Gritos de angústia, medo e fraqueza se contorciam ali dentro. Escutei súplicas e urros e...

Chega. O que é você? Que diabos é você? Um animal?

— Animal, não — disse Samrael. — Pior.

Monstro.

— Melhor.

— Ei, babaca. É melhor você soltar o meu irmão.

Minha consciência voltou para o apartamento. Minha irmã surgiu em minha visão periférica, segurando um taco de beisebol.

Por que ela não mostrava qualquer reação à aparência horrenda de Samrael? Por que *ninguém* mostrava?

Samrael olhou para Anna.

— Pode deixar — disse ele, sarcasticamente, e então me largou. Em um instante suas feições voltaram ao normal. Ele era apenas um cara novamente. Um dos lábios, cortado, vertia sangue um tanto escuro demais, como vinho.

Peguei o taco da mão de Anna.

— Vá embora — vociferei.

Eu ainda não estava completamente normal, mas tinha total intenção de atacar Samrael caso ele não fosse embora. Tirar uma vida era algo para o qual eu vinha me preparando como soldado. Só nunca havia imaginado que seria daquele jeito. Com um taco, na frente da minha irmã.

Samrael se virou para a porta de entrada. Ronwae, a ruiva, estava parada ali, ofegante.

— Ela sumiu. Procurei em todos os lugares — disse ela, a voz marcada por um sotaque que não identifiquei, antes de sair para o corredor.

Uma leve decepção apareceu no rosto do Samrael, como se tivesse recebido a notícia de uma multa. Ele a seguiu, mas vacilou ao chegar no vão da porta.

— Não importa o que faça, Gideon, seja lá o que você *acha* que pode fazer — ele abriu as mãos e gesticulou no vazio, como mostrasse ser em vão — não terá relevância — disse ele, e partiu.

Olhei para a minha irmã e lutei para encontrar as palavras. Eu tinha ficado submerso em uma escuridão devastadora e ainda não estava completamente livre. Ainda lutava para emergir.

— A sua *mão* — disse Anna.

Olhei para baixo. Os nós da minha mão direita já estavam inchados e vermelhos. De forma bem alarmante. Eu não fazia ideia de como eu estava conseguindo segurar o taco. A dor urrava como um alarme de carro disparado, mas o machucado era uma preocupação secundária.

— Você está bem? — perguntei.

Anna balançou a cabeça.

— Talvez? Melhor do que *você*. Quem era aquele cara?

— De quem é esse taco?

— O quê? É de Taylor.

— Preciso pegar emprestado — falei. E então saí correndo do apartamento.

Eu não devia ter insistido. Estava seriamente machucado. E tinha acabado de ver uma pessoa meio monstro. Mas o inimigo batia em retirada e eu não podia deixar a situação ficar daquele jeito. Saí disparado do prédio e cheguei à calçada em um segundo. A raiva rugia dentro de mim, clareando meus pensamentos e me impulsionando a seguir em frente, mas desacelerei no meio da rua.

Parecia deserta. Nenhum aluno à vista. O prédio e o estacionamento estavam extremamente silenciosos. O único som vinha dos meus tênis contra o asfalto e dos meus pulmões bombeando oxigênio.

Parei nos fundos do estacionamento. Havia algo estranho naquela escuridão densa. Profunda. Os postes recurvados sobre a montanha emitiam uma luz fraca, e eu não conseguia ver nem sequer a rua principal abaixo. Nenhum sinal do Samrael.

Ok, Blake. Espere um segundo.

Botei o taco no chão. Meus quadríceps tremiam. Minha mão direita tinha desenvolvido uma pulsação própria. Havia ossos quebrados dentro dela, com certeza. Ótimo. Nada como acrescentar fraturas novas à lista de coisas com as quais eu precisava lidar. Ouvi o grito agudo de gatos brigando em algum lugar próximo. Por minha causa? Certamente era possível.

E agora?

Anna ficaria preocupada. Eu tinha que voltar, mas estava tentado a procurar o hospital psiquiátrico mais próximo e me internar.

O que era aquilo que eu tinha acabado de ver?

— Gideon.

Saltei 1 metro com o susto.

Meu jipe. A voz tinha vindo do jipe, que estava estacionado no final da rua. Será que...?

É. Era. Em pé no banco do motorista, apoiada na barra estabilizadora como se estivesse ali havia um tempo, lá estava ela. Daryn.

— Como você conseguiu entrar no meu jipe? — perguntei, me aproximando. A pergunta na verdade era a mistura de duas perguntas que surgiram na minha cabeça.

Como você sabe que esse é o meu jipe?

O que você está fazendo no jipe que é meu e que você não deveria saber que existe?

— É um jipe. — Ela deu de ombros. — Eu simplesmente subi nele. — Ela se jogou no banco do motorista. — Anda, entre.

Claro. Entrar. Com certeza. Mas quais eram as minhas opções? Voltar para o quarto da minha irmã e lidar com perguntas que eu não podia responder? Mais hospitais?

Subi no banco do carona, enfiando o taco entre o banco e o painel.

— Espere, deixei as chaves do jipe no apartamento da minha...

— É um carro velho, eu dou um jeito.

Daryn enfiou a mão embaixo do volante e agarrou alguns fios que não estavam ali antes. Passou fita isolante neles para uni-los, e o motor deu sinal de vida. Em seguida, engatou a primeira e nos lançamos em direção à rua, ouvindo o som e sentindo o cheiro de borracha queimando.

Capítulo 11

Ela dirigia como se estivesse tentando se qualificar para a Fórmula Indy, forçando o jipe acima de 120 km/h — a velocidade máxima. E isso tudo antes de chegarmos à autoestrada.

Minha garganta ardia da pegada de Samrael. Minha mão doía tanto que estava me deixando enjoado. Eu não podia parar de caçar no escuro... três *monstros*? Dezenas de pessoas haviam testemunhado a minha briga. Eu sabia que não tinha imaginado essa parte. Mas o modo como Samrael se transformara... aquilo não podia ser real.

Olhei para o bracelete no meu pulso. Será que *aquilo* era o culpado de tudo? Ou eu estava tendo alucinações por conta de algum dano cerebral provocado pela queda?

Inacreditável. A minha explicação mais favorável era uma alucinação.

E ainda tinha Daryn, que dirigia meu jipe a uma velocidade supersônica, como se não fosse nada demais, o cabelo esvoaçando por toda parte. Qual era o papel dela nisso tudo? O confronto no apartamento de Joy tinha sido obviamente por causa dela. Mas por que essa garota estava lá atrás de mim? Ela sabia que eu compraria uma briga com Samrael?

Após alguns minutos, minha confusão se tornou insuportável.

— Você não vai me dizer o que está acontecendo?

Daryn jogou o cabelo para o lado.

— Agora?

Justo. Um jipe de capota aberta a 120 km/h não era o melhor lugar para uma conversa. Nós dois gritávamos para sermos ouvidos acima do som dos pneus.

— Só me diga uma coisa. Você fez uma ligação direta no meu carro?

Eu me senti um idiota usando um termo tão velho, como se eu precisasse ter um bigode ou algo do tipo. Mas *"você burlou a ignição do meu carro?"* também não soaria melhor, e era tarde demais de qualquer jeito.

— Sim! — gritou ela. — Não tem problema, tem?

— Imagine! Tudo ótimo!

Ela sorriu para mim sarcasticamente, o que não posso dizer que amei. Minha *mão* estava quebrada. Provavelmente a minha cabeça também. Sorrir era algo que precisava ser banido por no mínimo 24 horas.

Mantive o olhar fixo na estrada e tentei relaxar. E também não lutar contra a dor. *Respire, Blake.* Olhei de relance para a fita cassete do Pearl Jam no toca-fitas. *Apenas respire, tipo Eddie Vedder.*

Era estranho ser passageiro no meu próprio carro.

Ser passageiro na minha própria vida também.

Mal havia outros carros na estrada. As montanhas e os campos escuros que passavam por nós tinham uma característica humana lúgubre. Como se a terra tivesse joelhos e ombros.

O tempo passou, e deixamos alguns quilômetros para trás. Vinte, 40. Lá pelos 50 minha mão ainda estava inchada, mas a dor havia diminuído consideravelmente. Bem mais do que deveria, mas esse era um mistério do qual eu não me queixaria. Será que tinha acontecido a mesma coisa durante os primeiros dias de internação no Walter Reed? A dor passou, e depois o processo de cura foi acelerado? Será que eu não tinha reparado porque estava dopado de remédios?

Já estava ficando cansado de tantas dúvidas. Será que algum dia eu teria as respostas? *Quando?* Por que eu estava piorando a situação fazendo perguntas sobre as perguntas?

Pegamos a Autoestrada 1, e as montanhas se abriram para um campo azulado no lado de Daryn e o preto ardósia do oceano Pacífico no meu. O mar exercia um poder mágico sobre mim, e me acalmei um pouco só de vê-lo e sentir seu cheiro no ar. Toda aquela vida se agitando lá fora.

Alguns minutos depois, Daryn diminuiu a velocidade, o que me surpreendeu. Já estava achando que passaríamos a noite dirigindo. Ela entrou em um lote de terra com alguns avisos sobre a ausência de guarda-vidas de plantão e coisas do tipo "aja por sua conta e risco". Apropriado.

Olhei ao redor enquanto o motor esfriava. Nenhum outro carro no estacionamento. Nada que me indicasse qualquer sinal de preocupação. Cem metros à nossa frente, as ondas quebravam na praia, uma linha branca na escuridão. A neblina avançava sobre o mar e o som das ondas parecia estranhamente abafado. Na véspera, antes de Jackson me atacar, eu tinha observado o mar no final da minha rua. Parecia ter sido há uma semana.

— Quando quiser — falei.

— Você tem água?

— Para beber?

Eu era tão esquisito, e essa garota só piorava tudo.

— Sim, para beber. Estou com muita sede.

Ela virou para o banco de trás e abriu a minha mala, a qual eu havia levado de volta para o jipe antes da festa.

— Espere aí um segundo. — Eu agarrei o braço dela. — Você disse que ia explicar.

Ela não se mexeu, então fiz o mesmo.

— Tenho uma pergunta para você — começou ela, me encarando com raiva. — quer me largar ou prefere que eu arranque seus olhos?

— *Putz.* — Larguei o braço dela. — Eu não vou *machucar* você. Por que você me sequestrou se tem medo de mim?

— Eu não sequestrei você... Você veio porque quis. E eu não tenho medo de você. Não da maneira que você está pensando.

Ela abriu a porta e saltou do carro.

Fiz o mesmo, dei a volta no jipe e a encontrei apoiada na porta.

— Daryn, eu não quis... — Ela estava pressionando as têmporas com os dedos, como se tivesse acabado de ser atingida pela pior enxaqueca do mundo. Parecia querer um segundo sozinha. Foi o máximo que pude esperar. — Eu realmente preciso que você me responda.

— Eu sei. — Ela baixou as mãos. — Só não acredito que você não saiba de nada.

— Pode acreditar.

— Como eu vou explicar isso pra você?

— Com palavras. Pra mim já serve. É mais rápido do que desenhar na areia com um graveto.

Ela me lançou um olhar com real efeito de me fazer parar. Em seguida, cruzou os braços e se virou para as ondas, então aproveitei a oportunidade para analisá-la.

Grande parte dessa análise foi calculada. Quase toda. Eu queria pistas. Informações que me ajudariam a entender como Daryn se encaixava em tudo que estava acontecendo.

O que descobri era que ela era alta, mais ou menos 1,75 m, apenas alguns centímetros mais baixa que eu, e forte. Dava para ver que tinha um porte atlético. E era bonita. O que eu já sabia, apenas confirmei. Era bonita de um jeito meio bagunçado. Algo que ficava meio camuflado pelo cabelo embaraçado e pelas roupas velhas. Pela postura imóvel — o oposto de agitada — e pelo olhar intenso, como se desafiasse a pessoa a fazer contato visual. Tive a impressão de que com a farda e o treinamento certos ela teria sido uma fuzileira incrível.

Daryn usava uma corrente de prata no pescoço. Era pesada, grossa e estava escondida sob a jaqueta de couro. Ela voltou o olhar para mim bem na hora em que eu a observava exatamente na... na região peitoral. Mas era por causa da corrente, Cordero, eu juro. Embora saiba que deve ter parecido outra coisa para ela. Provavelmente.

Tive certeza de que ela iria partir pra cima de mim, mas Daryn simplesmente me olhou dos pés à cabeça muito lentamente, dos tênis até os olhos, totalmente honesta sobre o que eu tinha acabado de fazer escondido.

— Não existe um modo fácil de dizer isso — disse ela.

— Tudo bem. Então pode dizer do jeito difícil. Ou meio-termo. Mas fale.

Eu estava começando a vacilar um pouco. Meu autocontrole titubeava.

— Ok. — Ela olhou diretamente nos meus olhos. — Você é a Guerra, Gideon. *Você é a Guerra.*

Repeti aquilo rapidamente na minha cabeça.

— Pode repetir?

— Você é a Guerra.

Soou igual da segunda vez.

— Eu vou para a guerra? Sim, algum dia. Quando eu for recrutado. Sou um soldado do exército norte-americano. — Fiz uma pausa depois de dizer isso porque ainda era recente e me senti bem reivindicando aquilo. — Mas ainda não fui à guerra.

— Ok. — Daryn assentiu e pôs o cabelo atrás da orelha. — Não foi o que eu quis dizer, mas faz sentido.

— Não. Não faz. Nada faz sentido algum, e, se isso for a sua explicação, é uma explicação muito ruim.

— Ok. Tudo bem. Gideon... você é o segundo cavaleiro. Você é Guerra, o Cavaleiro Vermelho. No Livro das Revelações.

Enquanto eu ouvia aquilo, meu coração parecia um punho se fechando dentro do peito. Cada vez mais forte. Se corações podem ter câimbras, o meu teve uma.

— Nada disso faz sentido pra você? — disse ela. — Nada parece familiar? Você deve ter visto algum sinal... Alguma coisa... Não?

Todas as engrenagens no meu cérebro giravam na tentativa de acompanhar o que Daryn tinha acabado de dizer. Eu me virei na direção do mar. Tudo que tinha visto na última semana, da minha queda até o rosto monstruoso de Samrael, repassava pela minha cabeça. Livro das Revelações? Eu sabia tão pouco sobre o assunto. E o que eu sabia, em geral, sempre tinha me assustado. Não tinha algo a ver com o fim dos tempos? Com o Arrebatamento? Pragas e incêndios?

— Gideon, eu sei que é muita coisa para assimilar, mas...

— Não — falei, sentindo algo se fechar no meu cérebro. Aquilo era um sonho. Um pesadelo. Era o Gideon Blake de uma dimensão paralela. — Não, tudo bem. Acho que estou entendendo. Sou Guerra. Um dos quatro cavaleiros, o que quer dizer que tenho três companheiros... Me ajude. Não lembro quem são.

— Peste, Fome e Morte.

Um arrepio gelado percorreu minha coluna. Sacudi o corpo como um cachorro molhado.

— Certo. Esses caras mesmo. E nós devemos acabar com o mundo ou algo do tipo?

Eu não tinha o menor interesse em participar disso.

— Não. Você é apenas uma manifestação de Guerra. Recebeu algumas das suas habilidades, mas para outro propósito, para cumprir uma missão específica. — Ela suspirou. — Eu não sabia que teria que explicar tudo isso. Teria pensado numa forma melhor.

— É, sinto muito mesmo por você ter que *explicar tudo isso* para mim. Se eu sou Guerra, você é o quê, Paz? Porque tem muito trabalho pela frente.

— Eu não sou a Paz — disse ela, simplesmente, e esperou para que eu desse o próximo passo.

Meu próximo passo envolveu bater minhas mãos na porta do carro. Algo bem idiota, mas a raiva e a confusão ferveram dentro de mim e eu explodi. Havia esquecido da minha mão ferrada, mas agora eu me lembrava. Lembrava tanto que estava enjoado.

Daryn saltou do carro.

— Ei! Dá para se acalmar?

— Você acabou de contar que eu sou *Guerra*. Já viu uma guerra calma? Quem *é* você, afinal? Você aparece na minha vida perseguida por um trio de psicopatas, e é *essa* a sua explicação? Sabe de uma coisa? Você é maluca. Essa história toda é...

Ela me deu um empurrão no peito. A ferocidade do gesto me pegou.

— Nunca mais me chame de maluca — disse ela, a voz baixa e abalada.

Ficamos ali por um momento, como se ela fosse dizer algo mais. Mas não disse.

Daryn se afastou e seguiu na direção da praia.

Demorei meia hora para sair do lugar. Trinta minutos inteiros para ir atrás dela. Quando a encontrei, as coisas entre nós não melhoraram muito.

Capítulo 12

Cordero levanta a mão.

Paro de falar e a sala com as paredes de madeira entra em foco conforme a praia se afasta do meu pensamento.

A sala está em silêncio. Cordero me olha com uma expressão abismada. Atrás dela, Texas e Beretta estampam a mesma cara de você-só-pode-estar--de-sacanagem.

— Guerra? — pergunta Cordero. — Guerra como a personificação do conceito?

— Eu mesmo. — Minha boca tem um gosto químico por causa dos remédios. Engulo em seco, mas não funciona. — Em carne e osso.

Texas abafa uma risada que tenta disfarçar tossindo. Beretta pisca algumas vezes. Tenho a impressão de que ele está tentando não bater no parceiro.

Cordero lança um olhar de relance para eles, irritada. Então me olha e suspira, coçando o nó dos dedos, distraída.

— Guerra — diz ela, mais para si mesma do que para mim. Em seguida, saca um celular do bolso do blazer e confere algo. — Preciso dar uma saída, mas volto em alguns minutos. — Ela fecha a cara. — Não se mexa.

Ela tem senso de humor. Quem diria.

— Então você irrita as pessoas? É isso? — pergunta Texas assim que ela sai. A voz tem um sotaque arrastado, mas a postura é rígida e os olhos azuis são intensos.

— Tipo isso.

Ele abre um sorriso. Meio sorriso.

— Estou achando que também tenho esse poder.

— Ei, garoto. O colar. — É Beretta quem está falando agora. Olhe só. Cordero saiu, e o clima está completamente diferente. — O que a garota está usando. Tem um significado, não tem?

É uma boa pergunta. Admirável até mesmo para um cara que é provavelmente treinado para sacar coisas desse tipo. Mas não vou responder sem Cordero presente.

Ele tenta novamente.

— O que está acontecendo de verdade? Porque... *você*? Um dos *quatro cavaleiros*?

Isso é tecnicamente incorreto. Achei que eu tinha sido bem claro sobre ser uma encarnação da Guerra. Mas, repetindo: não vou cair na armadilha.

— Você realmente quer ser responsabilizado por ter comprometido a investigação?

Beretta solta um bufo de escárnio.

— Está se referindo a esse conto de fadas? Embora eu tenha que admitir... você tem uma imaginação e tanto.

Texas levanta o queixo, já rindo do que vai dizer.

— Os cavalos vão entrar na história em breve, né? Mal posso esperar. A minha família treina cavalos de rodeio. Os melhores do norte do Texas. Mas acho que eles nem se comparam ao cavalo de Guerra.

— Provavelmente não.

— Até porque eu ficaria decepcionado, caso contrário. — Ele joga o peso do corpo para a outra perna e relaxa os ombros ligeiramente. — Pelo menos conta como é a Morte. Estamos morrendo de curiosidade.

— Boa. — Estou realmente começando a gostar desse cara. Ele me lembra Cory. — Você pode descobrir.

— É? Como? — pergunta ele.

— Vocês nos trouxeram juntos da Noruega. Marcus está aqui do lado, não está?

Texas balança a cabeça como quem diz *valeu a tentativa*. Ele também não vai me dar nenhuma informação. Mas, mesmo com seu silêncio, tenho a impressão de que ele conheceu Marcus, e de que Marcus causou uma baita primeira impressão. Como de costume.

Esses caras não deveriam falar comigo. Ou vai ver deveriam e fracassaram em conseguir o que queriam. De qualquer forma, os dois param de falar e voltam para suas posições, como se fossem cimento secando. Fim de festa.

Estou com sede de novo. Com tanta sede que a minha cabeça começa a latejar, mas contanto que o meu estômago não entre na brincadeira, tudo bem. Meus joelhos doem por causa do tempo que estou sentado nessa cadeira.

Atrás de mim o aquecedor liga, começando mais um de seus shows. *Plinc, plinc, plinc.* O calor começa a subir lentamente pelas minhas costas. É esforçado o tal aquecedor, viu? A lâmpada, no entanto, está piscando, mostrando sinais de cansaço. *Está perdendo hein, lâmpada.*

Meio estranho que no dia anterior eu provavelmente tenha estado na Noruega. E que agora esteja sei lá onde. Não tive muito tempo para pensar em Daryn. Até agora.

Daryn tinha ido embora.

Se vira, Blake. Será que era realmente tão fácil assim me abandonar?

A porta se abre, e Cordero entra. Ela senta, alisando o terno com a mão. Eu tinha me esquecido do perfume dela, mas agora me lembro. É como ser bombardeado por revistas de moda. Rosas, laranjas, limões, fertilizante. Seguro a tosse.

— Gideon? Pronto para recomeçar? — pergunta Cordero.

Engulo em seco.

— Sim.

Mas Cordero espera um segundo a mais, como se tentasse se certificar de que acredita em mim. Ela apoia os cotovelos na mesa e entrelaça os dedos.

— Você estava indo encontrar Daryn na praia.

— Espera aí. Tenho algumas exigências primeiro.

— Nós fizemos um acordo. Eu já aceitei suas exigências. Você pediu para ver o coronel Nellis. Vou trazê-lo até aqui assim que acabarmos. E aí você estará livre.

— Tenho novas exigências.

Ela fecha a cara.

— E quais são?

— Preciso de mais água. Quero que solte minhas pernas. E quero ver os homens que foram trazidos comigo.

— Sim para o primeiro pedido, não para o resto. — Ela olha para Texas, que pega uma garrafa de água aos pés dele e se aproxima.

Enquanto eu bebo, usando um canudo, percebo que ele está de olho no meu bracelete. Interessante. Talvez esteja começando a acreditar em mim.

De volta a nossas posições, Cordero está pronta para recomeçar.

— Você tinha sido abandonado na praia por Daryn. Você disse que esperou por uma hora antes de ir atrás dela?

Eu disse uma hora? Não me lembro.

— Não. Foi tipo meia hora.

Respiro fundo, me preparando para mergulhar no passado. Eu estava tão abalado naquela noite, parado ao lado do jipe. Os músculos dos meus braços e ombros estavam duros de tanta tensão. Eu me lembro de que aquele trecho de mar tinha um cheiro diferente do mar perto da minha casa. E de como a neblina ficava cada vez mais densa, como uma fumaça sobre a praia, enquanto eu permanecia ali parado, tentando entender o que eu tinha acabado de ouvir.

Eu me lembro de Daryn naquele primeiro dia.

Capítulo 13

— **N**ão fale nada — disse eu, quando me aproximei dela. Daryn estava sentada na areia abraçando as pernas, assistindo às ondas com o queixo apoiado em um dos joelhos. — Não quero ouvir mais nada.

Eu não tinha mais espaço para nenhuma explicação ridícula.

— Estou com cara de quem quer falar com você? — perguntou ela, levantando o rosto.

Não estava.

— Trouxe água pra você. — Joguei uma garrafa perto dos pés dela. — E isso.

Larguei meu moletom dos San Francisco Giants ao lado dela. Estava esfriando, e a jaqueta de couro que Daryn usava não parecia muito quente.

Ela pegou o moletom e o botou sobre os ombros, ignorando a água.

Confuso. Daryn tinha sido tão insistente sobre sua sede antes. Fiquei ali por um instante, sem saber muito bem o que eu estava esperando. Até que disse:

— Ok. De nada. — E fui embora.

Eu queria seguir uns mil quilômetros na direção oposta, mas andei talvez uns 50 metros. Longe o suficiente para ter espaço, mas perto o bastante para que ainda pudesse vê-la em meio à neblina. O confronto na casa da Joy ainda estava vivo em minha mente. E em meu corpo, simbolizado pela minha mão quebrada. Mas, mesmo deixando isso de lado, eu não teria deixado qualquer pessoa sozinha ali. O fato de ela ser uma garota tornava a situação inegociável.

Dois segundos depois que eu me sentei, Daryn se levantou e caminhou na direção oposta. E, nossa! Como aquilo me afetou.

— Boa noite, anjo! — gritei. E, então, já que eu estava sendo tão maduro, soltei um relincho de cavalo com toda a potência dos meus pulmões.

Ou será que tinha sido um rincho? De repente me pareceu muito importante saber identificar corretamente os sons de um cavalo. Tipo, uma coisa muito importante de se dominar, então sentei e fiquei tentando decifrar aquilo. Alguma parte de mim entendia que talvez eu estivesse em negação, mas fiquei preso nisso até o celular de Anna tocar no meu bolso.

Pesquei o aparelho de dentro do bolso. Era a minha mãe, mas a imagem na tela me deixou paralisado. Uma foto dos meus pais em Yosemite. Sorrindo e abraçados. Dava para ver o Half Dome atrás deles. Também dava para ver parte do meu braço ao fundo. Flexionado, porque eu estava exibindo meu bíceps, uma aquisição recente na época. Era primavera. Anna e eu tínhamos acabado de fazer 16 anos. Estávamos acampando para comemorar.

O celular continuou vibrando, mas não conseguia atender. Não queria falar com a minha mãe. Não tinha coragem de encarar a preocupação que eu devia estar causando. Não consigo pensar em uma única pessoa que teria me feito atender.

Espere, consigo, sim.

Meu pai.

Mas eu sabia que ele não ligaria.

Quando a ligação caiu na caixa postal, vi uma lista de avisos para uma dúzia de outros recados de voz e mensagens de texto que, de algum modo, eu não tinha escutado. Alguns eram da minha mãe mesmo. Outros de Taylor, a colega de quarto de Anna. Griffin e Casbah. Cory. Tinha até uma ligação perdida do Wyatt Olhar de Maluco Sinclair.

Coloquei o celular de volta no bolso do moletom e fechei os olhos, tentando não ter visto aquela foto. Tentando *pensar*. Se Cory tinha ligado, será que o meu comandante no exército sabia o que estava acontecendo?

Mas calma aí. Eu só tinha me metido em uma briga de faculdade. E foi para proteger alguém — não foi algo que eu comecei. O resto foi...

O que foi o resto?

Esfreguei a mão na cabeça; a mão ferrada, que parecia *bem* melhor. A dor estava diminuindo, e o inchaço também começava a melhorar.

Mas falando sério. Guerra?

Guerra?

Não. Impossível.

Só podia ser uma pegadinha. Alguém tinha decidido que eu seria um ótimo participante de um reality show. Levantei subitamente e olhei para a escuridão. Esse pessoal iria se arrepender dessa decisão.

— Cadê vocês? — perguntei enfaticamente, procurando pelas câmeras.

— Têm certeza de que querem justo a mim em seu programa idiota?

O celular tocou novamente. Tirei-o do bolso e o joguei o mais longe possível nas ondas. Me senti bem. Ótimo, na verdade, então continuei. Atirei conchas, galhos, pedras, qualquer coisa que pude encontrar. Quando finalmente a raiva começou a ceder um pouco, me joguei na areia.

Estava cansado, e ultimamente tinha sido um porre ficar acordado. Então fui dormir.

A cordei com a imagem da morte do meu pai gravada na retina. Era, hum...

...algo que não tinha visto ou sonhado há certo tempo. Meses, na verdade. Desde quando ingressei no exército. Mas naquela noite — ainda era noite e estava escuro quando acordei — tudo apareceu bem ali, tão nitidamente quanto no dia em que aconteceu.

Eram as férias de verão antes do último ano do colégio. Meu pai e eu tínhamos comprado o jipe recentemente, e eu estava ansioso para alguns meses de surf e pescaria com Griffin e Casbah. Casbah tinha arrumado um emprego temporário para dar aulas a pequenos gênios na colônia de férias de ciência. Ensinaria a construir foguetes. Griff decidiu ajudar nossos técnicos do colégio nas aulas de beisebol. Eu também queria fazer isso, mas resolvi trabalhar para o meu pai.

Ele nunca tinha forçado a barra para que eu seguisse o mesmo caminho dele — nem o exército nem assumir a empresa de telhados —, mas tive a impressão de que meu pai queria que eu conhecesse o negócio que ele tinha construído sozinho. E eu queria um dia poder olhá-lo nos olhos e dizer que aquilo não era para mim, se um dia fosse necessário. Senti que era a coisa certa a fazer. Eu ao menos tinha que tentar. Então concordei que passaria o verão aprendendo o máximo sobre comandar uma empresa de telhados. O que era basicamente fazer tudo que ele mandava. Às vezes, isso significava buscar material em depósitos de madeira com a picape dele. Outras vezes, buscar o almoço no Subway. A maior parte do que estava aprendendo era a parte braçal do trabalho. A parte do vamos-ralar-suando-debaixo-do-sol.

Eu já estava morto de tédio na primeira semana, mas sabe-se lá como sobrevivi a junho e julho. No dia 2 de agosto, uma terça-feira à tarde, faltando apenas uma semana e meia para as aulas começarem, meu pai disse que visitaríamos uma casa em uma área residencial. A empresa estava instalando o isolamento em duas claraboias com vazamento. Bem mais legal do que enfileirar telhas. Entrei na picape e seguimos por algumas quadras. Um dos vizinhos tinha visto a claraboia nova e queria o orçamento para um telhado também.

Meu pai tirou uma escada da picape e subiu no telhado de madeira empenado de um bangalô amarelo, com seu caderninho preto e um lápis também amarelo enfiados no bolso traseiro. Fiquei no banco do carona, com o ar-condicionado no máximo por causa do calor, trocando mensagens com meus amigos. Casbah ficara sabendo de uma festa de alguém da escola rival à nossa naquela noite, e nossas mensagens eram um monte de ideias idiotas sobre como a gente entraria na festa. Coisas bobas, como fingir ser o entregador de pizza ou entrar pela claraboia — algo que, convenientemente, eu tinha aprendido a retirar naquele dia.

E então algo me fez parar. Um leve pressentimento, como quando a gente percebe que tem uma aranha andando pelo nosso corpo. Mudei a direção do ar-condicionado, mas ainda não me sentia normal.

Olhei pela janela.

Meu pai estava no telhado. Ele olhava para mim com a expressão mais estranha do mundo. Lembro perfeitamente. Era um olhar que eu jamais viria antes, como se algo terrível tivesse acontecido e ele não pudesse consertar.

Deixou cair o caderno e o lápis. O primeiro parou, mas o outro continuou rolando. Fiquei assistindo enquanto meu pai se abaixava para pegá-los. Os joelhos dele bateram no telhado, em seguida o ombro, e então me toquei de que ele não estava se ajoelhando.

Ele estava *caindo*.

O lápis parou na calha, mas meu pai continuou caindo. Caindo e caindo até chegar na calçada de tijolos. Enquanto eu assistia a tudo de dentro da caminhonete refrigerada, trocando mensagens com meus amigos sobre uma festa.

As imagens repassavam na cabeça sem parar. A escada e o telhado torto. O lápis amarelo número dois. A expressão do meu pai. Basicamente, fiquei me torturando por algumas horas até não aguentar mais.

Eu sabia que não conseguiria dormir novamente, então me levantei e assimilei a escuridão. Não havia nenhum sinal do amanhecer no horizonte. Não vi Daryn, nem ninguém, mas esperei um pouco até ter certeza de que estava sozinho. E então examinei mais de perto aquele metal brilhante no meu pulso.

O que *era* aquele negócio? Apoiei a mão direita sobre a coisa. Um zumbido como uma leve corrente elétrica vibrou em meu braço. Esperei para ver o que mais aconteceria, mas não houve nada.

— Ande, metal mágico. Mostre para o que você serve. — Nada novamente. — *Vai*, coisa in...

Um som parecido com o de um trovão preencheu meus ouvidos, porém mais forte. Parecia um barril de petróleo rolando, e vinha do outro lado da praia.

Virei o corpo para tentar enxergar no escuro da noite.

Do meio da neblina surgiu a coisa mais impressionante que eu já vi.

Um cavalo.

Um cavalo imenso, quase tão largo quanto meu jipe, vinha galopando em alta velocidade.

Na escuridão, sob a neblina e a distância, não dava para ter certeza, mas o pelo parecia de um vermelho bizarro, como o sangue que jorra de um corte profundo, só que brilhante. Um vermelho intenso e brilhante. Ainda mais estranhos eram os clarões dourados e amarelos nos cascos e na crina.

Clarões que pareciam chamas.

Eu não sabia nada sobre cavalos, mas as orelhas dele estavam para trás. Quando somei esse fator à velocidade e ao trajeto — rápido e na minha direção — de repente a minha situação parecia precária.

— Pare! — Levantei os braços. — Eu disse *pare*!

O cavalo baixou a cabeça e *acelerou*, cada uma das imensas patas explodindo na areia. Eu tinha apenas alguns segundos antes de ser massacrado, então fiz a única coisa possível.

Corri em direção à água, saltando pela parte rasa até chegar a um ponto fundo o suficiente para mergulhar. E então bati as pernas, nadando submerso contra a água gelada e escura até meus pulmões arderem.

Quando emergi, estava muito além da arrebentação. O cavalo tinha me seguido alguns metros dentro da água. O pelo do animal reluzia tanto que havia criado um círculo na água à sua volta, como se o mar tivesse luz própria. A crina estava ensopada e colada ao pescoço forte. No entanto, eu não via mais fogo algum. Será que era mais um fruto da minha imaginação? Achei que não.

O bicho abria caminho na água, em minha direção. Uma onda o atingiu no peito e fez com que ele empinasse e balançasse a cabeça, embora não tenha desviado a atenção de mim.

Eu sabia que aquilo não era um sonho. Tudo parecia incrivelmente lúcido. A água salgada e gelada fazendo a garganta coçar. O modo como o moletom e a calça jeans me deixavam desajeitado na água. As ondas me erguendo ao passarem a caminho da praia. Mas eu também não conseguia acreditar que estava acordado.

— Você é de verdade? — gritei sobre o barulho das ondas quebrando.

O cavalo empinou sem fazer som algum enquanto suas patas imensas cortavam a noite. Ele caiu de volta na água com um esguicho e bufou. E então, virou-se e trotou para longe, desaparecendo na neblina.

CAPÍTULO 14

A próxima coisa da qual me lembro é de ser acordado por alguém me sacudindo pelo ombro. Peguei a primeira coisa que vi — no caso, o tornozelo do meu agressor — e puxei com toda a força. Quando me dei conta do que estava acontecendo, Daryn já tinha caído na areia.

Ficou caída por um segundo e então levantou.

— Qual é o seu *problema*?

— Desculpe. Você agarrou o meu ombro.

Fiquei de joelhos e decidi me manter assim. Eu a assustara. Daryn havia caído e parecia um pouco abalada.

— *Agarrei*? — Ela limpou sua roupa. — Eu só estava tentando acordar você. Mal te toquei.

Pode ser. Mas minha noite de sono tinha sido horrível. Um sono totalmente leve, entrecortado e num frio congelante. Depois da natação no mar, eu tinha trocado de roupa, mas já estava úmido de novo por causa da areia e do ar gelado. E continuava agitado. E de joelhos. Por que mesmo? Eu estava pedindo alguém em *casamento*?

Fiquei de pé num pulo.

— Você me deu um susto, só isso.

Daryn olhava fixamente para mim. Não parecia pensar coisas boas, e meu rosto começava a ficar quente, então decidi inspecionar a área, começando pela parte do mundo onde ela não estava.

Era manhã. A neblina começava a desaparecer. Nenhum cavalo vermelho gigante à vista. Que bom. Talvez eu tivesse tido outra alucinação, como a do focinho de Samrael. Cara, não era nada *bom*.

— Resolveu nadar? — perguntou ela, vendo minhas roupas molhadas em uma pilha na areia.

— Aham. Senti vontade.

Eu não estava pronto para falar sobre o cavalo. Não mesmo.

Ela cruzou os braços. Engolida pelo meu moletom do Giants e com o cabelo embolado, ela parecia diferente da noite passada. Mais delicada ou algo do tipo.

— Então... — Ela olhou de relance para o jipe atrás de mim. — Você tem algum dinheiro?

Uma sensação de ansiedade apertou meu peito. Se ela precisava de dinheiro, provavelmente iria embora sozinha. Não era o que eu queria, mas não tinha como culpá-la. Eu não tinha sido muito legal com ela no dia anterior.

— Aham — respondi. — Eu tenho dinheiro. Mas Daryn, olhe, eu...

— Ótimo — disse ela. — Vamos comer alguma coisa. Estou morta de fome.

Ela me ensinou a fazer a ligação direta no jipe, o que foi mais fácil do que deveria, e então ficamos em silêncio enquanto eu conduzia o carro de volta à estrada. Depois da briga da noite anterior e do confronto da manhã, tínhamos acumulado duas tentativas de comunicação desastrosas. Parecia que no momento era melhor não insistir nisso.

Enquanto eu dirigia, fiquei hiperconsciente da presença do bracelete no meu pulso. Eu não sabia se eu era responsável pelo que tinha acontecido na noite anterior, e parte de mim estava com medo de que um cavalo fosse aparecer do nada, talvez galopando ao lado do jipe, sentado no banco de trás ou sei lá. Mas nada disso aconteceu, ainda bem.

Paramos para tomar café em um lugar chamado Duckies, em uma cidadezinha litorânea. Fiz questão de transmitir a minha intenção de faça-amor-não-faça-guerra assim que pisamos no lugar. Com a quantidade de caminhoneiros e motoqueiros que estavam no local, as coisas podiam ter ficado difíceis. Depois, pedi à garçonete para sentarmos na cabine perto da janela, ao lado da saída de emergência, e alguma parte dentro de mim entendeu que eu estava ponderando uma vantagem técnica e planos de fuga. Eu não sabia o que estava acontecendo e queria estar preparado para qualquer coisa.

Daryn e eu fizemos logo nossos pedidos e compartilhamos um momento de afeição ao descobrir que nenhum dos dois gostava de café. Foi um momento breve. Em seguida, ela sacou um diário surrado da mochila e começou a escrever. Canalizei minha energia em uma torre de sachês de açúcar e adoçantes.

Quando a nossa comida chegou, ela devorou uma pilha de panquecas de blueberry e eu engoli um prato de ovos, bacon e batatas, mesmo sabendo que aquilo me daria muita azia. Mas eu estava com fome e precisava de energia. Continuávamos em silêncio, mas isso me deu bastante tempo para observá-la. Daryn comia como se estivesse se abastecendo para o inverno. Muito rápido. Fazendo um pouco de lambança. Afogando cada pedaço de panqueca em uma cachoeira de *maple*, como se tivesse diabetes reversa. O pé dela balançava sob a mesa enquanto isso, o que era estranho porque normalmente Daryn parecia bem calma. O cabelo estava preso em um nó no alto da cabeça e...

Sei lá. Ela estava bonita.

A parte chata era o fato de ser tão maluca. Provavelmente uma fugitiva. Uma pena ela pensar que eu era um dos quatro cavaleiros do apocalipse.

Quando Daryn ergueu o rosto e viu que eu a observava, lançou aquele olhar de *qual foi*? Então dei de ombros, tipo *nada*, e continuamos comendo sem falar.

Foi o café da manhã mais estranho da minha vida.

Eu não fazia ideia do que pensar a respeito da situação.

Até ali, cada segundo com aquela garota tinha sido o mesmo que andar às cegas.

Estávamos esperando pela conta quando ela disse:

— A sua mão parece melhor. — Ela limpou a boca com o guardanapo. — Está doendo?

— Ah, isso aqui? Muito pouco. Quase nada. Ontem à noite estava, mas agora melhorou. O que é estranho, porque estava muito ferrada, mas agora parece, tipo...

— Melhor?

— Exato. Bem melhor do que o meu estômago vai ficar depois dessa comida.

Para com isso, Blake. Pega leve.

— Ai, não. Você está com dor de estômago?

— Não. Meu estômago é de primeira.

Que merda era aquela saindo da minha boca?

— De primeira? Então... está tudo bem?

— Totalmente. Tudo ótimo.

Depois disso acho que apaguei por alguns segundos. Quando voltei a mim, Daryn estava com as mãos entrelaçadas atrás da cabeça e se alongava de um jeito que era um verdadeiro teste de autocontrole para manter o contato visual. Os dois caras na cabine ao lado olharam para nós. Não era a primeira vez.

— O que você acha? — disse Daryn, gesticulando com a cabeça para a janela. — Essa cidade é pequena como um *estábulo*, não acha?

Ok. Lá vamos nós.

— Acho que sim.

Ela apoiou os cotovelos na mesa e se inclinou para a frente.

— Você o viu, não foi? — perguntou ela, abaixando a voz para um sussurro. — O seu cavalo?

Assenti.

— E aí? Foi incrível?

— Acho que sim também.

— Você vai me mostrar?

Os motoqueiros na cabine ao lado nos olharam novamente. Estavam começando a me irritar, e eu já estava com os nervos à flor da pele depois de uma péssima noite de sono. E de ter recebido a notícia de que eu era Guerra. Senti a raiva se acendendo por dentro de mim, imaginei o espaço à minha volta sendo tomado por ela e o começo de uma briga. Eu sabia que isso aconteceria em alguns segundos.

Daryn seguiu meu olhar.

— Bom dia, rapazes — disse ela, toda contente. — Comam as panquecas de blueberry. São de primeira.

E, simples assim, todos estavam sorrindo, agradecendo e desejando bom dia para Daryn. Com a situação resolvida, ela se recostou no banco.

— De primeira — falei.

Os olhos dela tinham um brilho, tipo o reflexo do sol no mar.

Ela deu uma leve sacudida de ombros.

— Total. Tudo ótimo. — Ela deu um tapinha na mesa. — Pague aí. Vamos dar o fora.

Dez minutos depois seguíamos rumo ao sul na Autoestrada 1. Daryn, enfiada no meu moletom do Giants, como uma tartaruga no casco, estava com as botas apoiadas no painel do carro. Mesmo depois de ter demonstrado tanta disposição para falar quando estávamos na lanchonete; agora ela parecia simplesmente querer ser deixada em paz.

— Está tudo bem?

Eu não sabia mais o que dizer. E já estava de saco cheio daquele silêncio. Ela olhou de relance para mim.

— Desculpe. Só estou tentando descobrir um jeito de falar sobre isso. Não vou conseguir todas as repostas sozinha, ok?

— Ok. — Eu não conseguia entender por que ela parecia tão nervosa. *Naquele momento.* Falando *comigo.* Como podia ser a mesma garota que tinha flertado com motoqueiros? — Que tal se a gente fizer assim? — propus. — Eu faço as perguntas, você responde. Qual é o seu sobrenome?

Ela suspirou lentamente, como se estivesse sofrendo por ter de fazer aquilo.

— Martin.

— Quantos anos você tem, Daryn Martin?

— Dezessete.

— Qual é o seu café da manhã favorito? Panquecas de blueberry, né? Porque se não for, vou ficar muito impressionado com o que acabei de ver.

Ela revirou os olhos fingindo irritação.

— Quanto mais maple, melhor.

— Sobre o que você escreve naquele diário?

Eu não esperava que Daryn respondesse essa, mas ela logo disse:

— Sobre tudo que me interessa. — Esticou meu moletom sobre os joelhos. — Essas perguntas são fáceis. Moleza de responder.

— Para você. Eu não sabia de nada disso. Você é basicamente uma expert no assunto Daryn Martin.

— Talvez. — Ela se virou para a janela. — Mas você não quer mesmo saber quem eu sou.

Sinceramente, aquilo não era verdade. Mas é justo dizer que a minha curiosidade ia muito além dela.

— Vamos continuar falando. A gente para quando deixar de ser fácil. Você foi me procurar naquela festa ontem. Certo?

— Sim. — Ela me olhou de esguelha. — Mas eu não esperava ser enviada para buscar você primeiro.

— Por quê?

— Porque Peste é o primeiro cavaleiro, não Guerra. Guerra é o segundo. Mas como eu disse ontem, nada do que está acontecendo tem a ver com as Revelações. Os sete selos? Os eventos que antecedem o Julgamento Final? Isso que está acontecendo não tem a ver com aquilo, então acho que a ordem não importa. Você é uma encarnação da Guerra. Você recebeu as habilidades dele para cumprir uma missão.

— Aham. Ok. Uhum.

Eu não podia dirigir e ter aquela conversa ao mesmo tempo. Precisava estar totalmente concentrado, então desviei para o acostamento e puxei a fita isolante debaixo do volante, desligando o motor. Na água, alguns surfistas faziam suas manobras. Parecia divertido. Eu queria estar lá, sem ter que me preocupar com nada.

— Então, esse cara — comecei. — Peste. O outro cavaleiro ele... Ou é uma garota?

— Um cara. — Daryn olhava para o para-brisa como se ainda estivéssemos em movimento. — Vocês são todos homens.

— Então nada de cavaleiras?

Parecia uma pergunta idiota, mas era sincera.

— Não.

— Você é o quê? É tipo um anj... anj.. anjo?

Eu estava brincando quando gritei aquilo na noite anterior, mas e se ela realmente fosse um?

Daryn balançou a cabeça.

— Com certeza não. Certamente não sou um anjo. — Ela olhou para mim, bem nos meus olhos. Quanto mais ansiosa ficava, mais calma parecia estar. — Eu sou uma Seletora. É assim... é assim que eu me vejo.

— Seletora.

— Sim.

— Seletora é um posto mais alto do que cavaleiro? No cenário geral, você é mais sênior do que eu?

— Está brincando?

— Eu sou militar. Hierarquia tem importância. Eu só quero saber o meu lugar. Se a gente usasse uniformes com listras no ombro, você teria mais listras do que eu?

Por um segundo, uma fração de segundo, Daryn parecia querer rir.

— Você é inacreditável. Sim. Eu provavelmente teria uma listra a mais do que você. Eu sou meio que a fonte de... — Ela hesitou. — Sei lá. De informação. Isso incomoda você?

— Por que me incomodaria?

Ela ficou olhando para mim sem dizer nada.

Será que Daryn estava se referindo ao fato de ser uma garota? Porque eu não tinha problema algum com receber ordens de uma mulher. Para começo de conversa, eu tinha recebido ordens de uma mulher a vida toda. Minha mãe era a pessoa mais forte que eu conhecia. E, se a pessoa for capaz, pessoalmente eu não dou a mínima para o gênero. Para mim, basta a pessoa ser quem é e ponto final.

— Ok, estamos indo bem. — Sacudi a areia do meu cabelo e passei a mão no rosto. — Conseguindo algumas respostas. Curtindo o dia no meu jipe com uma Seletora no meio do nada.

— Cayucos.

— Oi?

— Estamos em Cayucos, Califórnia.

Desviei o olhar para os surfistas na água. Cayucos. Cai-u-cos. Que tipo de palavra era essa? Espanhol? Eu certamente estava me preocupando com as coisas erradas.

— Como você está processando tudo isso? — perguntou ela.

— Está tudo ótimo. Superótimo.

— Quer que eu continue?

— Com certeza. Continue.

— Então... de tempos em tempos... Eu meio que recebo uma espécie de... *download* na minha mente. Como eu disse antes, informações. É assim que eu sei tudo que preciso fazer, qual é a minha missão. No último download, eu vi você e três outros cavaleiros. Recebi a informação de que preciso reunir vocês quatro para que possam proteger algo muito poderoso. Algo que não pode cair nas mãos erradas.

Assenti, demorando alguns segundos para absorver aquela informação.

— Você vai me dizer o que estou protegendo?

Usei toda a minha força para não olhar diretamente para o colar de prata que eu tinha notado antes. Havia algo estranho na grossura das correntes. Talvez não fosse exatamente por causa do objeto, mas meu instinto estava gritando.

— E isso aqui? — Levantei o pulso, mostrando o bracelete. — Isso aqui apareceu uns dias atrás e veio sem manual. Alguma ideia do que isso faz? De como funciona?

Ela olhou do bracelete para mim, balançando a cabeça.

— Algumas coisas eu ainda não posso revelar. Eu avisei isso a você. É mais seguro assim.

— Mas algumas coisas eu preciso saber, Daryn. Geralmente durante uma missão é bom ter em mente uma coisa chamada objetivo.

— Eu concordo. E, no momento, o objetivo é reunir vocês quatro. A Ordem é perigosa. Já estamos em número menor. Vocês serão mais fortes juntos. Nós seremos. Juntos é o único jeito de termos qualquer chance de vencer.

Aquilo até fazia sentido. Era o mesmo princípio básico ensinado no exército. Os batalhões dos Rangers só funcionavam de maneira eficaz quando trabalhavam juntos.

— Tudo bem — concordei, embora não me parecesse nada bem. Eu tinha tantas perguntas. Uma centena delas. Milhares. Eu nem conseguia me concentrar em uma só por muito tempo. Mas o que eu queria saber — *precisava* saber — era se eu era bom.

Será que eu era um agente das trevas? Talvez as mãos *erradas* que Daryn tinha mencionado fossem na verdade as mãos *certas*. Se tudo aquilo fosse verdade, então eu era mesmo Guerra. Eu sabia pouco sobre a Revelação, mas tinha quase certeza de que os cavaleiros tinham sido libertados para limpar a terra do mal. No entanto, tinha minhas dúvidas sobre como guerra, fome e morte poderiam estar do lado certo; agindo enquanto instrumentos para o bem. E, no instante que Daryn havia me dito que eu era Guerra, aquilo tinha se tornado uma grande e pesada dúvida na minha cabeça.

Eu era do bem?

Ainda maior do que isso, acho, era a minha confusão com o porquê de ter sido escolhido. *Por que eu?*

Eu sou só um garoto idiota.

Mas eu também não podia perguntar isso. Então pulei para questões mais fáceis.

— E aquelas três pessoas na festa? Fazem parte disso, certo? São nossos inimigos? Você disse que são da Ordem? Eles estão atrás dessa coisa secreta que eu preciso proteger?

— Sim. Samrael era o mais alto. A garota se chama Ronwae, e o de terno, Malaphar. E tem mais quatro que não estavam lá.

— Como eles sabiam onde você estaria?

— Eles sentem a proximidade do objeto. O poder que ele emana atrai a Ordem. É por isso que a gente precisa... — Daryn se retraiu, franzindo a testa. — Gideon, a gente precisa parar agora. Preciso descobrir algumas coisas antes de falar mais sobre o assunto. Preciso reunir vocês quatro... isso é o mais importante.

Soltei um suspiro e desviei o olhar para o mar atrás dela. Um dos surfistas caiu com estilo, os braços jogados para o alto, a prancha batendo direto na água, como uma lápide. Assisti enquanto ele nadava para resgatá-la, e então tornou a subir, virando no sentido das ondas e recomeçando a remar, já pronto para outra.

Era assim que tinha que ser.

Sem hesitação. Sem medo.

Estendi a mão por baixo do console, pressionei a fita isolante que segurava os fios e liguei o motor.

— Para onde vamos, chefe?

Capítulo 15

— Vamos fazer uma pausa, Gideon — avisa Cordero. — Tenho algumas perguntas.

Concordo com um gesto de cabeça. Respiro e me distancio do passado.

Ainda sinto o gosto artificial dos remédios, mas já não é tão forte quanto da última vez. O perfume de Cordero, no entanto, ainda não deu nenhuma trégua. Está realmente me matando. Me matando pelos pelinhos do nariz.

— Ok — digo, finalmente de volta ao presente. — Manda ver.

— Você confiou cegamente nela?

Preciso pensar um segundo. Meu pai diria que toda confiança *é* cega. Se você tivesse qualquer certeza não era mais confiança porque passaria a ser do seu conhecimento. Algo totalmente diferente.

— Não vou dizer que eu acreditei completamente na história dela, mas estava disposto a ver no que aquilo daria. Eu sabia que ela era a minha melhor opção para descobrir o que estava acontecendo. Mas, se estiver falando sobre eu ter confiado nela de cara, acho que sim. Eu tinha a sensação de que ela não estava me enganando. Mas também sabia que havia algo a mais. Dava para ver que ela era boa em esconder coisas. Em guardar segredos. E eu estava certo.

— Sobre qual parte? Sobre você poder confiar nela ou sobre ela guardar segredos?

— Ainda confio nela, mesmo que tenha mentido para mim. Vou chegar nessa parte. E ela realmente escondeu coisas de mim, mas para o meu próprio bem. Também vou chegar nessa parte.

Cordero fica em silêncio. Acho que deixei a mulher confusa. Bem-vinda ao passeio com Daryn.

Meu pensamento volta para a última vez que a vi, em Jotunheimen. Era noite. Os fiordes queimavam à minha volta. Eu estava com os outros caras, esperando nossa carona chegar pelo ar. Esperando Daryn se juntar a nós. E em seguida tinha gritado até não poder mais ao perceber que ela havia decidido ficar para trás.

Boa, Blake. Vai ficar o tempo todo lembrando disso. Uma ajuda e tanto.

— Por que você estava questionando a sua bondade? — pergunta Cordero.

Estou viajando novamente. Preciso me concentrar. Terminar isso aqui e voltar para o trabalho. A Ordem ainda está à solta.

— Porque eu não tinha certeza.

— Por quê?

Dou uma olhada para Texas e Beretta. Sei que já disse muitas coisas extremamente pessoais, mas isso... isso é algo que nunca admiti para ninguém.

— Por que eu não tinha certeza? — Ouço o que acabo de dizer, e sei que a história está toda por vir. Meus lábios não vão frear. Estou sofrendo uma hemorragia de lembranças e derrotas pessoais. Esses remédios que me deram são uma *bosta.* — Você precisa entender uma coisa, Cordero. Antes de o meu pai morrer, eu tinha amigos, notas boas e um futuro ligeiramente promissor no beisebol. Eu tinha tudo. Depois que ele se foi, eu tentei manter tudo igual. Tentei me segurar àquelas coisas, mas foi como ficar pendurado na barra de exercícios. Por um tempo até que é tranquilo, mas logo os músculos começam a tremer e você continua dizendo a eles para segurar a onda. Segure a onda, segure a onda, segure a onda. Mas, eventualmente, aquilo não depende mais de você. Os músculos desistem, e a gente cai. E foi isso que aconteceu comigo. Eu me segurei por um tempo, até que não deu mais. Caí, mas não queria que a minha mãe nem a minha irmã ficassem preocupadas, então tentei esconder a gravidade da situação.

"Continuei frequentando a escola, mas as minhas notas despencaram. Parei de jogar beisebol, mas ainda assistia aos jogos. Continuei frequentando as festas com os meus amigos durante um tempo, mas, mentalmente, eu não estava presente. Não me importava. Com nada. Tudo parecia insignificante. Como eu podia me importar com cálculo quando o meu pai estava morto? Eu só tinha raiva dentro de mim. Uma raiva que era... *imensa.* Gigantesca e ardente, como se eu estivesse carregando o sol dentro do peito. E eu só extravasava aquilo quando estava sozinho, caminhando ou correndo. Acampando. Em volta de outras pessoas eu me esforçava muito para esconder aquilo. Estava tudo guardado muito profundamente, com a exceção da vez em que não consegui mais."

— O que aconteceu nessa vez?

— Eu estraguei tudo.

Segure a onda, Blake. Pare agora.

Cordero espera.

— Aconteceu depois de um jogo de beisebol no último ano do colégio. Eu não estava jogando. Estava na arquibancada, assistindo ao meu antigo time jogar contra um dos nossos rivais. Eles sempre jogavam sujo, e a partida era tensa desde o início. No último tempo as coisas pioraram muito quando o arremessador do outro time atingiu o meu amigo Griffin, de quem eu falei mais cedo, que estava rebatendo. A bola atingiu o capacete de Griff, provavelmente a 130 km/h. Um míssil. Griffin caiu feio. O capacete chegou a rachar. Ele podia ter morrido, mas não morreu. Meu amigo ficou bem, mas eu não.

"As pessoas não entendem a facilidade com que isso pode acontecer. O quão rapidamente as coisas podem... mudar. Assisti ao último tempo sem prestar atenção. Estava pensando em Griff e se ele tinha morrido. Pensando na dor que a família dele sentiria. Os irmãos mais novos, Reed e Caden. O pai dele. A *mãe*. Passei aquele tempo todo remoendo essa raiva dentro de mim. Ardia como fogo. Então esperei o jogo terminar. Esperei o arremessador chegar ao estacionamento a caminho do ônibus. E parti pra cima dele."

— Você atacou o sujeito.

— Sim. Derrubei o cara e bati nele até as pessoas me tirarem de cima. Foram só alguns socos, mas fiz um estrago grande. Ele precisou levar pontos em volta do olho e na boca. Precisou repor um dente.

Fiz uma pausa e reparei que minhas pernas e meus braços estavam tensos, meus músculos tremiam. Lembrar daquela noite sempre começava um terremoto dentro de mim. Fazia com que eu quisesse correr até não ter mais nada na cabeça.

— Os pais do garoto só não prestaram queixa contra mim porque Half Moon Bay é uma cidade pequena e, aparentemente, o pai dele tinha encontrado com o meu pai algumas vezes. Esse cara, o Sr. Milligan, era ex-fuzileiro e acho que sentiu alguma lealdade ao companheiro de guerra. Não fizeram boletim de ocorrência. Eu não tinha 18 anos ainda. Então, como nada ficou registrado... saí ileso.

Cordero pensa por um instante.

— Você acha que isso faz de você uma pessoa ruim?

— *Boa* é que não faz.

— Você teria continuado?

— Talvez. Tudo que sei é que não estava pensando em parar quando me tiraram de cima dele. Talvez eu tivesse continuado, sim. Quantas pessoas com o potencial para matar você já conheceu, Cordero? Quantas pessoas teriam realmente essa capacidade?

Olho para Beretta e Texas, que se transformaram em leões de mármore diante da porta. Eu sei que eles também têm isso, essa habilidade de dar vazão a um lado sombrio.

— Mais do que você imagina — responde Cordero. — Você ficaria surpreso. Às vezes, as pessoas aparentemente mais comuns são assassinas. A gente nunca adivinharia ao olhar para elas.

Agora é a minha vez de estudá-la. Psiquiatra? É isso que ela é? Sinto certo estresse em sua expressão. Rugas de tensão contornam seus olhos. Não tinha reparado nisso antes.

O que será que ela já viu?

Será que já viu coisas piores do que eu já vi?

Cordero se mexe na cadeira. Ela esfrega os nós dos dedos e, em seguida, os entrelaça.

— Eu provavelmente não deveria dizer isso, Gideon. Eu *sei* que não deveria, mas... — Ela franze a boca, insatisfeita consigo mesma. — Não acho que aquele incidente faz de você uma pessoa má. Acho que faz de você humano. E acredito que você teria parado. Acho que é isso que define o conceito de boa pessoa. Não os erros, mas a capacidade de reconhecê-los. De sentir remorso. De querer corrigi-los e ser alguém melhor.

É algo surpreendentemente gentil. E acho que ela está certa. Quando penso naquele dia, jamais consigo imaginar que eu teria continuado batendo no cara. De fato, acho que eu teria parado. Eu mandei mal naquele dia, mas me fez acordar para a vida. Mudar o rumo das coisas.

Obrigado não parece apropriado, considerando que Cordero está basicamente me interrogando, então apenas faço que sim.

Ela repete o gesto e então respira fundo, deixando aquele breve momento de humanidade para trás.

— Onde estávamos? Acho que você tinha recém concordado em ajudar Daryn, e vocês dois estavam a caminho de...?

— Los Angeles. Para encontrar Fome.

Capítulo 16

Antes de partirmos de Cayucos, prendi a capota do jipe. Não eliminaria completamente o barulho da estrada, mas Daryn e eu conseguiríamos escutar um ao outro um pouco melhor. O dia estava ensolarado e azul, e seguíamos para o sul, o mar e o céu à minha direita cada vez mais azuis.

Mantive a conversa. Finalmente estávamos conversando e eu não queria que o momento passasse. Contei sobre meus pais e sobre Anna. As pessoas ficam especialmente curiosas quando descobrem que eu tenho uma irmã gêmea, então essa parte demorou um tempo. Depois contei sobre como eu costumava jogar beisebol antes do último ano.

— Ser receptor no beisebol é como ser quarterback no futebol americano. Uma mistura de estratégia, agressividade e reflexo. A gente monitora a contagem dos arremessos, observa os corredores nas bases. Dá para controlar o jogo todo dali.

— Era por isso que você gostava de jogar... por estar no controle?

— Com certeza. Controle é a minha parte favorita.

Daryn abriu um sorriso breve. Dava para perceber que ela não os distribuía tão frequentemente.

— Beisebol. Isso explica esse moletom. Obrigada, aliás. E por que você parou de jogar? Você disse que jogou até o penúltimo ano.

Por que eu tinha dito aquilo?

— Cansei, eu acho — respondi, evitando contar a verdade. Eu tinha esquecido de mencionar que o meu pai não estava mais vivo quando falei dele. — Decidi pegar o caminho do exército.

— Mas você não se alistou quando ainda estava no colégio, né?

— Meu período de ingresso era para logo depois da formatura, mas eu queria estar pronto. Passei quase toda a primavera malhando, tentando me preparar.

Eu estava construindo um belo castelo de ar. A parte sobre eu ter me preparado era verdade, mas eu não queria entrar no motivo pelo qual me alistei.

Sabe o cara que eu ataquei no jogo de beisebol? O pai dele, Sr. Milligan, apareceu na minha casa algumas semanas depois do episódio. Obviamente, ele e a minha mãe andavam se falando bastante no telefone. Então, certa tarde, ele apareceu lá em casa, sentou no sofá da nossa sala e disse que eu precisava tomar um rumo. Só que ele disse isso em um tom paternal que me fez querer morrer de tanto chorar. Mas eu não fiz isso, é claro. Várias vezes depois da morte do meu pai eu tinha tentado chorar, mas jamais consegui. Acho que estava com um bloqueio nos canais lacrimais ou algo do tipo. Na hora de ir embora, o Sr. Milligan me deu um post-it amarelo com o telefone de um recrutador do exército, post-it esse que eu deixei na minha escrivaninha por algumas semanas até aceitar que era exatamente daquilo que eu precisava.

Eu não fazia ideia de por que estava mentindo para Daryn sobre o meu pai. Mentir era uma bosta. Acho que eu não queria que ela sentisse pena de mim. Pena era pior que mentir. Pelo menos era como eu enxergava as coisas naquele momento.

— E você estava? Digo, preparado quando chegou a Fort Benning? — perguntou ela.

— O máximo possível. Mais do que muitos caras. O TF feito no RASP? Treinamento físico? É cruel. Mas poderia ter sido pior.

— Você parece estar em forma.

Minha mente divagou um pouco. Quando voltei a mim, precisei girar o volante para manter o carro na estrada, o que foi vergonhoso. E confuso. Por que, qual é? Eu nem gostava dela. Quero dizer, eu não achava que gostava. Mas ainda assim.

— E você? — perguntei, tentando manter a conversa viva. — Pratica algum esporte?

— Talvez.

— Toca algum instrumento?

— Não.

— Você cresceu em um estado que começa com a letra A, M ou T?

Os lábios de Daryn fizeram uma espécie de curva.

— Não é assim que a gente vai fazer isso? Por eliminação?

Ela espanou a areia sobre a calça jeans.

— Quanto menos a gente fizer *isso*, melhor para os dois.

Comecei a rir. Eu não sabia o que tinha dado em mim. Daryn também riu, mais da minha cara do que propriamente comigo, mas não importava. Gostei daquilo.

— Você sabe se defender bastante bem, Martin. Sabia?

— Eu aprendi.

— Isso quer dizer que você não vai me contar sobre os downloads que recebe? Ou sobre a frequência com que isso acontece? Ou há quanto tempo você faz isso? Tipo, essa é a sua primeira missão, ou você passou a vida toda... *seletando*? E, tipo, quando me viu nesse download, porque você disse que viu, eu estava sendo excelente em proteger objetos poderosos secretos? Fazendo coisas épicas que Guerra faria? O quão incrível eu estava sendo, basicamente é o que quero saber. Mas em detalhes. Eu parecia muito, muito incrível ou só meio bom? Espere, espere... eu parecia de primeira. Não é, Martin?

— Acabou?

— Minha sessão de perguntas iniciais?

Ela balançou a cabeça.

— Uau!

— Você não precisa responder.

— Eu sei que não. — Ela deitou o banco e botou os pés sobre o painel. Achei que o assunto estava encerrado porque Daryn fechou os olhos e, então, disse: — Não é sempre que se encontra alguém tão persistente.

— Com que frequência você conhece pessoas que são a personificação da guerra?

Ela me olhou feio e deu de ombros ligeiramente, como se dissesse: *Você não é tão especial assim.* E voltou a fechar os olhos.

— Não posso dizer como são. As coisas que eu vejo. As coisas que eu sei sem ter ideia de como. Você não entenderia.

— Ok.

Eu podia entender isso. Seria como contar a sensação de saltar de um avião. Eu poderia *descrever* a sensação de tirar os pés do deque, do ar atingindo o corpo. Como o mundo parecia se expandir. Eu poderia tentar explicar a sensação da queda. De estar tão alto a ponto de me sentir protegido pela Terra, orgulhoso dela, do planeta como um todo. Seria capaz de passar o dia inteiro falando sobre isso, mas não seria nada em comparação à experiência real. Certas coisas a gente precisa viver pra entender.

Daryn olhou para mim. Acho que a minha resposta a surpreendeu, o fato de que eu entendia que não podia entender, e então rolou um momento legal, em que nos conectamos por causa de coisas que jamais poderíamos compartilhar de verdade.

Eu não estava brincando quando disse que sequer tinha começado a perguntar para ela tudo o que gostaria. Eu tinha perguntas sobre a Ordem. Mais especificamente sobre Samrael. Queria saber se eu era mortal. Será que eu morreria? Cura acelerada era uma coisa. Ser imortal era outra completamente diferente.

Eu também queria saber sobre o cavalo vermelho, se ele realmente estava pegando fogo e se eu controlava ou não sua invocação, além do propósito de sua existência, uma vez que eu não precisava de um cavalo. Eu nunca tinha cavalgado na minha vida. E cavalgar montando num animal em chamas me parecia uma péssima ideia. Sério, não, obrigado. Essa eu passo.

Eu tinha uma quantidade infinita de perguntas. Era tudo o que eu tinha. Eu me sentia como se tivesse acabado de entrar em uma câmara de gravidade zero. Coisas que sempre tiveram peso na minha vida pareciam flutuar, movimentando-se sem propósito ou ordem. Havia tanta coisa para eu tentar entender. Meu nível de confusão era tão extremo que as respostas pareciam sequer começar a explicar. Eu estava sobrecarregado, e Daryn parecia satisfeita com as informações que já tinha compartilhado.

Então, baixei a mão e enfiei a fita do Pearl Jam no toca-fitas. A música que começou a tocar, "Nothingman", era a minha favorita, disparado. Mesmo em uma fita e com um alto-falante de bosta, a voz de Eddie Vedder era sempre sensacional.

Ele cantou para nós pelo restante do caminho até Los Angeles porque, como descobri, Daryn também amava Pearl Jam, o que era uma coincidência maneira. Ninguém da nossa idade amava Pearl Jam. Eu só gostava por causa do meu pai, e não perguntei o motivo dela. Não queria que ela perguntasse o meu. Mas tudo bem. Eu não precisava saber. Estava claro.

Pearl Jam?

Incrível.

Já era algo. Era uma coisa que ainda tinha o peso da gravidade.

E, naquele momento, eu precisava daquilo.

Quando nos aproximávamos dos arredores de Los Angeles, Daryn levantou o banco e prendeu o cabelo em um coque no alto da cabeça.

— Não se assuste, Ok?

Eu queria dizer que essa era a pior maneira possível de impedir alguém de se assustar — a não ser por berrar de repente —, mas assenti e disse:

— Ok.

Daryn passou a mão pelo colar de prata e depois colocou-a sobre o painel. Ela observava a estrada, estudando as saídas, os prédios ao longe, cada vez mais concentrada e imóvel.

— A gente precisa pegar a próxima saída — avisou ela.

Segui as instruções.

Daryn continuou nos guiando. *Pegue a direita. Entre à esquerda no próximo sinal. Fique nessa pista.*

Como ela fazia aquilo?

Passei o tempo todo concentrado para relaxar a pegada no volante. Eu estava me sentindo, no mínimo, intimidado. Nos últimos dias, já tinha visto muita coisa que eu não conseguia explicar, tudo relacionado a mim e a Samrael, mas aquela era a minha primeira experiência com Daryn fazendo algo que era realmente inacreditável.

Acabamos chegando a um prédio enorme em Studio City. Entrei na garagem subterrânea e estacionei o carro. Em um curto espaço de tempo tudo havia mudado. Era o fim dos longos trechos de estrada ensolarada com o rugido dos pneus, o chacoalhar da capota, Pearl Jam tocando. Agora, o silêncio sussurrava em meus ouvidos, e estávamos cercados de concreto iluminado por luzes fluorescentes.

Na estrada, a parte de mim que ficava ligada ao perigo tinha conseguido relaxar um pouco. Éramos apenas Daryn e eu, em movimento. Não havia muito a se fazer para nos proteger a não ser dirigir. Mas agora não mais. No instante que adentramos a densa população da cidade, o fator ameaça havia se multiplicado. A Ordem podia estar em qualquer lugar. Eles podiam rastrear Daryn, então precisávamos ser ágeis. Quanto mais rápido localizássemos Fome e achássemos para um local seguro, melhor.

— Você sabe em que parte do prédio ele está? — perguntei. As coisas que eu vinha aprendendo como soldado rapidamente entravam em ação. Tínhamos que planejar muitas coisas. Reconhecer o território, traçar rotas até o objetivo final e para o retorno, imaginar eventuais contingências.

— Sei. — Daryn arrancou o moletom, jogou no banco de trás e saltou do carro.

— *Daryn* — gritei para ela. — Você não pode entrar correndo sem ter um plano.

— A gente não tem tempo pra isso. Precisamos ser rápidos, antes que Samrael nos encontre.

— Precisamos ser rápidos, mas não inconsequentes. Terminar isso o quanto antes também pode ser eficiente. Precisamos agir de forma coordenada e ...

A porta do elevador se abriu. Fiquei tentando impedi-la, usando força física, mas um zunido no meu braço me distraiu.

O bracelete.

O metal mágico estava falando, enviando energia pelo meu corpo. Abaixei a manga.

Daryn apertou o botão do décimo primeiro andar.

— Sei que estamos apressando as coisas, mas precisamos alcançá-lo antes de Samrael.

— Espere. Você disse que a Ordem rastreia o objeto. Que é esse objeto o que estão procurando. Eles estão atrás da gente também?

Antes que ela pudesse responder, a porta se abriu para o andar térreo e uma multidão humana entrou no elevador. Agarrei o braço dela e nadei contra a corrente, nos mantendo bem perto da porta, onde poderíamos conferir todos os rostos em busca de Samrael. Já era ruim o suficiente estarmos presos em uma caixa de metal. Eu não ia ficar encurralado.

Um cara de terno de risca de giz me deu um encontrão no ombro ao entrar correndo pela porta que já se fechava.

— Malditos entregadores — murmurou o sujeito, lançando um olhar para mim. — Da próxima vez, use o elevador de serviço, idiota.

— Gideon — disse Daryn em voz baixa. Larguei o braço dela. — Deixe para lá.

Falar é fácil. A tampa da minha panela de pressão aumentava desde que Daryn saltara do carro. Conforme o elevador subia, minha raiva subia junto. As pessoas começavam a se irritar e suas reclamações começavam a preencher meus ouvidos.

— ... nunca ouviu falar em espaço pessoal?

— ... esse elevador já está lotado demais. É um *absurdo* desrespeitar a segurança dos outros...

— .... esse idiota aqui acha que pode usar o elevador social...

Eu sabia que era eu que estava causando aquilo. Daryn ficou olhando para mim, mas eu não conseguia mais impedir. Estávamos numa missão às cegas. Uma péssima ideia.

Finalmente chegamos ao décimo primeiro. Pulei para fora do elevador, como se estivesse na aula de salto. Em seguida, segui Daryn pelo corredor até dobramos uma curva.

O movimento estava me ajudando. O fato de não estar preso também.

O bracelete vibrava. Perceptivelmente mais forte agora.

Meio difícil de ignorar. E eu meio que queria saber o motivo.

Daryn parou em frente a uma porta dupla de vidro com um letreiro colado.

— Ele está aqui.

— Como assim aqui? — Precisei ler o letreiro novamente. — Herald... *Seleção de Elenco?* — Não sei o que eu esperava da personificação de Fome. Talvez um cara que trabalhasse em um bandejão ou um sem-teto. Mas isso? — O cara é *ator?*

— *Gideon.*

— Tudo bem. Não tem problema.

Eu não ia surtar em relação a isso agora. Enquanto repassava brevemente tudo que sabia sobre situações hostis, Daryn abriu a porta e entrou.

Do lado de dentro havia uma sala de espera como a de um dentista, apenas maior e mais atraente, com fotos de pessoas perfeitas nas paredes, cadeiras de plástico cercando o ambiente. Muito branco e peças cromadas.

E Samrael. Muitos Samraels em todas as cadeiras. Meu corpo todo enrijeceu. E então relaxei. A sala estava lotada com caras que pareciam ter a mesma idade e o mesmo corpo dele. O mesmo cabelo escuro e semblante. Mas ele propriamente dito não estava ali.

Bem no meio da sala, a recepcionista ergueu os olhos que antes estavam na tela do computador.

— Olá. Venha aqui assinar sua entrada. — Ela fechou a cara ao ver Daryn. — Desculpe, querida. É uma audição fechada.

— Eu sou da família. — Daryn deu um passo em minha direção. Metade dos caras na sala tinham parado de ler suas páginas grampeadas para observá-la. — Sou irmã dele.

— E? — perguntou a recepcionista. A mulher já tinha as sobrancelhas naturalmente desenhadas em arco, mas as arqueou ainda mais. — Você pretende ler as falas para ele?

— Bem, não. É só que... — Daryn acenou a cabeça na minha direção. — Ele não sabe ler.

Inacreditavelmente, eu consegui não perder a cabeça.

Ok, Blake. Alternativas. Alguma alternativa? Negativo.

— Na verdade, eu sei ler, é só que... — Que bosta "era só"? Apontei para o meu rosto. — Tive um pequeno problema com os equipamentos. Perdi uma das lentes de contato no caminho para cá.

E então fiquei parado ali, tentando agir como alguém que estava enxergando apenas de um olho.

A recepcionista balançou a cabeça.

— Ah, que chato. É um daqueles dias, né? Estou tendo um assim também. — Ela voltou a olhar para Daryn. — Mas isso não muda nada. Ainda assim você não pode ficar.

Daryn se aproximou, baixando a voz para que somente eu a escutasse.

— Você vai ter que encontrá-lo sozinho. Vejo você no jipe daqui a uma hora.

— Não, Daryn. Não posso deixar você ir embora.

— Mas você precisa deixar. Precisamos dele. Você vai ficar bem.

— Não é isso... — *Respire. Tente de novo.* — Não é com isso que eu estou preocupado.

— Eu sei. Eu também vou ficar bem.

E então ela abriu a porta de vidro e eu fiquei ali. Olhando ela partir.

Não. Aquilo não ia dar certo.

Dei dois passos na direção dela e então parei.

O bracelete.

O metal mágico estava enviando uma quantidade de energia surpreendentemente expressiva para o meu corpo. Não era só uma vibração. Era mais do que isso. Uma espécie de... reconhecimento ou presença... um sinal de que algo estava *ali*.

Olhei para a direita e lá estava ele, olhando diretamente para mim.

Fome.

Capítulo 17

Havia apenas uma cadeira vazia na sala e ficava bem ao lado dele. Então me sentei.

— Como vai? — cumprimentei. Eu tinha acabado de ver Daryn partir e não estava exatamente calmo, mas tentei me concentrar na tarefa de juntá-lo ao time.

— Bem.

Ele cruzou as pernas e enrolou os papéis que segurava em um canudo.

Minha primeira impressão dizia que ele era certo para o papel. Mesmo sentado dava para ver que era alto. Mais de 1,80 m. Desengonçado, parecia ligeiramente subnutrido, mas isso só aumentava a cara de modelo. Como se pertencesse ao mundo daquelas fotos emolduradas. O cabelo castanho me lembrava o de Wyatt — longo e bagunçado —, mas em Fome era mais natural, como se sempre tivesse sido daquele jeito. Ele deveria ter a minha idade ou um pouco mais, chutei.

Depois de ficar enrolando os papéis, ele semicerrou os olhos na minha direção, como se tentasse desvendar algo.

— Eu conheço você de algum lugar?

— Acho que não — respondi. — Gideon Blake.

— Sebastian. Sebastian Luna.

Não apertamos as mãos, o que foi estranho. Foi algo que claramente evitamos fazer. Mas, levando em consideração todas as coisas estranhas que andavam acontecendo, não teria me surpreendido se um raio cortasse o teto caso o tivéssemos feito.

Olhei para o pulso dele. O bracelete de Sebastian era diferente do meu. Parecia ser feito de vidro, preto fumê, e a trama que o formava me fazia lembrar aleatoriamente de tendões e Halloween. Era assustador. Gostava mais do meu.

Ele baixou a cabeça, o cabelo longo cobrindo os olhos. Devia estar tentando discretamente ver o meu bracelete. Estava escondido pela manga, mas me dei conta de que não importava. O metal mágico continuava emitindo um zumbido constante para o meu corpo. E, pelo modo como Sebastian não parava de apertar o roteiro, eu estava bem certo de que o dele fazia a mesma coisa.

Eu me perguntei o que ele sabia. Será que tinha mais informações a respeito do que estava acontecendo? Pensando bem, isso não seria difícil. Embora ele ainda não tivesse conhecido Daryn.

Daryn, que era o alvo de Samrael e estava sozinha.

Eu precisava acelerar as coisas.

— Eles já começaram?

— Tem um tempinho — respondeu Sebastian. — Ouvi o que a sua irmã disse. Posso passar as falas com você se quiser.

— Minha irmã? Ah, sim. Ela não era a minha irmã. Ela só disse isso porque queria me dar apoio moral. Sou novo nisso. É o meu primeiro teste.

— Primeiro, jura? — Ele abriu um sorriso. — Você não parece tão nervoso.

— Para falar a verdade, não faço ideia do que estou fazendo.

— Você vai se sair bem. O primeiro sempre é mais difícil. — Ele olhou de relance para a recepcionista. — Eu já fiz um monte. Nem deveria mais ficar nervoso, mas esse é diferente. Uma série de TV a cabo como essa pode deslanchar a minha carreira. Pode mudar toda a minha vida.

— Com certeza — concordei. — É uma virada na vida mesmo.

Sebastian esticou as pernas. Parecia mais relaxado. Tive a impressão de que tinha se convencido a parar de se preocupar comigo. Ou então ele era muito bom ator.

Eu não estava mais relaxado. Precisava desembuchar logo o negócio de ser cavaleiro e tirar a gente dali, mas não conseguia achar uma maneira de começar a conversa.

— Não leve a mal nem nada — começou ele —, mas você não é exatamente o que eles estão procurando, sabe? Um policial jovem latino.

Olhei em volta novamente. Ele tinha razão.

— É, acho que não tenho o perfil. — Passei a mão sobre o meu cabelo louro com corte militar, como se quisesse que ele fosse diferente. — Mas vou tentar mesmo assim.

— É assim que se faz, cara. Porque quase sempre eu acho que nem *eles* sabem o que querem. Às vezes não faço ideia de como alguém consegue se dar bem nesse meio.

— Exatamente. Tudo parece arbitrário, político e... — *Vai, Blake, seja direto, puritano, patológico, perfurado, panamense...* — estranho.

— Isso mesmo. Esse meio *é* estranho.

E esse foi o meu limite de papo furado.

— Então. — Baixei minha voz, tentando criar alguma privacidade. — A gente precisa conversar. Eu sou Guerra.

Não consegui pensar em nada bom para dizer depois disso — o que se diz depois de uma coisa assim? —, então levantei a manga e mostrei o meu bracelete.

— Você é... — Sebastian estava de olhos arregalados. — Você é o *quê?*

— Guerra. Eu sei. Também fiquei bolado. — Ele estava começando a ficar um pouco pálido, então continuei falando, no tom mais calmo possível. — Olhe, seria melhor se a gente pudesse conversar em particular. Não sei o quanto você já descobriu, mas acho que posso dar algumas respostas. Só que a gente precisa sair daqui. Meio que sair correndo porque existe a possibilidade real de...

— Próximo grupo — anunciou a recepcionista. — Entrem, por favor.

Sebastian ficou de pé num salto. Os caras à nossa volta demoraram um pouco mais, mas não muito.

— É melhor você sair daqui — aconselhou ele, quase como se pedisse desculpas. — Eu não quero falar com você.

Ele entrou para o teste.

Levantei e fui atrás dele.

Nós cinco entramos em uma sala de reunião. Uma janela, que ia do chão até o teto, ocupava toda uma parede e se abria para uma vista bonita das montanhas de Hollywood sob a neblina.

Duas mesas compridas estavam posicionadas na frente da janela. Quatro mulheres e três homens se encontravam atrás delas e de uma fileira de xícaras de café, garrafas de água e papéis. Eles conversavam e trocavam fotos. Apenas um prestava atenção em nós — o homem no canto direito. Ele estava contraluz, o rosto mergulhado em sombra. Eu só conseguia ver sua careca reluzente e os óculos redondos, estilo John Lennon.

— Formem uma fileira, por favor — instruiu ele, com uma voz irritada e entediada ao mesmo tempo. — Quando chamarmos o nome, diga a primeira fala da página três até a linha de "se afogando em um mar de cinza".

Tomei meu lugar e então me dei conta de que estava em sentido e tive que relaxar a postura. Como eu estava na ponta, seria o primeiro ou o último.

— Isso vai ser interessante — murmurei.

Sebastian virou a cabeça para mim, e eu vi a expressão de pavor em seus olhos.

— *Vá embora*. Eu já disse. Não quero me envolver.

— Você está envolvido. Só preciso de cinco minutos.

— Cara, *por favor*. Isso é muito importante...

Ele se interrompeu quando o cara do outro lado da fila deu um passo à frente.

O espetáculo ia começar.

Comparado ao restante de nós, o ator parecia baixinho. Era parrudo e tinha uma ligeira pança. O cabelo era preto e espetado, e os braços, cobertos de tatuagem.

— Me chamo Luis Alvarez.

Ele respirou fundo, expandiu o peito, expandiu ainda mais e então soltou o ar, murchando o corpo.

E então começou.

— Ele era como um irmão para mim! — Luis deu um soco no próprio peito. — Como se fosse *sangue do meu sangue*! Mas eu sou *policial*. Uso um *distintivo*. Fiz um *juramento*. O que esperava que eu *fizesse*? Tive que atirar nele! — Ele levantou as mãos, fez uma arma com os dedos e fingiu atirar nas pessoas da seleção do elenco. *Pow, pow, pow*. Assoprou a fumaça imaginária com os dedos. Botou a arma no coldre. — A lei é maior que eu. São palavras escritas em tinta preta no papel branco, mas às vezes o mundo é cinza. É onde estou. Perdi o meu irmão e estou me *afogando*! Estou me afogando em um mar de *cinza*. — E então saiu do personagem. — Obrigado.

Ele voltou para a fileira, juntou as mãos atrás das costas e baixou a cabeça como quem dizia: *É assim, meus caros, que se arrasa num teste.*

Senti uma vibração subir pela barriga até a garganta. Pressionei a mandíbula, mas a guerra estava vencida. Passei de oito a 80. Soltei uma risada muito, muito alta. A loucura de tudo aquilo era demais. Além do constrangimento. Estava causando dor física. Eu me afogava em um mar de cafonice.

— *Por favor* — insistiu Sebastian. — *Cale a boca.*

Eu estava tentando.

— Você está com algum problema? — perguntou Óculos do Lennon.

— Não, senhor. Peço desculpas. — Eu ainda estava instável, mas começava a me lembrar dos bons modos e da missão que tinha a cumprir. — Só estou muito nervoso. — Aquilo precisava acabar. Dei um passo à frente.

— Posso ser o próximo?

— Ele não pode — disse Sebastian. — Está fora da ordem.

— Não estou nada.

— Sim, está.

— Então vamos fazer em ordem aleatória.

— Se é aleatório, sou o próximo porque não estou na ponta.

— Cara, você sabe o que quer dizer aleatório?

— Sim. Nesse caso significa que eu vou primeiro. — Ele deu dois passos à frente e olhou para a mesa de seleção. — Estou pronto.

A sala ficara muito silenciosa. E, do nada, não estava mais.

Óculos do Lennon remexeu em alguns papéis, e os outros avaliadores aproximaram-se dele. O grupo discutiu silenciosamente, porém com animação. Tínhamos despertado aquela gente.

Óculos de Lennon pigarreou e levantou os olhos.

— Vamos começar com o Sr. Luna porque não temos a sua foto, Sr...?

— Blake. Gideon Blake.

Silêncio total novamente. Nunca tinha me sentido tão pouco latino. Ajudaria se eu começasse a cantar Shakira?

— Obrigado, Sr. Blake. Sr. Luna, pode começar.

Sebastian lançou um sorrisinho de vitória para mim enquanto eu voltava para a fileira. E então o assisti dizer as mesmas falas, mas de forma completamente diferente.

Ele não teve pressa para começar. Esperou quase um minuto inteiro, então todos na sala criaram expectativa, concentrados, esperando que ele falasse. Quando finalmente o fez, a voz era pesada e entrecortada — um som que eu reconhecia. O luto imprimia na voz um peso tão peculiar que era difícil colocar em palavras. E Sebastian conhecia esse peso. Ou, se não conhecia, sabia expressá-lo.

Ele também usava o silêncio entre as falas, algo que eu nunca tinha reparado que também fazia parte da atuação. Mas, de alguma forma, ele os preenchia. Até sua maneira de respirar dizia algo sobre a dor. O modo como mexia a cabeça, a expressão em seu rosto. A verdade horrível e destruidora de perder alguém estava em todas as partes do corpo daquele ator. E quando ele ergueu as mãos e encarou as palmas abertas enquanto dizia a última fala sobre se afogar no mar de cinza? De arrepiar. Tanto que fiquei literalmente arrepiado tamanha quantidade de sentimento que o cara tinha colocado naquelas falas ridículas. Sebastian as tornara reais. Ele tinha deixado o ambiente tomado de agonia, e eu não era o único a sentir tal coisa. Quando ele acabou, todo mundo estava completamente hipnotizado.

Impressionante. Atuação impressionante. Mas já fazia 15 minutos que Daryn havia saído dali e eu já esgotara o meu tempo.

Botei a mão no ombro dele.

— Bem, isso foi sensacional! — elogiei, puxando-o em direção à porta. — Eu sei que não preciso mais fazer o meu teste. Podem dar minha chance a ele. Mas, infelizmente, precisamos ir. Sabe como é a temporada de testes.

Temporada de testes? Isso existia?

— Me solte — exigiu Sebastian, tentando se soltar. — Eu nem conheço você.

— Dá para acreditar nesse cara? Ainda não saiu do personagem. — Ele já estava ao meu lado na porta a essa altura. Estávamos quase fora dali. — Muito obrigado, pessoal. Merda para vocês.

Dei um soco na porta e o empurrei para o corredor.

— Tá bom! Tá bom! Calma! — Ele ergueu as mãos. — Me *solte* e a gente pode conversar.

Fiz o que ele pediu.

E então Sebastian se desvencilhou e saiu correndo.

Capítulo 18

Eu devia ter alcançado o cara imediatamente. Ele estava só alguns segundos na minha frente, mas quando passei pela porta da recepção, dei de cara com a recepcionista vindo na direção contrária. Consegui segurá-la e manter nós dois de pé, e então demorei um segundo a mais para me certificar de que ela estava bem, já que eu tinha me chocado com força contra ela. Isso deu a Sebastian a vantagem de alguns passos enquanto eu o perseguia para fora da agência em direção ao corredor principal.

— Pare! — gritei. — Pare *agora*!

Sebastian parou no final do corredor e olhou bem nos meus olhos, as mãos plantadas na porta da escada. E, então, ele a empurrou e desapareceu.

Corri atrás dele, saltando três degraus por vez. Quando girei no décimo andar, ele estava virando o andar de baixo. Repetimos a mesma coisa no nono e no oitavo. Quando chegamos ao sétimo, comecei a me aproximar. Girei no corrimão, fazendo a curva e freei, derrapando.

Sebastian estava parado no andar de baixo. Na mão dele, havia algo que eu nunca vira antes. Dois discos negros suspensos por uma corrente brilhante. Eu não fazia ideia do que era aquilo, mas instintivamente soube que era uma arma.

— Sinto muito! — disparou ele. E, em seguida, jogou o braço para trás e arremessou o negócio.

A coisa girou pelo ar, os discos rodando na corrente como se fossem planetas em órbita. Não foi um arremesso incrível, mas eu estava muito perto. Veio bem na minha direção.

Desviei, dando meia cambalhota no ar antes de bater com a bunda na parede. Caí no chão e ouvi um som de algo sendo esmagado a apenas alguns centímetros da minha cabeça.

Ficando de pé com dificuldade, procurei por Sebastian. Só consegui ouvir a sola do tênis se afastando pelo chão de concreto. Virei para trás para olhar a coisa pendurada na parede e não pude acreditar.

Um dos discos enterrado na parede de concreto. O outro, dependurado como um pêndulo, emitia um sibilar metálico ao girar, saltando faíscas até finalmente parar.

Eu me aproximei. Os discos e a corrente eram feitos de... vidro preto? O mesmo material de que era feito o bracelete de Sebastian. Um cristal cheio de escuridão. E não emitia uma luz propriamente dita, era só leve brilho ao seu redor. No centro do objeto havia um botão, feito do mesmo material.

Os passos de Sebastian ficavam cada vez mais distantes. Ele estava se afastando, mas eu não podia sair dali. Não importa o que fosse aquilo, me parecia importante demais para ser deixado para trás. Estiquei a mão e hesitei. Disse a mim mesmo para aguentar o tranco. Simplesmente não se parecia com nada que eu já tivesse visto. E então agarrei o cabo.

Nada. Nenhum problema. Apenas um metal liso e gelado.

Puxei. Saiu com facilidade, como se a parede fosse feita de cortiça. Levantei o objeto para ver melhor. Os discos se encontraram na ponta das correntes; e então, *clique*, juntaram-se um sobre o outro, presos.

Maneiro. Surreal. Incrível. Eu queria ver melhor o que era, mas precisava alcançar aquele cara. Segurei bem o objeto e voltei à perseguição.

A essa altura, Sebastian estava alguns andares abaixo, então não esperava trombar com suas costas quando cheguei ao térreo e corri para o saguão.

— Quem é aquele? — perguntou ele, sem tirar os olhos da entrada de vidro.

Samrael. Não tinha como confundir dessa vez.

Ele estava parado na frente da entrada do prédio, vestindo calça jeans escura e um casaco preto, mais casual que o restante dos executivos à volta, mas ainda assim parecia se encaixar, elegante e impecável. Um jovem homem de negócios.

Ronwae, a garota de cabelo vermelho, e Malaphar, o cara com o rosto furado de acne e terno grande demais, guardavam as outras duas saídas na frente do prédio. Havia também uma aquisição ao grupo, um jovem, na faixa dos 16, 17 anos, de gorro vermelho e roupas largas de skatista. Veio correndo para junto de Samrael no segundo que nos viu.

— Sebastian, é melhor você vir comigo — avisei.

Dessa vez, ele obedeceu.

Capítulo 19

No exército, não se usa a expressão "recuar". Dizemos "bater em retirada". E foi o que fizemos. Estávamos em menor número, despreparados e desinformados. Batemos em retirada sem pensar duas vezes.

Empurrei a porta da escada com Sebastian colado em mim. Alguns momentos antes, eu tinha visto duas portas no acesso para o primeiro andar — saguão e saída de emergência — e isso era obviamente uma emergência.

Eu me lancei contra ela, acionando o alarme, e dei de cara com a luz cegante do sol. O que eu mais queria no mundo era ver Daryn no meu jipe, pronta para sairmos dali o mais rápido possível, mas ela não estava em lugar algum.

Tínhamos saído em uma rua sem trânsito. À direita havia prédios baixos, com telhados de azulejo vermelho e paredes de reboco. As calçadas eram enfeitadas com vasos gigantes de flores vermelhas. Os carros estacionados eram todos de luxo, com valores acima de seis dígitos. Havia uma guarita no final da rua, mas não era como em Benning. Essa era enfeitada com flores, a folhagem aparada nas janelas e portas. À minha esquerda, imensos galpões cinza. No alto do que estava mais perto, se lia ESTÚDIO 5 em letras vermelhas gigantes.

Eu já tinha me dado conta de onde estávamos quando Sebastian disse:

— Estamos nos fundos.

O estúdio parecia muito fechado, com muros altos de concreto protegendo o perímetro. Eu não queria ficar preso ali dentro com Samrael, mas a guarita ficava a 100 metros e, exceto por flores e Porsches, ela era totalmente sem área de cobertura. Seríamos vistos antes de botar o pé para fora. Sair do estúdio também nos deixaria mais distantes do estacionamento, onde Daryn estava. Mudei os planos e guiei Sebastian ainda mais para dentro do local, torcendo para haver opções melhores.

O alarme do prédio havia parado quando as portas se fecharam. Agora ele estava de volta, cortando o silêncio das ruas do estúdio. Quando olhei para trás, vi Samrael e seus amigos.

Como não havia mais ninguém na rua, eles nos viram imediatamente, mas Sebastian e eu tínhamos chegado aos galpões fechados. Se conseguíssemos dobrar a esquina um pouco mais adiante estaríamos em... Nova York?

Corremos por uma rua ladeada por prédios de tijolos. O vapor subia dos bueiros. Um pouco mais adiante, um táxi amarelo estava estacionado perto do meio-fio. A primeira página de um *New York Times* pousou sobre uma poça pela qual eu havia acabado de passar.

Desacelerei e Sebastian me alcançou.

— O que a gente vai fazer? Gideon, né? Para onde a gente vai, Gideon?

Eu sequer conseguia responder. Um medo real tomava conta de mim ao lembrar de Samrael me batendo. Precisávamos *imediatamente* de um esconderijo.

Acelerei novamente, correndo para o prédio mais próximo — uma mercearia na esquina com caixotes cheios de vegetais de plástico e flores de seda. As janelas tinham pinturas das cenas que poderiam acontecer do lado de dentro, como uma mulher operando uma caixa registradora. Um açougueiro sorridente segurando um pernil. Era tudo fachada, mas abri a porta só pra conferir. Dei de cara com tábuas de madeira.

Ao meu lado, Sebastian estava ofegante.

— O que eles querem com a *gente*?

— Daryn.

— *Quem?*

Apertei as correntes na minha mão.

— A garota que não é minha irmã. Vá pra trás daquele táxi e fique lá.

Enquanto eu corria para o meio da rua, pensei como havia sido treinado para fazer exatamente aquilo. Lutar. Bem, parcialmente treinado. Com armas de fogo de verdade, não um nunchaku-barra-disco-de-vidro-preto. Mas que seja. Luta é luta.

Samrael foi o primeiro a dobrar a esquina. Os outros dois chegaram logo depois. Ronwae e o cara novo, o skatista de gorro vermelho, que mais tarde eu descobri se chamar Pyro. Pararam cada um de um lado de Samrael. Fiquei esperando por Malaphar, mas ele não apareceu.

— Cansou de correr, Gideon? — Samrael parou do outro lado da rua, mas estava tão silencioso ali que ele falava sem levantar a voz. — Ou cansou de ser covarde?

— Só cansei de você.

Ergui minha mão ligeiramente, em uma posição de pré-arremesso. Os discos, separados por algum milagre, mas deve ter parecido que foi de propósito.

— O que é isso que você tem aí? — perguntou Samrael.

— Nada — respondeu Sebastian, aproximando-se. — A gente nem conhece você, então por que...

Ele ficou sem ar e se curvou como se tivesse levado um tiro, segurando a cabeça com as mãos.

Eu sabia o que era aquilo. Samrael tinha feito a mesma coisa comigo na festa de Joy. Sebastian se levantou quase imediatamente e olhou para mim.

— O que foi isso? O que ele fez comigo?

— Me ajudem a entender uma coisa — disse Samrael. — Vocês dois estão envolvidos nessa história... Posso sentir que sabem disso, mas não foram informados da parte mais *crucial*? — Ele riu e disse algo para Ronwae e Pyro. Não ouvi o quê, mas fez Ronwae rir também. Pyro continuou sério, nos encarando com um olhar ensandecido, alternando o peso do corpo entre as pernas, como um cão de caça que espera para ser solto.

— Que situação idiota — disse Pyro. — Vamos matá-los logo.

— Ainda não — disse Samrael, concentrando-se em mim. Era a minha vez de novo.

A pressão começou nos meus olhos, a sensação de polegares esmagando minha cabeça, cutucando lá dentro. Foi se espalhando e ficando cada vez mais aguda, lançando uma rede sobre o meu cérebro. A escuridão chegou, girando ao meu redor, me afundando enquanto o mundo ficava cada vez mais distante.

Eu queria que ele saísse. Que desse o fora da minha cabeça.

Saia. Saia. Saia daqui.

Mas eu preciso de uma coisa, Gideon. Onde está?

A voz dele estava *dentro* da minha cabeça.

E então vi imagens. Flashes rápidos. Daryn no café da manhã em Cayucos, escrevendo em um caderno. Daryn sentada ao meu lado no jipe, com os pés sobre o painel. Daryn no elevador, o dedo pairando sobre o painel e indo até o botão do décimo primeiro andar.

Era por isso que ela havia mantido em segredo as informações cruciais da nossa missão. Ela sabia do que Samrael era capaz. Ele não estava me atacando. Ele estava *procurando*. Dentro da *minha cabeça*.

Ela se chama Daryn? Estranho. Mas ela é bonita de se olhar, não é? E bem mais esperta que você, aparentemente. Dentro do contexto da estratégia dela, a sua completa falta de noção é quase perdoável. Onde ela está, Gideon? Neste momento, onde ela está?

Tentei lutar contra ele, concentrado em me livrar. Fazendo força contra a pressão.

Uma tentativa admirável, mas não é boa o suficiente. Vamos tentar mais uma vez. Onde — dor, muita dor, como pregos sendo cravados na minha cabeça — *ela está?*

Um som rasgou o silêncio na rua. Vinha de perto, da minha garganta. Meus joelhos atingiram o asfalto. Sebastian gritou algo, pedindo que Samrael parasse.

Mas ele não parou.

Loucura. Morte. Essas eram as únicas saídas para aquela agonia. Estariam próximas?

Sim, Gideon. Muito.

Não. Aquilo era apenas dor. Eu já a tinha sentido antes. Todos os dias. Todas as vezes em que pensava no meu pai. Eu podia aguentar aquilo.

E então, de repente, eu estava livre. A pressão e a escuridão começaram a desaparecer e veio assim o alívio. Um *alívio* imenso de ser libertado, como se uma chuva quente caísse sobre mim, escorrendo por todo o meu corpo.

Me levantei. Ainda segurava os discos, mas me sentia confuso e lento. Do outro lado da rua, onde Samrael estava, Ronwae entrava e saía de foco, como se eu a visse por entre ondas de calor. Sebastian. Samrael e seus amigos. Todos estavam de olho no quadriciclo estilizado que tinha acabado de virar a esquina.

Um segurança do estúdio parou e levou um microfone à frente da boca.

— Esse cenário é apenas para o pessoal autorizado. — A voz dele era projetada pelos alto-falantes presos ao suporte do veículo. — Preciso ver as credenciais de vocês, por favor.

Sebastian e eu estávamos do outro lado da quadra, o que deixava a Ordem presa no meio — a posição mais fraca em um conflito. Ainda assim, por que eu tinha a sensação de que eles estavam em vantagem?

— Já estamos indo embora — respondeu Samrael. — Estamos só terminando uma conversa.

O segurança desceu do quadriciclo. O cara era forte, como um daqueles monstros de academia. Explodindo de músculos que não tinham nenhuma função real. Ele estufou o peito, sentindo o perigo iminente.

— Sinto muito, senhor. Se não me mostrar sua credencial vou ter que levá-lo para fora do estúdio.

— Gideon, é melhor a gente ir — disse Sebastian.

Mas eu não podia ir embora. Algo estava prestes a acontecer. Eu sabia. E eu estava certo.

Samrael fez um gesto rápido com a mão, uma sacudida, como se estivesse abrindo um canivete. Algo apareceu na ponta dos seus dedos. Não havia nada na mão dele num instante, e de repente, havia algo. Uma faca. Eu e Sebastian não estávamos tão longe assim. A faca enorme de marfim que ele segurava não tinha como ser fruto da minha imaginação.

O segurança congelou quando Samrael se virou para ele.

Comecei a correr na direção deles, já tomado pelo pavor.

Samrael recuou o braço e arremessou a faca. O objeto cortou o ar com uma velocidade chocante, mas o tempo parecia lento o suficiente para que eu observasse cada momento. Lentamente. A cena toda era muito nítida. O olhar de choque do segurança ao ver uma arma ser usada contra ele. O bizarro rastro de luz produzido pela lâmina, como um cometa. E meus pensamentos. Foram inúmeros pensamentos enquanto aquela faca cruzava a distância.

Esse homem vai morrer.

Com uma arma que apareceu do nada.

Porque, novamente, eu não previ a situação.

Eu deveria ter impedido isso.

A faca afundou no pescoço do segurança. Cravada a uns 10, 15 centímetros acima da base do pescoço, pouco abaixo do pomo-de-adão. A força do golpe fez com que ele cambaleasse para trás. E então caiu na rua, atordoado, o celular deslizando pelo chão.

Sebastian correu para me alcançar.

Ficamos parados, olhando um instante de movimento furioso das pernas, de constrição da garganta e de jorro de sangue. E então não havia mais nada. Nenhum movimento.

Meus olhos foram direto para o anel grosso no dedo do segurança. Seria de formatura? Eu estava longe demais para ver. E então vi o pedaço de alface preso na sola do sapato. Vinha de um mercado cenográfico ou real?

Porque *aquilo* ali era real. Em muitos sentidos parecia sim uma piada, mas era *real*.

O segurança estava morto.

Quando voltei a olhar para Samrael, ele segurava outra faca branca na mão. Parecia um osso. Uma faca feita inteiramente de osso.

— Onde ela está, Gideon? — perguntou ele.

— Chega! — gritei. Eu pegava fogo por dentro. — Agora você vai ter que lidar comigo!

Samrael atirou a faca. Todos os anos passados como primeira base no beisebol voltaram naquele momento. Vi a trajetória da faca e reagi, jogando Sebastian no chão. Os discos caíram da minha mão quando aterrissamos. A faca passou voando por nós e seguiu quicando pela rua, como uma pedra em um lago.

— Fique abaixado! — gritei para Sebastian. Tateei em busca dos discos e já me levantei fazendo um bom lançamento do objeto. Ele viajou na mesma velocidade que a faca de Samrael, deixando um rastro negro no ar.

Só que calculei mal. Queria ter atingido Samrael, mas a arma viajou em ângulo aberto e baixo, na direção de Pyro. O garoto desviou, mas não rápido o suficiente. A corrente alcançou uma de suas canelas, e os discos se dobraram, entrelaçando a outra perna dele. Pyro caiu no chão, laçado como um novilho.

Samrael olhou para seu parceiro caído, claramente surpreso. Eu também estava, mas não esperei para ver. Agarrei a parte de trás da camisa de Sebastian e o levantei, arrastando-o para trás do táxi.

— Tudo bem?

Ele tremia bastante, mas não parecia machucado.

— Minha vida inteira acabou de passar diante dos olhos!

Olhei de relance sobre o ombro. Samrael continuava atrás de nós. Pyro tinha conseguido se soltar. Ronwae fazia aquele efeito cintilante de uns instantes atrás, como se eu estivesse vendo um filme 3D sem óculos.

— Chame o seu cavalo, Gideon! — Sebastian agarrou o meu braço. — É a nossa única chance!

— Chamar o meu... *o que você disse?*

— Eu chamo.

Sebastian fechou os olhos por um instante; e então, bem no meio da rua, apareceram os cavalos.

Primeiro o dele. Depois o meu.

Os animais correram diretamente na direção dos membros da Ordem e ficaram ali, feito duas coisas muito sinistras, montando a barreira equestre mais incrível que já se viu. Era a melhor oportunidade para que Sebastian e eu saíssemos dali.

Capítulo 20

— **G**ideon, calma — pede Cordero, erguendo a mão. — Você está se apressando.

Volto daquele momento de terror. Pigarreio.

— Estou?

O aquecedor volta a funcionar. *Plic plic plic.* Provavelmente estamos em algum lugar frio. Por que não pensei nisso antes? Ou... pensei?

— Não tem problema — diz Cordero.

O sorriso dela é tão caloroso quanto uma sacola de pedras. Ela se concentrou na narrativa desde o início, mas agora parece intensa. Talvez até mesmo nervosa. Se eu estiver falando a verdade, o que isso significaria? O que isso vai significar para a realidade dela, em relação às crenças que tiver? A seu entendimento do mundo? Cordero está recebendo uma provinha das coisas que precisei enfrentar.

Minha captora olha para a pasta.

— Você disse que os cavalos "apareceram"?

— Disse.

— E como foi isso?

— Sabia que você ia gostar dessa parte.

— Fale sobre os cavalos, Gideon.

— Vamos fazer assim: você me dá mais água, e eu falo.

Cordero aprova o meu pedido, e Texas segue as instruções. A água me faz bem. Ajuda a minha garganta, a minha cabeça. Os medicamentos estão começando a perder o efeito. O gosto de química está passando. As dores musculares estão passando. O estômago vai bem. O raciocínio ganha foco. Ainda falta bastante para que eu volte ao normal. Mais uma hora talvez; eu chego lá.

Termino de beber, e agradeço a Texas, que assente e volta para sua posição. E então recomeço imediatamente. Jamais gostei disso, mas agora estou começando a odiar. Esse detalhamento ridículo precisa acabar.

— O cavalo de Bastian...

— Bastian é Sebastian?

— Isso. Sebastian. Bas. Fome. Sei que ele está aqui do lado.

— Você estava falando do cavalo dele — diz Cordero. Sem nenhuma hesitação. Sem qualquer reação.

— Isso. Estava falando. O cavalo dele apareceu no meio da rua, como uma fumaça negra. Primeiro era só um fiapo retorcendo-se do chão, mas logo virou um redemoinho negro, que gradualmente deu forma ao cavalo preto que você pode imaginar. Mais preto que piche. Mais escuro que a caverna mais escura. Era fumaça e, em seguida, era sólido. E, então, um *cavalo*. Desse jeito.

"A égua era alta e esguia. Pernas longas, como um cavalo de corrida. Ela se movia como se fosse feita de molas, sem esforço algum. Com o movimento, as linhas dos músculos reluziam. Azul como o luar. Como se o luar refletisse no pelo da cor da noite. Quando ela corria, *muito rapidamente*, deixava rastros de uma luz esfumaçada igual à que eu tinha visto no lançamento dos discos. Esses rastros saíam das patas, da crina, do rabo e... e não sei o que mais posso dizer. Era uma visão incrível. Frágil. Magra como um inseto. Hipnotizante. Mas era absurdamente bonita."

Os olhos escuros de Cordero permanecem fixos.

— Você está dizendo que o cavalo surgiu do nada.

— Não foi do nada. Não acho que qualquer coisa no mundo venha do nada. Estou dizendo que eu a vi se materializar na minha frente.

Agora sim Cordero hesita.

— O cavalo tomou uma postura defensiva para proteger você?

Essa pergunta quem faz é Beretta, surpreendentemente.

Cordero abre as mãos.

— Era a minha próxima pergunta também.

Ela parece um pouco irritada.

— Sim — respondo. — Mas não por minha causa. A égua fez aquilo pelo Sebastian. O meu cavalo, caso queiram saber, surgiu do mesmo jeito, mas feito de fogo. Primeiro uma chama, e então logo virou um incêndio absurdo, e *puft*. Cavalo. Um imenso cavalo vermelho, que deixava um rastro de chamas quando se movia.

Eu me controlei para não acrescentar, *e ele era ainda mais sinistro que o do Bastian!* Fico meio competitivo quando falo do meu cavalo. Todos nós ficamos.

— E esses cavalos — insiste Cordero —, eles apareceram e simplesmente ficaram aguardando o comando de vocês?

Ela tinha que perguntar isso, não é? *Não responda, Blake. Só essa pergunta. Ah não... Não, não, lá vou eu responder...*

— Não. O meu cavalo, ele... ele veio para cima de mim. Novamente. Como tinha feito aquela vez na praia.

Texas abre um sorriso imenso, os dentes são surpreendentemente brancos e retos atrás da barba malfeita.

— Ele partiu para cima de você. E você o parou? — pergunta Cordero.

— Não. Eu não. A égua do Sebastian foi quem fez com que ele parasse. Ela relinchou muito alto, e aí meu cavalo voltou para a posição. E então logo depois o bicho se transformou em uma tonelada letal, acelerando além de onde Sebastian estava e se posicionando a menos de 10 metros de Samrael.

Acho que esqueci de ser humilde.

— E a reação de Samrael? — pergunta Cordero.

— Bem, não tenho certeza, porque, como eu disse, Bastian e eu saímos correndo. Mas acho que ele borrou as calças.

— Sério, Gideon.

— Estou falando sério. Você precisa entender uma coisa, Cordero. O meu cavalo parecia um muro enfrentando Samrael. Vermelho como o pôr do sol. A cabeça empinada, a respiração forte. O bicho soltava *faíscas* pelas narinas. *Chamas* subiam pelas patas em direção ao rabo. Esses cavalos... eles não são normais. São predadores. Cem por cento guerreiros. E nenhum deles é mais assim que o meu. Quando a égua de Bastian se juntou ao meu cavalo, a coisa parecia um pesadelo. Um belíssimo pesadelo, na verdade, os dois ali parados, destemidos... completamente destemidos... Acho que Samrael deve ter se cagado todo. Sei que eu quase fiz isso.

Cordero revira os olhos, o que me faz sorrir.

— Mas eu me lembro de olhar para trás mais uma vez antes de Bastian e eu virarmos a curva. Samrael estava lá parado, naquela rua cenográfica de Nova York, observando os dois cavalos com uma atenção profunda. *Apavorado.* Parecia que ele estava se tocando pela primeira vez do que eu e Sebastian realmente somos. Cavaleiros. E, sinceramente, foi bem assim que eu me senti também.

Capítulo 21

Depois de deixarmos a Ordem para trás, encontramos Daryn na garagem. Ela esperava ao lado do jipe, conforme o combinado. O alívio de vê-la ali, intacta, me fez parar por um segundo. Samrael não tinha hesitado na hora de matar aquele segurança. Eu não queria imaginar o que teria acontecido se ele tivesse encontrado Daryn.

Subimos no jipe, e eu peguei o volante. Daryn e Sebastian trocaram um oi rápido. Fiz um resumo breve para ela do que tinha acontecido no estúdio fechado. E, então, passamos os próximos 100 quilômetros em silêncio, processando individualmente o quanto aquela situação era horrível.

Com os batimentos finalmente desacelerando, ergui os olhos e vi que Sebastian me observava pelo retrovisor. Estava bem claro que ele também tinha acabado de ver sua primeira morte violenta. Estávamos presos naquilo. Estava acontecendo com nós dois.

— Nem sei como te agradecer pelo que você fez — disse ele.

Daryn se mexeu, revezando o olhar entre eu e ele. Sebastian e eu tínhamos ficado quietos, mas ela ainda mais. Daryn conseguia entrar tão profundamente nos próprios pensamentos que parecia ter viajado para algum lugar.

— Você acabou de agradecer — respondi. — Foi mal pelos discos. Era uma arma bem maneira.

— Está falando da balança, certo? — disse Sebastian. — Fome tem uma balança. No Livro das Revelações.

Ele fez uma pausa entre cada informação, esperando que de alguma forma eu demonstrasse familiaridade. Mas eu realmente não tinha. Lembrava um pouco melhor da história dos quatro cavaleiros, mas não muito. Mais um motivo para eu não entender o porquê de ter recebido aquela missão. Sabia que eles montavam cavalos de cores diferentes e que estavam envolvidos com o fim dos tempos. Eu sabia por alto sobre selos sagrados sendo corrompidos, ativando uma série de eventos cataclísmicos antes do Julgamento Final. Mas Daryn tinha dito que não faríamos nada disso. Éramos encarnações dos cavaleiros, manifestados para outra missão. Missão essa que, por enquanto, era proteger um objeto que ninguém, além de Daryn, sabia o que era.

— De qualquer jeito, não se preocupe — disse Sebastian. — Elas estão bem aqui.

Olhei para trás e vi a arma sobre as pernas dele.

— *Explique isso.* — Eu não gostei do fato dele estar portando uma arma.

— Explique agora.

— Espere aí. Você me disse que era Guerra. Achei que saberia. Você disse que tinha respostas.

Apontei a cabeça para Daryn.

— Ela tem.

— Algumas respostas. Sei de algumas coisas, mas... — ela gesticula para a balança — o lance das armas, dos cavalos... Isso aí é com vocês.

— Ei, Daryn — falei, tomado pela frustração. — Sabia que o seu *briefing* de missão deve ter sido o pior na história da humanidade?

— Ei, Gideon. Estamos em uma situação na qual você só vai saber o que for extremamente necessário. Você sabe do que eu preciso. Preciso reunir todos vocês. Podem descobrir quais são suas armas e cavalos quando isso acontecer. E não é como se eu soubesse de tudo.

Aquela não era uma explicação minimamente satisfatória, mas, no momento, eu estava mais interessado na balança.

— Como você pegou ela de volta? — perguntei a Sebastian.

— Olhe — disse ele.

Desviei os olhos da estrada e me virei. A balança se desintegrou em filetes de fumaça preta em formato de laço. *Puf.* Sumiu.

Fazia sentido. Ele conseguia chamar a superarma telepaticamente através do bracelete quando precisava dela. Deve ter descoberto isso sozinho.

— E os nossos cavalos? Desapareceram também?

Tínhamos deixado nossos cavalos montando guarda, e, até onde eu sabia, eles ainda estavam lá no estúdio.

— Eu chamei minha égua de volta. Acho que o seu deve tê-la seguido.

— Perfeito. Olhe, Sebastian, assim que a gente sair desse jipe, você vai me dizer como fez isso. Você vai me *mostrar*.

Eu estava parecendo o treinador no RASP, deixando tudo claro sem qualquer margem de erro, mas enfim. Eu precisava de informações.

— Sem problemas — respondeu ele. — E você pode me chamar de Bastian ou Bas. — Ele se mexeu no assento, tentando esticar as pernas. — A maioria das pessoas me chama assim. Eu só uso o meu nome completo para questões de trabalho. Meu nome de verdade é meu nome artístico.

— Tudo bem. Não me importo em demorar um tempo a mais para pronunciar seu nome completo.

Não fui muito legal, mas não estava sendo fácil lidar com o fato de estar tão atrasado em relação a coisas que pareciam ser cruciais.

— Gideon tem uma tendência a ter TOC — argumentou Daryn, recolocando meu moletom do Giants. Parecia que era dela agora.

— Oi?

Ela sorriu.

— Transtorno Obsessivo-Compulsivo. É uma preocupação extrema com o perfeccionismo, organização e arrumação.

Era assim que ela me via? Como uma calculadora humana? Ótimo.

— Você se esqueceu de algumas coisas, Martin. Eu também gosto de ser bastante específico. Gosto de precisão. E de ganhar. Em tudo. Mas devo dizer, como soldado, que aprecio muitíssimo o seu uso de abreviações.

— QSL, amigão — disse ela.

— No exército, a gente diz "câmbio".

O sorriso dela ficou ainda maior.

— QSL, amigão.

Por um segundo, achei que ela estivesse brincando com a minha cara, de um jeito positivo. E então ela ergueu as sobrancelhas como quem diz "Qual foi? Perdeu alguma coisa?" e começou a dar instruções para pegarmos a Rodovia 15, na direção de Las Vegas.

— Então, nada de Vale da Morte? — perguntei. — Para acharmos a Morte?

Um comentário idiota, mas eu estava meio fora do ritmo.

Daryn se abaixou e mexeu na mochila, como se eu não tivesse dito nada.

— Você não pode pelo menos dizer para onde estamos indo? — perguntei. Soou mais grosseiro do que eu queria. Por quê? Não faço ideia.

Ela pegou o caderno, apoiou-o no joelho e começou a escrever.

Completamente ignorado. Fiquei irritado e ao mesmo tempo com vontade de me dar um tapa por insubordinação. Eu questionava meus superiores? *Claro* que não.

Ela havia me dito o que a gente precisava fazer. Arrebanhar uns cavaleiros. Eu precisava me concentrar nisso. Sebastian claramente sabia mais do que eu a respeito das nossas ferramentas e armas. Talvez os outros caras, Peste e Morte, fossem contribuir de alguma forma. Como Daryn tinha dito, eu precisava reunir todos, rapidamente, para que a gente pudesse se concentrar em controlar nossas habilidades. Era a melhor chance que tínhamos contra a Ordem. E também, sem nenhuma dúvida, era a nossa melhor chance de sobreviver.

Uma hora mais tarde, anoitecia e Eddie Vedder estava cantando sobre ainda estar vivo enquanto a gente perdia a saída para Barstow. Olhei a placa passar por nós, marcando um lugar que eu não conhecia, mas que tinha um significado pessoal imenso. Meu pai havia servido seis meses em Fort Irwin, Barstow. Anna e eu nascemos durante aquele período. Eu não tinha voltado ao local desde então.

Ao pensar nisso, lembrei da minha mãe e do quanto ela devia estar preocupada comigo. Talvez eu devesse telefonar. Aham. Ligar e dizer exatamente o quê para que ela parasse de se preocupar?

Sebastian se inclinou e apoiou os cotovelos nos bancos da frente.

— Ela está dormindo?

Assenti. De alguma forma, Daryn tinha se enrolado no banco do carona, como um tatuzinho-de-jardim. Eu não fazia ideia de como ela conseguia ficar tão pequena. Os ligamentos do meu joelho teriam explodido naquela posição. Uma mecha do cabelo dela estava caída sobre o rosto. Eu queria afastá-la dali.

— Gideon, eu não vou tentar fritar linguiça sobre isso...

— Encher linguiça, você quer dizer?

— Isso aí. Eu tenho muitas perguntas, tipo — ele aponta com o queixo para Daryn —, onde ela se encaixa nisso tudo?

— Ela é, hum... Bem, eu não sei muita coisa. — Eu queria saber mais sobre ela. Cada vez mais eu queria saber mais. — Mas ela disse que é uma Seletora. É ela quem manda.

— É o que parece.

Olhei para Bastian, que me olhou de volta. A frase dele não parecia ter sido uma tentativa de diminuí-la. Esfreguei os olhos e continuei dirigindo.

— Ela parece legal. — Sebastian hesitou, como se esperasse a minha opinião sobre o assunto. Como não falei nada, ele continuou: — Você não vai acreditar no que vou contar.

— Tente.

— Quando você me jogou no chão hoje mais cedo... pra salvar a minha vida, então não estou chateado... Enfim, eu sei que não foi a sua intenção, é isso que estou querendo dizer... Então, ralei meu cotovelo. Mas olhe só. Está *cicatrizando!* — Ele ergue a manga da camisa. — Está quase completamente curado!

Olhei de relance para a marca rosada no cotovelo dele.

— Isso ainda não tinha acontecido com você? Essa coisa da cura acelerada?

— Já aconteceu com *você?*

— Aham. — Até que enfim. Eu sabia de algo que outra pessoa não sabia.

— Uau!

— É. Uau.

Bastian abaixou o braço.

— Você morreu e voltou com o bracelete?

— É. Morri e voltei.

— Maior viagem, né?

— Total.

Eu queria saber como ele tinha morrido, mas não era o tipo de pergunta que se fazia.

Ele tirou o cabelo da frente dos olhos.

— Cara, é um *alívio e tanto* não ser o único. Achei que estava enlouquecendo! Desculpe ter fugido de você no teste de elenco. Eu não estava esperando. Acho que estava em negação ou algo do tipo. Mas me conta, o que você faz da vida?

O cara estava meio animado agora, sei lá. Entusiasmado. Parecia um filhote de dogue alemão. Mas gostei de Sebastian mesmo assim. A meu ver, qualquer um que se oferece para treinar as falas com um estranho porque esse estranho perdeu as lentes de contato é legal, então contei para ele o que eu sabia sobre sermos as encarnações dos cavaleiros. E sobre como deveríamos proteger algo. Foi exatamente assim que eu disse.

— Então, somos guarda-costas?

— Basicamente. Exceto pela parte onde não sabemos o que estamos guardando.

Não falei nada sobre a corrente no pescoço de Daryn. Reter informação era essencial por causa da habilidade de Samrael em vasculhar mentes. Algo que... deixe-me confirmar... *sim,* confirmado: fazia de mim um hipócrita.

— A gente pode fazer isso, né? — disse Sebastian. — A gente com certeza consegue proteger a tal coisa. Ainda mais você sendo do exército. Como você acha que serão os outros?

— Não sei. — Eu queria ser tranquilo como Sebastian. Talvez um pouco mais forte. Ou muito mais forte.

— Acha que eles também vão ter o lance dos braceletes? — perguntou ele, olhando para o que tinham em seu pulso. — A mesma sensação?

— Provavelmente. — O metal misterioso havia se acalmado. O zunido que eu sentira na agência de elenco já não era tão forte, mas ainda vibrava. Um tom mudo e constante, como se eu tivesse desenvolvido um sentido completamente novo. Eu tinha certeza de que era a proximidade com Sebastian. E então me lembrei.

— Ei, me diga uma coisa. Você tem algum poder? Tipo, algum poder sobre as pessoas?

Eu me senti idiota no instante em que disse isso. Como se tivesse perguntado se ele acreditava em unicórnios. Algo que não tinha metade da estranheza dos nossos cavalos.

Bastian assentiu. Pela primeira vez desde que eu o conhecera, a expressão do rosto dele se fechou.

— Tenho. Você não vai querer ouvir sobre isso, cara. É uma bosta.

Ele se recostou, afundando no banco de trás e encerrando nossa conversa de forma clara.

Passei os próximos 50 quilômetros tentando descobrir o que poderia ser. Raiva parecia fazer sentido para Guerra, mas e para Fome? Eu estava com bastante fome naquele instante. Será que era esse o poder dele? Mas eu não conseguia ver o benefício de impor fome a alguém. No entanto, se eu ficasse com fome o suficiente, ficava com raiva, então... Será que a gente tinha o *mesmo* poder? E aí me lembrei do teste de Sebastian. Será que *atuar* era o poder dele? Se fosse, eu estava muito feliz de não ter vindo como Fome.

Como o combustível já estava na reserva, paramos para abastecer. Enchi o tanque, depois tirei uma nota de vinte da carteira e passei para Bastian.

— Compre umas garrafas de água e alguma coisa pra comer, por favor? Estou morrendo de fome.

Bastian deu um sorrisinho.

— Essa fala é minha.

Saí e fui em direção aos banheiros, para onde Daryn havia ido. Eu não queria sufocá-la, então fiquei um pouco mais atrás. Ela não me viu ao entrar no banheiro feminino. Umas três horas depois — tudo bem, não foi isso tudo, mas pareceu — ela saiu.

E ficou sem reação quando me viu.

— O que você está fazendo?

Abri as mãos.

— Eu só estava... aqui.

— Sério? — Ela jogou o cabelo por cima do ombro e depois tocou no cordão. — Você por acaso estava *esperando* por mim?

— Sim. Já é madrugada, Daryn.

Estávamos em uma parada para caminhões no início do deserto. Não havia nada à nossa volta, a não ser lugares perfeitos para se livrar de um cadáver.

— Eu sei me virar. — Ela balançou a cabeça, reagindo como se eu a tivesse insultado, e foi embora.

Fiquei parado ali por um segundo, tentando descobrir o que eu tinha feito de errado. Ah, certo. Tinha tentado ser prestativo.

Quando voltei, Sebastian pegava pretzels de dentro de uma sacola de papel e mastigava sem parar. Eu sabia que ele tinha ouvido o meu diálogo com Daryn. Ele sequer tentava disfarçar o sorriso.

— *Cale a boca*, Fome.

— Não falei nada, Guerra.

Quando chegamos ao jipe, Daryn estava ao volante.

— É melhor você dormir um pouco — disse ela, sem olhar para mim.

Tive a impressão de que aquilo não era apenas sobre quem dirigiria o carro, mas enfim.

Pegamos a estrada novamente e dividimos o pacote de pretzels. Depois, quebramos a barra de Twix em três pedaços — algo, que pode acreditar, não foi fácil — e falamos sobre coisas sem importância. Acho que debatemos sobre os formatos favoritos de pretzel de cada um. Daryn gostava do clássico. Eu gostava dos palitinhos. Sebastian gostava de todos. E então escureceu, sobrando apenas o som do jipe avançando pela estrada.

Eu me acomodei e observei as estrelas. Eram milhões e milhões. Àquela altura já estávamos no deserto. No Mojave. E eu nunca tinha visto tantas estrelas.

Passado um tempo, eu não conseguia mais olhar para as estrelas sem pensar *"Deus"*. E depois, *Ah, meu Deus. Você existe de verdade.* Eu tinha a resposta para o maior mistério da humanidade e nem havia parado para pensar no assunto.

Por quê? Por que eu não tinha perdido a cabeça por causa disso? Eu tinha a *prova*. Por que então estava tão... *calmo* em relação à parte mais importante e reveladora daquilo tudo? E então, um efeito dominó começou e passei a pensar em todas as coisas horríveis que eu fizera na minha vida.

Foram muitas, Cordero. Já mencionei algumas, mas é uma lista bem parruda. Eu falo muito palavrão. Muito mais do que estou falando agora. Estou tentando maneirar na sua frente. Tenho problemas em relação à raiva, mas acho que isso já está claro. Não frequento a igreja mais do que algumas vezes por ano. Eu não rezava desde a morte do meu pai. Eu me alistei para a função de matar pessoas, quando necessário, a fim de proteger o meu país... A lista é imensa.

Bem, no fim das contas retornei à mesma questão: Por que eu? Não era nem de longe o candidato ideal. Quero dizer, eu acreditava que não. Acho que, no meu coração, sempre acreditei. Mas seria o suficiente? Esse era o começo ou o fim? Ou... nenhum dos dois?

Conforme observava o céu do deserto, com tudo aquilo acontecendo dentro de mim, senti meus pensamentos se reorganizarem. Não era uma questão de entender melhor, nem de fazer as pazes com nada. Eu ainda tinha aquela sensação de estar em gravidade zero, como se todas as âncoras da minha vida tivessem sido arrancadas. Era mais como se o espaço houvesse se aberto. Percebi que antes eu sequer tivera a capacidade de compreender tudo isso. E, naquela noite, com todas aquelas estrelas sobre a estrada, tudo o que senti, vi e *senti* de novo foi um potencial infinito.

Capítulo 22

Meus olhos não conseguiam ficar abertos, então dormi. Sonhei com a minha família. Meu pai jogando beisebol comigo; estranho porque ele não costumava fazer isso, por causa de uma antiga lesão que tinha no ombro. Minha irmã e minha mãe dançando salsa na nossa sala; estranho porque isso nunca aconteceu. E outras coisas que não faziam sentido. Era só uma combinação excêntrica do meu inconsciente. Mas parte do sonho era real. Uma lembrança que revivia perfeitamente o tempo que eu era criança, no jardim de infância.

Estávamos sentados em círculo, sobre um carpete com o mapa dos Estados Unidos. Eu estava sobre Nova York, Anna sobre o Arizona. Em algum lugar no Golfo do México, nossa professora, Srta. Alexander, lia para nós.

A história falava de um monstrinho que queria ser apavorante, mas era fofo demais para isso. Eu não conseguia ficar quieto durante a leitura. Era meu livro favorito, e eu o havia levado para a escola naquele dia. Queria que todos achassem o livro tão engraçado quanto eu. A Srta. A. pedia, pela segunda vez, que eu parasse de me mexer, quando o telefone da sala tocou. Ela marcou a página do livro com um lápis e se levantou para atendê-lo.

Todo mundo começou a brincar, mas eu fiquei olhando para a Srta. A. porque ela estava agindo de forma estranha. Estava de costas para nós, algo, que nunca fazia. A cabeça estava abaixada, e eu sabia que ela havia começado a chorar porque as costas se mexiam. Ela desligou, enxugou os olhos com um lenço e sentou novamente.

Continuou a leitura com o lenço na mão. Segurava o livro com força e falava num tom de voz alto demais.

Eu tinha parado de me mexer.

Naquela idade, Anna e eu sempre subestimávamos a nossa conexão fraternal, mas me sentei mais perto dela, próximo o suficiente para que nossos braços se tocassem. Eu não sabia o que estava acontecendo, mas sabia que deveria ficar junto dela.

Antes que a Srta. A. terminasse de ler o livro, meu pai apareceu na sala de aula. Ele pegou Anna no colo, como se ela fosse um bebê, agarrou minha mão e nos levou imediatamente para casa.

Falou para que ficássemos brincando no meu quarto, mas não conseguimos. Fiquei olhando para o meu Lego de Star Wars e ouvi. Na sala, a televisão estava ligada. Meu pai estava ao telefone. Algo muito ruim estava acontecendo em Nova York — Nova York, um lugar que sentia como se fosse próximo a mim porque era onde eu sentava no carpete com o mapa.

Anna havia colorido metade de uma árvore antes de desistir, afastando o pedaço de papel. Ficava o tempo todo dizendo que estava com medo. Eu dizia para não ficar assim porque o medo dela me deixava ansioso e, às vezes, até mesmo fazia com que eu agisse com maldade.

A porta se abriu e minha mãe apareceu, conferindo se a gente estava bem.

— O que aconteceu, mãe? — perguntou Anna.

Parecia que a minha mãe tinha chorado, mas ela disse:

— Nada, meu bem.

— Com quem o papai está falando? — perguntei. Eu sabia que ela nos protegeria do que estava acontecendo, então fui direto aos fatos. Se eu conseguisse reunir fatos, poderia descobrir sozinho.

— Com uns amigos do trabalho.

— Com o Tio Jack? — perguntei. Jack não era meu tio, mas a gente o chamava assim. Ele era o braço direito do meu pai na empresa de telhados.

— Não, meu bem. Do exército. Do trabalho antigo.

Era 11 de setembro de 2001, e meu pai tinha telefonado para o comandante dele na reserva militar. Eu saberia disso mais tarde.

E também ficaria sabendo que meu pai havia feito o treinamento oficial de reservista na época da universidade, e que posteriormente serviu com o 5º Batalhão de Forças Especiais na operação Tempestade do Deserto, na guerra do Golfo. Fiquei sabendo que a lesão no ombro era efeito de estilhaços alojados em seu manguito rotador. Por observação e escutando conversas do meu pai com os amigos, posteriormente eu ficaria sabendo sobre a escola de Rangers. Sobre a Escola de paraquedismo. Sobre o Batalhão dos

Rangers. Sobre a insígnia. Sobre o lema. E sobre como os Rangers haviam estado na liderança.

Mas eu não sabia de nada disso na época. Sabia que meu pai era um construtor de telhados. Um pescador. Um amante de Pearl Jam e que no beisebol era torcedor dos Giants. O cara que, na praia, me jogava sem parar sobre as ondas e que fazia levantamento de peso com Anna porque a fazia rir como nada no mundo. Esse cara era o melhor amigo da minha mãe, com alguns itens adicionais, como beijar, o que me parecia bem nojento porque, tipo, eu tinha 6 anos. Mas, naquela manhã, aprendi algo novo sobre ele.

Aprendi que, quando coisas ruins aconteciam, meu pai agia primeiro.

Aprendi que ele era um herói. De verdade.

E quis muito ser como ele.

Muito. Não sei nem descrever o quanto.

Talvez eu tenha jogado beisebol pelo mesmo motivo. Se eu jogasse não precisaria descobrir se eu tinha ou não a mesma coragem que ele. Porque e se eu *não* tivesse? E se eu não tivesse nada grandioso ou digno dentro de mim? Nada a oferecer para o mundo?

O mundo não importava. Eu não conseguiria decepcionar *meu pai*.

Isso seria o pior de tudo.

Mas aí ele morreu e isso redefiniu o meu conceito de Pior de Tudo.

O Pior de Tudo tinha sido ver o lápis e o papel caírem das mãos dele enquanto ele caía do telhado. O lápis rolando até a calha. Meu pai caindo para a frente, também rolando, sem parar, pela calha.

Ele caiu e aterrissou na calçada de tijolos vermelhos a alguns passos da porta de entrada.

Quando cheguei até meu pai, ele estava de lado.

A face repousada sobre o tijolo como se ele fosse um travesseiro.

Os olhos estavam abertos, mas o sangue se acumulava na orelha.

Ele era tão forte, meu pai. Tinha a minha altura, mas era muito maior que eu. Ali no chão, parecia pequeno com o corpo metade na calçada, metade na grama. Mas, também, eu nunca tinha ficado por cima dele daquele jeito. Nunca ficara de pé, olhando para o meu pai deitado no chão.

Simplesmente jamais vira aquela cena.

Provavelmente foi o derrame que causou sua morte, disseram os médicos mais tarde. Mas eu me lembro da queda. De cada momento dela. O lápis. O bloco. O último olhar que ele me deu. O sangue acumulado na orelha. O fato de que fiquei ali, segurando o celular, enquanto o sangue escorria pela bochecha dele. A minha pele fria por causa do ar-condicionado ligado no máximo dentro do carro naquele dia muito quente. O fato de que parecia pequeno diante de mim naquele momento, e de como eu odiava aquela nova perspectiva. O fato de que eu não estava no telhado com ele e que, se eu estivesse, talvez pudesse tê-lo segurado e impedido que caísse.

O fato de que eu não acreditava no que os médicos haviam dito.

Eu poderia ter salvado meu pai.

Capítulo 23

— Gideon. Gideon, acorde.

Fui puxado de um sono profundo e olhei ao meu redor. Não conseguia entender por que eu não estava nas tendas de Fort Benning. Não compreendia por que eu estava no meu jipe, à noite, com uma garota. E *dormindo*. E então tudo voltou como um flash — o bracelete, Daryn. Ser a encarnação da Guerra. A Ordem.

Daryn estava apoiada no painel do carro, me observando. Ela piscou, os cílios tremeluzindo sob a luz fraca.

— Chegamos.

Levantei o banco e passei a mão no rosto, tentando acordar meu cérebro.

— Chegamos onde? — perguntei.

Nuvens pesadas filtravam a luz do luar, mas dava para enxergar o suficiente. Ela havia saído da rodovia e encostado em uma estrada de terra árida e com alguns arbustos secos. Estávamos no meio do deserto. Montanhas negras erguiam-se no horizonte, trovões iluminavam o céu. Cinquenta metros à frente havia outro carro parado; uma sombra disforme na escuridão.

— Não sei muito bem como isso aconteceu — disse Daryn. — Mas é aqui que encontraremos Morte.

Por um instante, olhei para ela sem reação, ligeiramente impressionado por aquilo não me intimidar como deveria. Em seguida, notei um leve tremor no bracelete, parecido com o que havia sentido ao encontrar Sebastian, porém mais brando e com um tom mais grave. Eu me virei para o banco de trás para ver se ele também percebera. Sebastian dormia de pernas pra cima e cabeça encostada na minha sacola militar.

— Como você sabe que ele está aqui? — perguntei. — Morte.

— Sabendo — respondeu Daryn.

Não era o suficiente para mim, e Daryn tinha noção disso.

— Eu o vi. No posto de gasolina, tive... visões. — Ela fez uma careta. — *Odeio* essa palavra.

— Calma aí. *Visões?* Isso aconteceu no posto de gasolina? — Relembrei o momento. Só podia ter sido na hora que ela foi ao banheiro. — Daryn, você... — De repente, estava vendo umas imagens terríveis de Daryn na cabine de metal, encolhida e com os olhos revirados. — Você *desmaiou?*

— Se estiver perguntando se não posso ver mais nada enquanto vejo essas coisas, sim. A resposta é sim, ok? Eu sinto dores de cabeça antes. É assim que sei que estão chegando. E aí eu apago e não vejo mais nada. Pare de me olhar assim, Gideon. E diminui essa raiva, também. Eu tinha trancado a porta do banheiro por dentro. Estava tudo bem. Podemos, por favor, nos concentrar no que importa?

Daryn continuou falando como se eu tivesse concordado. Ela não fazia ideia de como eu estava me controlando para não me enfurecer. Daryn tinha se trancado sozinha naquele banheiro, totalmente indefesa. Ela achou mesmo que uma *porta trancada* conteria a Ordem?

— Ele estava naquele carro bem ali — dizia ela, balançando a cabeça. — Mas não sei. Às vezes não vejo tudo claramente. Não, na verdade vejo. Só que levo um tempo para assimilar tudo. Desvendar as dicas e confiar que...

— Confiar no quê? Confiar no quê, Daryn? Fale comigo.

Ela olhou pelo para-brisa.

— Entendi. Quer escrever no seu caderno por um tempo e fingir que não estou aqui?

— Não. Eu quero cumprir a missão.

— Estranho. Eu quero que ela dure para sempre.

Mordi o lábio, me obrigando a ficar calado. Aquilo estava tomando um rumo errado. Por que eu estava tão irritado? Será que era porque estava em campo aberto, à noite, sem qualquer disfarce e com um grupo de psicopatas assassinos atrás de nós? Não. Não era isso.

Era *Morte.* Eu nunca tive uma boa experiência com a morte. A do meu pai ainda me assombrava. E eu tinha morrido e voltado à vida como Guerra, então... Não era um grande fã, mas não fazia diferença. Era hora de aceitar e ficar frente a frente com ele, Morte.

— Ele estava sozinho na sua visão? — perguntei.

— Sim. Devo acordar Bastian?

— Não. Eu resolvo.

Pelo que eu vira no estúdio, Sebastian não tinha bons instintos de combate. Desci do jipe. O ar parecia pesado e úmido. Elétrico. Um trovão estrondava em algum lugar perto. Uma tempestade chegava.

— *Nós* resolvemos — corrigiu Daryn, correndo ao meu lado. — Vou com você.

A raiva que eu engoli um segundo antes voltou com tudo.

— Você tem qualquer noção de perigo?

— Eu? Não fui eu que confrontei Samrael no meio de uma festa de faculdade.

— Mas foi você quem saiu entrando em um prédio em Los Angeles sem pensar duas vezes se ele estaria lá ou não. E ele estava.

— Eu não sabia disso.

— Foi o que acabei de *dizer*. A gente precisa deduzir que a Ordem está *por toda a parte*. — Eu precisava me reprogramar. Mudar de estratégia. — Vamos fazer um acordo. Se você for comigo, quero estar presente na hora das visões. Vai me dizer assim que sentir a tal dor de cabeça, e ficarei a postos. A partir desse momento.

Sob o luar, vi as lágrimas se formarem nos olhos dela. Mais uma vez, não fazia ideia do que eu tinha feito de errado. A menor ideia.

— Há muito tempo eu faço as coisas sozinha, Gideon.

— Ok. Eu entendo. Mas agora você não está mais sozinha. Falei que eu iria ajudar.

Ela não disse nada, e eu também não tinha mais nada a dizer. Daryn escondia muitas coisas. Não confiava em mim. Parecia que estava contra mim.

— Que seja, Martin.

Peguei uma chave de roda na parte de trás do jipe. Parecia pesada e sólida na minha mão. A balança de Sebastian seria mil vezes melhor, mas ele ainda estava apagado e eu queria que permanecesse assim. Hesitei por um instante, e meus olhos se desviaram para o bracelete. Sebastian disse que cada um de nós tinha uma arma. Qual seria a minha? Eu deveria ter perguntado mais cedo. Como pude deixar isso passar? Mas agora era tarde demais. Não era como se eu soubesse acessá-la, seja lá o que fosse.

Quando dei a volta no jipe, Daryn se plantou na minha frente. Ela me encarou com uma expressão absolutamente determinada.

— Aceito o acordo. Vou contar da próxima vez.

Concordei com a cabeça. Eu já tinha voltado meu foco para a missão de encontrar Morte.

— É seguro dizer que você não tem nenhuma experiência em aproximação de forças inimigas à noite?

— Ele não é o inimigo.

— Ele é *Morte*, e a Ordem pode estar aqui esperando por nós, então pode ter certeza de que vamos avançar com precaução. Farei o contato inicial, uma vez que...

— Acho que é melhor eu fazer.

— Negativo.

— Sou menos ameaçadora.

— Exatamente. — Num flash, vi a imagem de quando ela tocou a corrente no pescoço ao sair do banheiro no posto de gasolina. — Mas pontos pela bravura, Martin. Você e Sebastian deveriam trocar dicas, compartilhar conhecimento tático.

Boa, Blake. Muito bem. Não tinha por que tentar consertar o que eu disse, e, além do mais, eu havia atingido minha cota de discussão da noite. Minha cabeça precisava se concentrar na missão.

— Fique atrás de mim. À direita para não corrermos o risco dessa coisa aqui atingir você se eu precisar usá-la. — Levantei a chave de roda. — Entendido?

Os olhos dela brilhavam de ódio.

— Acho que consigo fazer isso.

— Que bom. — Fiquei parado por mais um instante, dizendo a mim mesmo para manter a cabeça fria. Nossa segurança dependia daquilo. Em seguida, ajeitei minha pegada na ferramenta. — Muito bem. Vamos.

— Câmbio — disse ela.

Capítulo 24

A o me aproximar do sedan, Daryn alguns passos atrás, minha pulsação tinha um ritmo estável. Eu aprendera a usar todos os meus sentidos para estudar os perigos de um ambiente. Foi o que fiz, me conectando ao farfalhar das bolas de feno, aos carros que passavam ocasionalmente na rodovia, aos movimentos ágeis da vida animal do deserto. A Ordem podia estar à espreita nas sombras, esperando o melhor momento para o ataque.

Minha arma, meu apoio e meu alvo eram pouco familiares, mas o procedimento parecia correto. O tipo de trabalho para o qual eu havia me voluntariado.

O zunido do bracelete permanecia. Tentei me adaptar àquela nova fonte de informação. Só podia ser a energia de Morte. Se eu conseguisse me conectar a ela, talvez funcionasse como um guia.

Raios caíam no céu, iluminando a área e indicando o que estava por perto. Planície. Árida. Uma formação rochosa maior ao sul. Teria dado tudo para ter um equipamento de visão noturna.

Quando chegamos a 30 metros do objeto, revisei rapidamente meus objetivos. Neutralizar qualquer ameaça apresentada por Morte. Juntá-lo ao time. Sair correndo dali. Com um olhar de relance para Daryn, percorri o último trecho em um passo acelerado, ela logo atrás.

O carro era um Ford Mustang prateado, coberto de terra. Placa do estado de Illinois. Vidros escuros. Nenhum sinal de movimento no interior.

Sinalizei para que Daryn ficasse atrás do carro, em seguida tentei a porta do motorista. Estava destrancada, e a abri.

Vazio.

Meu batimento cardíaco desacelerou um pouco. Prossegui com o reconhecimento.

Bancos de couro desgastados. Embalagens de fast-food no chão. A chave ainda na ignição. Girei uma vez. Nada. O carro havia ficado sem gasolina ou estava quebrado.

Conferi o porta-luvas. Os documentos não estavam ali. Nenhum papel, mas encontrei uma toalha de rosto. Manchada de vermelho. O sangue era velho — a toalha estava fedida e dura — e em muita quantidade. Em algum momento estivera ensopada.

Fechei o porta-luvas. Daryn apareceu ao meu lado.

— Você... — Ela hesitou, olhando para o céu ao ouvir o som de um trovão. — Você encontrou alguma coisa?

Tomei a rápida decisão de não contar sobre a descoberta da toalha por enquanto e balancei a cabeça.

— Fique aqui.

Eu queria encontrar pegadas, e para isso era crucial que ela ficasse parada. Dei a volta no carro. Como imaginava, encontrei marcas recentes na direção do deserto. Segui alguns passos na direção delas para confirmar minhas suspeitas. Ele havia largado o carro para trás e partido na direção das montanhas que eu vira ao longe.

Em perigo, qualquer pessoa comum teria caminhado ao longo da estrada, procurando ajuda. Mas ele era Morte e, portanto, não era uma pessoa comum.

Eu tinha a impressão de que o carro era roubado. Tinha a impressão de que ele estava fugindo de algo e de que, provavelmente, estava ferido. O fator de perigo aumentava exponencialmente.

Olhei para Daryn, revendo a estratégia de tê-la ao meu lado na missão. Até então tinha me parecido uma boa ideia. Estávamos na estrada. Com o jipe à vista. Aquilo havia passado certa confiança. Mas levá-la para o deserto à noite, na direção de um cara que dirigia por aí com uma toalha ensanguentada no porta-luvas? Não era algo que eu gostaria de fazer.

— Volte para o carro e acorde Sebastian — instruí, caminhando até ela. — Estacione o jipe com os faróis na direção do deserto. Vou dar mais uma olhada ao redor. Volto em cinco minutos.

Ela fez que sim.

— Tudo bem. Tenha cuidado.

Observei até Daryn chegar ao jipe, e então caminhei para o deserto. Eu não tinha nenhuma intenção de conferir o carro novamente, ou de me encontrar com ela e Sebastian até ter achado Morte. Daryn não ficaria feliz quando percebesse que eu não tinha sido nem um pouco honesto com ela, mas minha prioridade era sua segurança. Ela irritada e segura era melhor que nas mãos de Samrael, sempre.

Não tive pressa ao me movimentar na escuridão. Conforme a estrada ficava para trás, o cenário se reduzia a formas irreconhecíveis, mas os relâmpagos ajudavam a navegação, oferecendo uma visão raios X do terreno. Em grande parte era algo bom, mas também era ruim.

Quando a luz batia, eu precisava processar tudo de uma vez. Tinha que decifrar as imagens indistintas. Depois de um tempo, minha imaginação começou a oferecer suas contribuições.

Por que aquele cacto parece tão humano?

Por que aquele pedaço de feno parecia ter pés?

O que era aquele borrão preto no céu?

Eu sabia que estava ficando agitado. E a sensação de não estar sozinho não me ajudava. Sentia que era *eu* o perseguido.

Respirei fundo, tentando estabilizar minha pulsação à força, e segui em frente.

Luz. Afloramento adiante em uma descida. Ficando mais perto.

Luz. Estou desviando para a esquerda. Ajustar direção.

Luz. Uma criatura agachada a 1 metro de distância me encarava. Escura como a noite, com olhos brancos e... asas? Aquilo eram mesmo asas? E um rosto enrugado em expressão de tormento, de súplica e...

Escuridão.

Fiquei paralisado, chave de roda erguida, pronto para atacar.

Olhei na escuridão ao redor, pronto para o combate. Esperando ser atacado. Cada músculo do meu corpo transbordava violência. Eu estava sobrecarregado. Tomado por um medo mortal.

Uma brisa passou por mim, quente como o hálito de alguém. Trazia consigo um odor repugnante que me fez prender a respiração. E, então, o fedor desapareceu. Alguns segundos se passaram sem que eu visse a coisa, mas esperei mais um tempo antes de abaixar o braço.

Meu coração tentava arrebentar minhas costelas. Passei novamente os olhos pelo deserto, imaginando os olhos grandes e suplicantes da criatura. Olhos cegos, pensei. Como pérolas. A forma como estava agachada me fez pensar que talvez *ela* estivesse com medo de *mim* — mas isso não significava que era inofensiva.

Será que era um dos membros da Ordem? Eu já conhecia quatro deles. Existiria um quinto? Ou aquela criatura era Morte? Só que Morte tinha que ser humano — aquela coisa certamente não era — e eu não tinha sentido nenhuma mudança no sinal do bracelete.

Retomei o passo. Toda vez que o céu se iluminava, eu recuava, esperando ver a criatura outra vez. O suor escorria pelas minhas costas, e os nós dos dedos doíam do aperto na chave de roda, mas cheguei ao recorte da montanha sem nenhum incidente.

Eu me aproximei por uma leve subida e pude ver o formato completo da formação rochosa. Parecia um casco de cavalo, com a parte aberta do lado oposto do meu. Tive a impressão de que Morte estava posicionado bem no centro. Seria uma posição de vantagem para ele, ali escondido. E a abertura seria o único lugar para onde precisaria olhar em busca de alguém se aproximando. Pelo menos deve ter sido o que ele pensou.

Olhei para cima, medindo a altura do cume. Três ou 4 metros — mais ou menos três andares. Uma subida íngreme, mas eu dava conta.

Botei as mãos para trás, enfiei a chave de roda no cinto e comecei a subir. Eu não conseguia parar de pensar no corpo esquelético da criatura que eu vira. Recoberto por uma carapaça preta que parecia couro. Os dentes afiados saltavam da boca mirrada. Tinha quase certeza de ter visto asas negras recolhidas junto às costas.

Será que investiria contra mim bem ali em cima?

Será que ela havia voltado em direção ao jipe?

Continue subindo, Blake.

Concentrei todo o meu foco na missão. Escalar uma montanha é como fazer um cálculo matemático. É preciso escolher os encaixes certos, as rotas corretas. Fui avançando com regularidade e peguei um bom ritmo. O vento aumentava conforme eu me aproximava do topo, minha camiseta balançando como uma bandeira. Meus pulmões bombeavam o ar úmido que antecipava a tempestade, meus músculos imploravam por oxigênio. A chuva chegaria em breve.

A subida se estabilizou assim que minhas mãos e antebraços começaram a queimar do cansaço. Impulsionei o corpo para o platô de rocha lisa e sacudi os braços. Meu corpo se arrepiou quando sentiu a energia emanada pelo bracelete. Parecia mais forte agora. Aguçado, como uma rádio sintonizada em frequência melhor. Eu estava no caminho certo; Morte estava próximo.

Esfregando as mãos na calça jeans, fui até a beirada da rocha e conferi a vista, motivo pelo qual havia subido até ali. Naquela face da montanha, as rochas desciam de forma mais gradual, em níveis que levavam a uma pequena clareira na base. Avistei uma figura escura nesse ponto, mas não sabia dizer se era uma pessoa ou um saco de dormir. Ao me virar, pude ver os dois pontos de luz dos faróis do jipe. Ao longe, a rodovia.

O cascalho sibilou perto de mim. Fiz um grande esforço para não reagir. Ok. Não estava sozinho. O zunido intenso do bracelete confirmava isso.

Lentamente, apoiei os pés e me inclinei para trás, a mão já envolta do cabo da chave de roda.

Um sapato raspou contra uma pedra a alguns centímetros de distância. Mais alto. Desta vez era impossível de ignorar.

— Venha até aqui — chamei. — A vista é boa.

Passos se aproximaram rapidamente — correndo, na verdade. Girei o corpo e vi de relance um vulto negro vindo em minha direção. Não tinha como desviar. Havia somente o vazio. Agachei, me preparando, e dei um golpe com a chave.

Não consegui fazer o movimento completo antes de ser atingido. Enquanto voava para trás, enganchei meu braço livre no da criatura — se eu caísse, ela iria comigo —, e voamos no ar.

Caímos pelo que pareceu uma eternidade, embora não possa ter durado mais de um segundo. Percorremos uma trajetória em 360º. De relance, vi um par de olhos negros. Morte me segurou pela camiseta e desferiu um soco em meu rosto, mas não senti nada. Caímos sobre as rochas, e aí sim eu senti dor em todas as partes do corpo. Não dava para acreditar que ele tinha me acertado *durante a queda*. Mas talvez tenha feito isso porque eu também o golpeei nessas condições.

Deslizamos pelo vazio por mais um segundo, até que batemos na rocha outra vez. Meu ombro absorveu o impacto do peso de nossos corpos, uma dor explosiva na articulação que foi se espalhando até a mão. Minha pegada fraquejou, e a chave de roda escapou.

Nossa queda prosseguiu por mais alguns níveis, os dois rolando montanha abaixo. Levei um golpe na têmpora que me fez apagar por um instante. Minhas mãos encontraram o pescoço de meu oponente, e o prendi em um mata-leão. E então o punho dele socou meu ouvido e fiquei paralisado, sem conseguir manter o aperto. Quando finalmente aterrissamos em terreno plano, caímos para lados opostos e nos levantamos em ataque. Lembrei de um golpe que tinha aprendido no treinamento de combate e ataquei. Achei que havia conseguido segurá-lo, mas ele enfiou o joelho na minha barriga e me jogou com as costas no chão.

Ficamos daquele jeito por um tempo. Numa porradaria insana. Parte de mim parecia surpresa por aquilo estar acontecendo. Eu não perdia lutas. No treinamento, a gente fazia um círculo e o núcleo de treinadores separava a classe em duplas, eliminando qualquer animosidade que pudesse existir entre nós no corpo a corpo. Eu quase nunca perdia, mesmo contra os caras mais velhos e mais fortes. Ficava bem cansado, mas quase nunca desistia. Sempre tinha energia para mais uma luta dentro de mim.

Mas Morte era forte, rápido e *incansável*. Mesmo quando eu conseguia segurá-lo, não dava para mantê-lo parado. Ele era feroz, e eu estava apanhando, mas isso só me dava mais energia. Porque, fala sério, ok? Eu sou *Guerra*. Meu orgulho estava em jogo.

— *Parem*! — gritou a voz de Daryn no meio da escuridão. — Gideon! Marcus!

Nos desvencilhamos como uma supernova humana. Ofegantes, a uma distância segura um do outro, continuamos nos encarando. Ele estava ali, constrangido, protegendo a perna esquerda. Eu protegia todo o lado direito do corpo. Meus ouvidos zuniam. Os nós dos dedos pulsavam. Sangue jorrava do meu nariz, escorrendo sobre a boca.

Sebastian estava ao lado de Daryn, preocupado.

Me inclinei para a frente e cuspi na terra.

— Você *sabia* o nome *dele*? — perguntei a ela.

Ao mesmo tempo, Morte — Marcus — disse:

— Como você sabe meu nome?

Capítulo 25

A nalisei o sujeito com um olhar de relance — negro, da minha altura, muito forte. Cabelo tão curto quanto o meu, raspado quase com máquina zero. Roupas velhas. Bracelete no pulso. Um bracelete claro; era tudo que eu podia ver. Era ele mesmo, infelizmente.

— Peço desculpas por ele — disse Daryn.

Olhei para ela. Por "ele" ela se referia a *mim?* Ela estava pedindo desculpas a Morte por *mim?*

— A gente só veio para conversar — continuou ela. — Não queríamos assustar você. Nem *entrar.* Em. Uma. *Briga.*

Ela disse a última parte como se eu fosse. O. *Chefe.* Dos. *Babacas.*

— Quem é você? — perguntou Morte.

— Eu... Eu me chamo Daryn. Marcus, acho que você está... — Ela olhou para mim, depois para Sebastian, claramente com dificuldades para se explicar. Com que frequência ela precisava fazer aquilo? Colocar o extraordinário em palavras? — Você está envolvido em algo que é de nosso conhecimento.

— Não mesmo. — Marcus balançou a cabeça. — Vocês não sabem *nada* sobre mim.

— Apenas cale a boca e escute o que ela tem a dizer — avisei.

— Cara, você está me mandando calar a boca?

O tom da voz dele. O ódio nos olhos quando olhava para mim. Não podia aceitar aquilo.

Pulei em cima dele. Marcus se afastou, esquivando para o lado. *Por quê?* Por que se esquivar agora?

E então percebi que havia cometido um erro.

Uma ardência fria tomou meus dedos e meus pés. Espalhou-se como uma água gélida pelos braços e pernas. Fiquei paralisado. O chão abaixo de mim começou a se partir, abrindo uma rachadura no solo do deserto. O espaço foi ficando cada vez maior, era uma fenda gigantesca e interminável. Meus sapatos se agarraram à beirada. Se eu respirasse minimamente, se fizesse qualquer movimento, iria cair. E não pararia mais.

Comecei a tremer até os ossos. Jamais havia tremido de medo, mas meu corpo sacudia como um sino, totalmente fora de controle.

— Gideon? — A voz da Daryn estava longe. — Marcus, pare!

Era essa. A habilidade de Morte.

Medo.

Considerei abrir os portões da raiva sobre ele, mas que bem faria deixá--lo mais agressivo?

Daryn gritava para que ele parasse. Ela deu alguns passos na direção de Marcus, então fraquejou e caiu de joelhos. Agarrou a barriga e, abraçando o corpo, começou a se balançar.

— Não — disse ela. — Não, não, não. Por favor, não.

Fui tomado por uma raiva que nunca sentira antes. Uma fúria incandescente que se espalhava pelos meus músculos gelados e trêmulos. O frio que antes me tomava se partiu, já sem espaço para se manifestar. A raiva que rugia dentro de mim ocupava tudo. A fenda se fechou e desapareceu diante dos meus olhos, e senti um poder — poder de verdade — se agitando dentro de mim. Eu tinha um único objetivo. A determinação de fazer o que era certo, o que era necessário; e, naquele instante, o necessário era ajudar Daryn.

E também senti outra coisa. Algo em minha mão que não estava lá um segundo antes.

Uma espada.

Capítulo 26

Em meu treinamento do exército eu havia sido exposto a uma grande variedade de armas. Rifles. Pistolas de todas as marcas e modelos. Lança-mísseis. Atirei com uma calibre 50 algumas vezes — aquela sim era uma arma. *Irada*. Então, acho que você vai me entender, Cordero, quando digo que a arma que surgiu em minha mão foi um pouco decepcionante.

Brigas de espada eram legais nos filmes, para gladiadores, ou se você estiver combatendo trolls ou sei lá o quê. Mas usar uma espada em um combate de verdade? Nem pensar. A sensação que tive foi de estar alguns séculos atrasado. É claro que eu acabara de enfrentar um corpo a corpo épico, mas todos sabem que a troca de socos é uma arte atemporal. A questão é: não fiquei contente com a espada, mas era melhor do que espada alguma, então segui em frente.

Em um milésimo de segundo, assimilei a arma na minha mão. Ela era feita do mesmo metal do bracelete — lisa, emitia uma suave luz vermelha —, e o estilo era uma mistura de moderno e clássico, uma espécie de montante escocês mais trabalhado. Tinha uma aparência bem maneira.

O medo que Marcus usava contra mim havia desaparecido completamente. Em Daryn também, que tinha parado de tremer. Bastian a ajudara a ficar de pé. Depois que vi que ela estava bem, concentrei minha atenção na vingança contra Marcus.

Segui na direção dele, manejando a espada de um jeito sinistro, algo que eu havia aperfeiçoado com um sabre de luz quando tinha 7 anos e, felizmente, ainda conseguia executar. Parte de mim queria assustá-lo um pouco. Outra parte queria testar a espada. Não era exatamente leve. Mesmo assim parecia familiar de algum jeito, como levantar um braço ou uma perna. Ainda mais estranha era a sensação de que não era eu quem segurava a espada, mas sim ela que segurava a *mim*.

— Quer brigar comigo, Morte? — provoquei. — Ande!

Daryn olhou para mim como se eu tivesse enlouquecido.

— Gideon, o que você está *fazendo*?

Não tive chance de responder. Marcus havia acabado de produzir uma foice. Ela se materializou em um giro esfumaçado, indo da empunhadura em sua mão até tocar na terra do deserto.

A porra de uma *foice*.

Eu não deveria ter ficado surpreso. Não era a Morte — a Ceifadora de Almas — que aparecia sempre com uma foice? Ainda assim, era a primeira vez que eu via uma pessoa segurando aquilo, e quer saber...? Um cajado com uma gigantesca lâmina curva na ponta? Apavorante. E também não era uma foice qualquer. O negócio brilhava no escuro, suave com a lua, mas emanando luz o suficiente para deixar nítido o rosto de Marcus. Os olhos pareciam fixos e frios. Tomados por uma fúria glacial completa. Especialmente para mim.

Ele esticou o braço para o lado como se disse *Saca só, babaca. O que você acha da sua espada contra a minha foice?*

Um homem cauteloso teria recuado. Mas eu não. Ceder basicamente indicaria que ele tinha vencido. Eu era mais forte e queria provar isso. Se me custasse um membro, tudo bem.

— Você realmente quer brigar com a Guerra? — Dei de ombros. — Tudo bem.

— O que você disse? Você é *Guerra*?

— Sim, foi isso que ele disse — respondeu Daryn. — Agora *larguem* as armas. Os dois.

Sem nenhum aviso, Marcus girou a foice em um arco baixo e rápido. A arma tinha um alcance incrível e atingia um diâmetro de quase 1 metro. A navalha chegou a uns 20 centímetros de Daryn. Ela permaneceu imóvel enquanto a lâmina afiada passava por ela, mas eu quase botei meu coração para fora. Antes que pudesse perceber, estava em movimento.

Evitando a parte cortante da foice, ataquei Marcus enquanto ele ainda estava no impulso. Uma foice não é uma arma que se use à queima-roupa. Se eu conseguisse me posicionar no lado de dentro, ficaria seguro.

Marcus tinha previsto meu movimento e mirou a ponta da arma em minha direção. Pressenti o golpe e bloqueei com minha espada. O som do encontro das duas armas foi estrondoso. Trovejante. Senti um rugido dentro do peito. O ponto de colisão soltou faíscas, criando uma explosão de luz na escuridão. Prosseguimos nos atacando e defendendo. Nenhum dos dois era muito bom naquela época, mas o que nos faltava em matéria de técnica, sobrava em entusiasmo.

Eu estava no meio de um contra-ataque quando minhas pernas perderam a força. *Ploft*. Do nada. Em um instante me sentia pronto para cortar o rosto de Marcus, no instante seguinte estava de costas encarando os trovões no céu. Minha espada fugiu da mão. Eu nem sabia que *podia* largá-la.

Virei o rosto à procura da arma, um pequeno movimento que exigiu toda a minha energia. A espada repousava sobre o solo do deserto a alguns centímetros da minha mão. Queria recuperá-la, mas jamais conseguiria. Não tinha mais nada dentro de mim. Seria mais fácil levantar um carro acima da cabeça. Lutando para olhar à direita, consegui ver um pedaço dos sapatos de Marcus. Ele estava caído na terra ao meu lado.

Daryn e Sebastian se aproximaram. Ela cruzou os braços, olhando para mim, o cabelo louro balançando ao vento da tempestade. A expressão em seu rosto mostrava decepção e bastante irritação.

— Quanto tempo eles vão ficar assim?

— Não sei — disse Sebastian. — Talvez por algumas horas. Talvez um pouco mais. É a primeira vez que aniquilo alguém com tanta intensidade. É horrível. Não acredito que fiz isso.

— Eles não ajudariam em nada se morressem. De qualquer jeito, fui eu que pedi que fizesse isso.

Eles continuaram falando, mas as vozes pareciam distantes. O sono me chamava. Não. Não era sono. Cansaço. Exaustão. Uma enorme *falta* se abria dentro de mim. Falta de força. Falta de esperança. Falta de alegria. Meu corpo parecia destruído, com um milhão de anos. Frágil. Como se meus membros fossem feitos de fibra de vidro.

Uma gorda gota de chuva caiu na minha testa. Outra no meu antebraço. Gotas dolorosas. Afiadas como pedras.

— Está começando a chover — disse Sebastian. — Acha melhor trazer o jipe? Talvez eu consiga botar os dois pra dentro.

— Claro, vamos tentar — respondeu Daryn. — Mas sem pressa. Um pouco de chuva não vai matar os dois.

E então eles nos deixaram lá.

No céu, as nuvens pulsavam luz, espalhando eletricidade pela noite. Estávamos apenas eu e Morte naquele instante, sendo encharcados por gotas meteóricas.

A criatura então bateu as asas e voou pelo céu de tempestade.

Capítulo 27

O sol nascia no horizonte azul quando acordei no jipe novamente — dessa vez com uma dor de cabeça absurda, câimbras na barriga e meu moletom dos Giants jogado sobre mim. Parecia que meu corpo tinha sido amaciado.

Pelo para-brisa sujo vi Daryn sentada sobre o capô. O cabelo estava preso em um coque, e ela conversava com Sebastian e Marcus de pé diante dela. Não vi sinal algum da tempestade, ou da criatura alada.

— Sei que vocês querem respostas — disse ela —, e eu queria poder responder. De verdade. Mas tudo que posso dizer no momento é que reunir vocês quatro é o único jeito de sermos bem-sucedidos. Assim que puder, contarei mais. Prometo.

— Tudo bem — disse Sebastian. — Estamos quase lá. Vamos focar na missão e depois pensamos no resto. Quem acredita enche a pança.

Sempre alcança, quis corrigir. *Quem acredita sempre alcança.*

— Cara, nem pensar — disse Marcus. — Não acho que está nada bem pra mim.

Ele estava com o capuz do casaco levantado e as mãos enfiadas nos bolsos da calça jeans. O rosto se perdia na sombra, mas pude ver um corte na bochecha. Esperava que as roupas escondessem um monte de estragos, porque eu mal conseguia respirar sem convencer meu corpo antes.

Curvado para a frente e com a cabeça levemente abaixada, Marcus me parecia desconfiado e perigoso. E eu não conseguia parar de pensar que acrescentá-lo ao time nos fazia andar para trás. Esperava estar errado. Mas sentia que estava certo.

— E então, Marcus? — disse Daryn. — Você vai embora? Vai ignorar sua habilidade e o fato de que você consegue conjurar um cavalo do nada e simplesmente vai seguir com a sua vida?

— A gente tem cavalos?

— Aham. — Bastian deu de ombros. — Tipo, nós somos cavaleiros.

— Me diz uma coisa — pediu Marcus. — Eu tenho cara de caubói?

— Temos que fazer o que for necessário — disse Daryn. — Se a Ordem...

— Não tenho que fazer *nada* — retrucou ele.

— Tem, você tem sim — respondeu ela, agressivamente. — Tem porque no momento existem demônios que estão por aí se organizando, e se a gente não... — Ela parou de repente, percebendo o que havia acabado de dizer. E então suspirou. — Eu não queria ter soltado essa informação ainda, mas acho que agora já era.

Sebastian e Marcus não se mexiam. Aquela palavra — demônios — havia chocado os dois ao ponto de ficarem calados, mas eu já esperava algo assim. Acho que soube disso no instante em que vi Samrael na festa de Joy, e depois ao ver aquelas facas de osso surgirem feito mágica no estúdio e a velocidade anormal com que foram lançadas. E na noite passada ainda teve meu amiguinho cego. No entanto, ouvir aquilo dito por Daryn ainda parecia insano. Ouvir a confirmação. Ainda assim me atingiu em cheio.

Marcus falou primeiro:

— Tem um *demônio* atrás de você?

Ele não esperou por resposta. Deu meia-volta e foi embora.

— Eu falo com ele — disse Bastian. — Vou chamar ele de volta à razão.

— Valeu, Bas — agradeceu Daryn.

E assim Bastian foi atrás de Marcus.

Desviei o olhar para Daryn. Eu a conhecia havia apenas alguns dias. Não era muito tempo. Mas eu estava ignorando algumas coisas óbvias que sentia em relação a ela.

— Martin.

Ela se virou e me viu, então pulou do capô e veio até mim, abrindo a porta do carro.

— Há quanto tempo você está acordado? — perguntou ela.

— Há tempo suficiente.

Bastian e Marcus estavam parados ao lado do Mustang. A rodovia começava a ficar movimentada, carros e caminhões passavam voando.

Daryn apoiou o pé no para-lama.

— Talvez ele dê ainda mais trabalho que você — disse ela, seguindo meu olhar.

— Ele sim é um problema. Você vai se acostumar comigo. Sobre ontem à noite... — A situação com Marcus havia saído de controle. Eu era parcialmente responsável, e estava na hora de assumir isso. — Eu não sabia que ele se mostraria tão babaca, e...

— Pensei a mesma coisa.

— Acho que mereço ouvir isso.

— Merece mesmo. Vamos deixar isso para lá, ok? — Ela olha novamente pelo para-brisa. — A gente vai fazer Marcus topar. Ele não tem para onde ir.

— Ele disse isso?

Ela hesitou e, então, balançou a cabeça.

— Não.

— Você sabe algumas coisas, não é? Sobre nós? O quanto você *sabe*?

Ela me observou por alguns instantes, como se pensasse em uma resposta.

— Às vezes mais do que gostaria — disse ela. E então tirou o pé do para-lama.

— Espere. — Eu não queria que ela fosse embora. Inventei algo para dizer. — Como está meu rosto? Todo roxo?

Ela se inclinou para dentro do jipe e apertou os olhos. O coque se desfez, e o cabelo caiu sobre o ombro.

— Está com alguns machucados, mas já estão melhorando.

— Aposto que você preferia que não estivessem.

— Fico feliz que esteja melhorando. Mas preciso admitir... não me incomodou ver alguém o colocando em seu lugar.

Daryn estava falando do Marcus, mas ela mesma sempre me botava em meu lugar.

— Daryn... — Acho que estava encarando, mas não conseguia parar. Ela era tão calma. E tão bonita. — Sei que não fui muito legal ontem à noite. Só não queria que você se machucasse.

— Obrigada por pedir desculpas. Tenho certeza de que me proteger era a sua intenção.

— Exatamente. Obrigado por entender.

Ela sorriu. Com o deserto reluzindo em dourado e âmbar ao nosso redor — muito parecido com o próprio brilho de Daryn —, era um sorriso perfeito. Sem segredos. Sem hesitação. Como se ela tivesse se revelado inteira para mim.

Senti que tinha uma chance.

Busquei sua mão, algo que surpreendeu a nós dois. Mas eu já estava decidido, então entrelacei meus dedos nos dela, sendo gentil. De modo muito controlado. Talvez meus dedos tenham parecido até um pouco sem vida, prevendo a possibilidade de um equívoco.

Daryn ficou completamente imóvel. Ela olhou para minha mão. A dela era perfeita e macia. A minha, machucada e suja de lama seca. Provavelmente eu poderia ter pensado melhor naquela estratégia.

— O que você está fazendo? — perguntou ela.

Pelo menos nós dois estávamos pensando a mesma coisa.

— Só quero segurar sua mão um instante. Nada de mais. Eu seguro a mão das pessoas toda hora.

O sorriso dela retornou por um momento, mas ela não ergueu os olhos.

— Vai segurar a mão de Sebastian também?

— Hum, não. Isso não passou pela minha cabeça.

— De Marcus?

— Não.

Marcus não era nada engraçado. Era um problema iminente.

— Gideon, acho que isso não é uma boa ideia.

Não me parecia uma ordem muito clara.

— Se quiser que eu pare de segurar sua mão, eu paro. Quer?

Ela olhou para mim. Tudo parou. As nuvens. Os planetas. O tempo. Tudo.

— Preciso dizer uma coisa — avisou ela.

Uma explosão de possibilidades tomou minha mente.

— Estou escutando.

Passei o polegar sobre o nó dos dedos dela. A pele era tão macia. Estávamos conectados. Era um primeiro passo.

Agora. Juntos. Isso aí.

— Estou começando a ficar com dor de cabeça.

Por um segundo, eu, Gideon Blake, pensei que tinha lido a situação de forma completamente errada e irritado Daryn ao ponto de iniciar uma enxaqueca.

E então me lembrei e saí correndo do jipe, quase derrubando Daryn.

— Tipo dor de cabeça pré-download de visão? — Fiz um movimento com as mãos, como se estivesse passando shampoo. Como se aquilo fosse esclarecer a situação. — O tipo que você tem antes das visões?

— Sim — disse ela, calmamente. — Essa mesmo.

— Ok. Ok. Melhor você sentar. Vem cá. — Tentei guiá-la para o jipe, mas ela se esquivou.

— Está tudo bem, Gideon. Relaxe.

— Estou relaxado. — Não era totalmente verdade, mas estava pronto para fazer qualquer coisa que ela precisasse. Meu corpo urgia com o desejo de ajudar. — Na verdade, sou treinado para lidar com esse tipo de situação.

— Você foi *treinado*?

— Com certeza. Tem uma seção inteira no Manual dos Rangers sobre isso. Procedimento de Assistência a Seletores. Sigla PAS. Seção 1-A do PAS diz "Encontre um local seguro para o Seletor", que é você. Então ande, sente. Por favor, Daryn. Sei o que estou fazendo.

— Daqui a pouco — disse ela. — Já já eu sento. — Ela continuava sorrindo, mas começava a piscar lentamente, como alguém faz antes de adormecer. — Você está assustado?

— Está sentindo dor?

— Na cabeça, mas não vai durar muito mais tempo.

— Então não estou assustado.

— Parece preocupado.

— Só estou alerta. Esta é a minha cara de atenção.

— Acredito em você. Gideon, você poderia — mais uma piscada lenta —, poderia manter Marcus e Sebastian longe enquanto estiver acontecendo? — Ela se demorou no "S" de Sebastian, enrolando um pouco a fala. — Não fico envergonhada, mas...

— Ninguém vai se aproximar de você.

Era para aquilo ter soado superprotetor e maluco, mas parado ali, com o calor do deserto em minhas coisas, não foi bem assim. Parecia que eu estava exatamente onde era necessário. Em posição de guarda. Protegendo Daryn.

— Elas acabam muito rápido — disse ela. — Geralmente em cinco minutos.

— Ok.

— Você deve ter lido isso no Manual dos Rangers. Talvez esteja escrito como 300 segundos. Vocês militares são tão estranhos com essa coisa de contar o tempo.

Abri um sorriso forçado. Ela falava cada vez mais enrolado e começava a curvar o corpo. Tive que me controlar para não carregá-la até o banco do carona.

Daryn jogou o cabelo para o lado e passou os dedos na corrente em seu pescoço.

— Sabe o que é realmente bonito? Sentir o que a outra pessoa sente. Sentir todo o amor e o medo dentro dela... É tudo tão bonito, sabe? A vida.

Não fazia ideia de como responder àquilo, então fiz que sim.

Ela me encarou por alguns instantes.

— Talvez eu caia para a frente.

— Então entra na porcaria do carro, Daryn.

— Você me seguraria?

— Claro que sim.

— Que tal agora? Você pode me segurar antes que eu caia?

Aquilo tirou o ar dos meus pulmões. Literalmente. Era a primeira vez que passava por algo assim. De repente, eu estava passando por um monte de experiências inéditas.

Dei um passo na direção dela, de certa forma esperando que ela perguntasse o que eu estava fazendo, mas assim que passei os braços em volta dela, Daryn se aninhou contra meu peito como se eu fosse seu travesseiro favorito. E então tive uma daquelas experiências em que o tempo muda de velocidade, como se os pensamentos estivessem em um acidente de carro, tudo ao mesmo tempo, só que lentamente. E vi todas essas imagens — descendo de um helicóptero por uma corda, panquecas de blueberry, cavalo de fogo atacando, facas de osso voando, garota bonita acomodando o rosto na minha camiseta. O que representava o momento atual. Aquilo estava acontecendo *agora*.

Daryn tinha um perfume incrível, como o da primavera, fresco, chuvoso, florido. E era incrível tê-la assim tão perto. Gostava muito de ter Daryn *perto*.

Pigarreei.

— Como está tudo por aí, chefa?

— Estou bem demais. Os homens dão os melhores abraços.

— Hum... damos?

Ela riu.

— Realmente está de brincadeira com a minha cara agora?

— Aham.

É. Eu gostava dela.

Ela apoiou ainda mais o peso do corpo em mim. Eu estava quase segurando Daryn agora. Ela parecia se esvair para um lugar distante, em alguma corrente que eu não conseguia enxergar.

— É muito bom ficar assim com você, Gideon — disse ela. — Eu sabia que seria. Por isso que não queria... — O corpo de Daryn ficou sem forças.

Puxei-a para perto de mim e, em um segundo, passei uma centena de opções na cabeça antes de me forçar a respirar e ficar calmo. Ela havia me dito para não me preocupar, que tudo ficaria bem, e, por mais que ela gostasse de guardar segredos, não achei que estivesse mentido a esse respeito.

Virei de costas para Marcus e Sebastian. Eles não estavam próximos, mas, se eu pudesse ter virando um tanque de guerra ao redor dela, teria virado. Movendo o corpo muito de leve, tentei me ajeitar para que ela ficasse um pouco mais apoiada sobre meu ombro, o que me parecia melhor. Mais confortável para ela.

E então não me restava nada mais a fazer a não ser contar.

Trezentos, 299, 298, 200...

CAPÍTULO 28

— Não precisa fazer a contagem regressiva inteira, Gideon — avisa Cordero.

— Eu não ia fazer isso. — Engulo em seco, desobstruindo a garganta. Deixando a lembrança daquela manhã dissipar, e retornando à sala de madeira. — Eu só estava tentando ilustrar a situação. Cinco minutos parece uma eternidade quando se conta todos os segundos.

Cordero entrelaça os dedos.

— Posso imaginar. Não quis interromper. Por favor, continue. A criatura que você mencionou... a que tinha asas. Era um dos membros da Ordem?

Faço que sim.

— Ele se chama Alevar. Um sujeitinho bizarro. Mas vou precisar de um intervalo por razões fisiológicas antes de continuar.

Preciso usar o banheiro, mas também preciso de um momento a sós. A memória da presença de Daryn é muito real, como se eu ainda pudesse senti-la encostada no meu peito. Preciso deixar isso para trás. Só preciso de um instante para guardar tudo aquilo de volta.

Cordero franze a testa.

— Razões fisiológicas?

Eu estava tentando ser educado, mas Cordero quer detalhes e respeito isso.

— Preciso tirar água do joelho. E pode acreditar. Você não quer manter Guerra longe de um banheiro.

Texas e Beretta riem imediatamente. Eles sabem que estou zoando, mas aquilo assustou a civil. A expressão no rosto de Cordero é impagável.

— Estou brincando, Cordero. Bebi muita água. É uma questão biológica. Sabe? Normal.

— Intervalo de cinco minutos. — Cordero afasta a cadeira da mesa. — Você sabe o que precisa fazer — diz ela para Texas. — Certifique-se de que todos fiquem alertas.

— Não preciso ir ao banheiro tanto assim.

Ela para no vão da porta, os olhos escuros brilham quando volta sua atenção para mim.

— Melhor não abusar, Gideon.

— Leve a sério o aviso — aconselha Texas ao tirar minhas amarras. — Não tente nenhuma idiotice.

Mas ele parece bem menos formal do que antes. Está começando a entender quem eu sou. Não tenho a menor intenção de tentar nada, e acho que ele sabe disso.

Ele coloca o capuz sobre minha cabeça, e solto um gemido. Nada se compara à combinação do fedor de suor e vômito. Nem mesmo o perfume de Cordero.

— O que foi, garoto? — pergunta ele.

— O capuz está fedendo.

— Pelo menos o fedor é seu — debocha Beretta, e os dois riem.

Texas me ajuda a levantar. Minhas pernas estão moles por conta dos remédios e porque não me mexo há muito tempo. Meus primeiros passos vacilam. Texas agarra meu cotovelo com força. Segura o tempo todo enquanto caminhamos, disparando ordens.

Três passos adiante.

Dois passos para baixo.

Dez passos adiante.

Enquanto sigo as ordens, reparo que o corredor tem uma depressão ao centro e as tábuas de madeira tremem. E não somente porque Texas, Beretta e eu pesamos quase 300 quilos juntos, mas porque parecem frágeis e finas. Correntes de ar passam por toda parte. São frias e carregam um aroma fresco, como o de pinheiros, em comparação ao calor mofado da sala. E o local tem o oposto de uma blindagem à prova de som. Posso ouvir tudo. Ao passar por uma porta, ouço vozes discutindo. Com certeza, a sala de Marcus. Depois ouço risadas — Bastian. Finalmente, escuto uma conversa perfeitamente cordial — Jode.

Fico feliz de ouvir suas vozes. Mal consigo senti-los no bracelete. Tem drogas demais no meu sangue. Mas eu sabia que estariam ali. Deixamos Jotunheimen juntos, os quatro. Apenas um de nós ficou para trás.

Muito bom, Blake. Conseguiu ficar três minutos completos sem pensar nela.

Chegamos ao banheiro, e o capuz é retirado. Beretta se posiciona à porta do banheiro. Texas fica ao lado, para se assegurar de que não vou arrancar a pia e... fazer o quê? Jogá-la pela pequena janelinha de vidro preto? Seria uma ideia se eu tivesse uma força sobrenatural. Confiro o que posso usar de verdade, procurando pela espada, por Caos, mas não. Nada ainda.

Texas espera atrás de mim, segurando o capuz enquanto lavo as mãos. Depois de ficar tanto tempo naquela sala vazia, tudo parece interessante, e meus sentidos parecem aguçados, conectados a tudo, água da pia congelante; manchas de ferrugem penetrando o ralo; o cheiro antisséptico do sabonete. É tudo que consigo absorver antes de voltar para dentro do capuz e ver o mundo escurecer novamente. Minhas mãos tornam a ser amarradas com abraçadeiras de plástico. Texas e Beretta mais uma vez me flanqueiam. Hora de voltar para a sala.

No caminho, imagino o cenário. A saída do banheiro dá em um corredor estreito com carpete desgastado no centro. Passamos uma sala de estar pequena com móveis baratos, caixas de pizza, talvez alguns funcionários assustadores do governo estejam sentados ali, observando a passagem do garoto de capuz. *Sinto* como se estivesse sendo observado. O que faz sentido. Há somente um motivo para todo aquele esquema de segurança, e para um interrogatório totalmente antiético. Isso aqui não tem nada a ver com dinheiro, diplomacia internacional ou com a imprensa. Cordero deve ter sacado que algo estranho estava acontecendo na Noruega, talvez com a ajuda de satélites ou drones. O quanto ela já sabia antes de eu começar a falar?

Texas puxa meu cotovelo para baixo, me fazendo frear bruscamente.

— Fique aqui. *Não* abra a boca.

Acho que estou ouvindo uma discussão. Me esforço para escutar. Dessa vez não é Marcus. Mas quem? Samrael? A Ordem?

— O que está acontecendo?

Em algum lugar, a poucos passos de mim, Beretta solta um palavrão.

— *Ande* — diz ele. — Leve ele de volta para dentro.

Sou puxado para trás, em direção ao banheiro, quando ouço a voz dela.

— Não precisa empurrar! Estou indo!

É ela.

Daryn.

Jogo meu peso contra Texas. Batemos na parede, fazendo o lugar tremer. Ele tenta me agarrar, mas lhe acerto uma cotovelada no nariz, o que me dá um segundo de vantagem. Um segundo para levantar a mão e arrancar o capuz e vê-la. Parada diante da porta de entrada, entre dois homens de roupa preta, envolta pela luz do sol que vem de trás.

Ela olha diretamente para mim, completamente aliviada.

Ela está aqui.

Capítulo 29

Texas se recupera e pula em cima de mim. Não tenho para onde ir. Minhas mãos estão presas, o corredor é apertado, e ele pesa quase 50 quilos a mais do que eu.

Bato com a testa no painel de madeira. A visão desaparece. Tudo parece um borrão conforme sou empurrado para trás, para trás, para trás. E então estou novamente no banheiro, onde Texas enfia o antebraço sob meu queixo e me prende contra a parede.

— Seu merdinha — resmunga Beretta atrás dele ao fechar a porta.

— Ok — diz Texas, esperando um segundo para recuperar o fôlego. Um filete de sangue escorre do nariz dele. — Ok, preste atenção. — Ele se inclina para a frente, colado no meu rosto. — Está me escutando, Blake? Porque é melhor você prestar atenção.

Daryn está do lado de fora. Ela está aqui.

Faço que sim.

— Meus parceiros e eu — continua Texas — usamos um código informal. Sempre que um de nós vê ou ouve algo que não deveria, e isso acontece bastante, Blake, muito mesmo, sabe como a gente chama isso?

Ele está tentando chegar a um ponto. Normalmente eu tentaria descobrir, mas não tenho a menor chance de conseguir raciocinar. Daryn está bem do outro lado da porta.

— Olhe para mim, Blake. — Texas enfia o antebraço na minha garganta. — Sabe como a gente chama isso? Dizemos que é um momento medalha de ouro. Não tenho certeza de quem começou com isso, mas é assim. Sempre que alguém diz estas palavras, *medalha de ouro*, sabemos que acabamos de presenciar uma informação que *jamais* deve ser repetida. Os momentos medalha de ouro vão direto para o nosso túmulo. — Ele aperta os olhos. — Está prestando atenção?

— Sim. — Acabei de passar por um momento medalha de ouro. Daryn está ali, mas eu não deveria saber isso. Não devo deixar Cordero saber que sei. Texas relaxa e me solta.

— Eu teria feito o mesmo se estivesse no seu lugar. — Ele bota o capuz de volta sobre a minha cabeça. — Só que eu teria corrido até ela.

— Eu não queria fazer você ter que enfrentar a corte marcial — consigo responder, finalmente retomando o controle.

Ele desdenha.

— Talvez isso ainda seja possível. — Dessa vez, ele amarra minhas mãos atrás do corpo. Fui rebaixado. — Fique de bico calado e se lembre do que eu disse.

O caminho de volta para a sala passa em um segundo. Chego antes de me dar conta. Texas amarra meus pulsos e tornozelos, me prendendo novamente à cadeira. Ele deixa minha mão direita livre. Beretta me entrega uma barra de cereal. Não consigo pensar em comer, mas preciso de energia. Vai me ajudar a eliminar o efeito dos remédios mais rapidamente. Engulo a barra em duas mordidas e fico com dor de estômago. Atrás de mim, meu velho amigo, o aquecedor, liga novamente. Mas a lâmpada vai queimar. E, quando isso acontecer, a sala ficará escura. É só uma questão de tempo.

Por que ela está aqui? Foi ela quem me largou lá em Jotunheimen. Ela está bem? Será que foi capturada ou veio por conta própria? Não sei o que pensar. Preciso vê-la.

Cordero volta. Ela se ajeita diante da mesa e abre o arquivo. De volta aos trabalhos.

— Estávamos no deserto Mojave quando paramos. Acho que você estava contando 300 segundos. — Ela abre um sorriso discreto e sem graça. — O que aconteceu quando Daryn voltou a si?

Será que ela sabe? Será que ela sabe que *eu* sei?

— Gideon?

CAPÍTULO 30

Daryn, bem...
Ela voltou a si aos poucos. Quando levantou a cabeça ainda estava com a visão turva. Distante. E com o calor do deserto e do meu corpo, também estava um pouco suada na testa. Parecia ter acordado de um sono de horas.

— Você está bem? — perguntei.

— Sim — respondeu ela, mas olhou ao redor, visivelmente desorientada.

Eu tinha uma dezena de perguntas na ponta da língua, mas Marcus e Sebastian vinham na direção do jipe. Guardei todas para outro momento. Bastian não mudou de expressão quando nos viu tão perto um do outro, mas os olhos azuis-claros de Marcus foram de Daryn para mim, como se ele analisassem algo.

Daryn se afastou quando os viu chegando, meio que abruptamente, abrindo alguns passos de distância entre nós. Ela olhou para eles, depois para o jipe, mas não para mim.

Ok, entendido.

— A gente precisa ir — disse ela. — Temos que voltar para Los Angeles.

Ficamos a encarando por alguns segundos; em seguida subimos no jipe. Ninguém perguntou nada. Eu não sabia o que tinha convencido Marcus a se juntar a nós. Tenha certeza de que, se eu soubesse, teria feito o oposto. Com cinco minutos de estrada já estava claro que ele havia estragado o clima tranquilo entre Sebastian, Daryn e eu. Éramos um trio estável, mas Morte acrescentava um elemento que não se encaixava. Ele não disse nada desagradável ou agressivo. O sujeito mal falava. Sentou-se no banco de trás com Sebastian, completamente quieto, só que era a quietude de uma máquina de fumaça. Marcus alterava o clima no jipe sem emitir som algum.

Pensei na toalha ensanguentada que tinha encontrado no carro. No fato de que ele havia abandonado o Mustang sem dizer uma palavra. Obviamente o carro era roubado. Ele era perigoso, e eu não confiava nele. Mas não podia negar que meu bracelete gostava de tê-lo por perto. Agora eu conseguia sentir a presença dos dois em meu pulso. Duas vibrações distintas. Mas elas não me distraíam. Eu podia optar em me concentrar nelas ou não, assim como podemos fazer com qualquer outro sentido.

Lá pelas 11 horas, o calor do deserto começou a nos desgastar. Paramos em um posto de gasolina para baixar a capota já que o ar-condicionado do meu jipe era o ar natural que entrava pela janela. Marcus tirou o moletom rasgado. Tinha uma tatuagem elaborada no antebraço esquerdo, uma espécie de texto, a tinta apenas alguns tons mais escura que a pele, mas o que eu realmente queria era dar uma olhada no bracelete dele. A coisa parecia feita de alabastro — só que derretido, como se alguém tivesse derramado cera quente em volta do pulso dele.

— Tá olhando o que? — perguntou ele.

Senti um arrepio gelado de medo na nuca, uma sensação de queda vindo em minha direção.

— Quer outro round? — perguntei, mas Sebastian correu e me puxou para longe.

— Sossega, Gideon — disse ele, e me arrastou para uma fileira de máquinas de venda automáticas do lado de fora da loja de conveniência. Eu ainda conseguia ver o jipe. Daryn falava com Marcus. O que quer que tenha dito fez com que ele passasse a mão na cabeça e relaxasse os ombros.

— Como você evoca a balança? — perguntei a Bastian, enquanto as observava. — A arma, você disse que iria me contar. — Eu precisava saber como pegar a espada. Marcus tinha controle sobre a foice. Eu não podia ficar em tamanha desvantagem.

Ele assentiu.

— É. Vou contar.

— Agora.

— Ok. Bem, você precisa procurar a arma *dentro* de si. Procurar mesmo e, quando encontrar, precisa agarrá-la. — Ele bateu as mãos como se esmagasse um inseto. — Exige um pouco de prática, mas você chega lá.

— Você está brincando, né?

Ele sorriu.

— Não. É verdade.

— Merda.

— Ei, você tem algum dinheiro?

Balancei a cabeça. Como é que de repente o cara que recebia salário de militar tinha virado a fonte de renda do grupo? Vasculhando nos bolsos, encontrei três dólares e fiquei assistindo enquanto ele brigava com a máquina porque ela não parava de rejeitar as notas amassadas.

Duas garotas em um BMW branco parado na terceira bomba pareciam achar aquilo adorável. Elas riram, agindo como se ele fosse uma estrela do rock ou algo do tipo.

— Ei, Bastian. Você é famoso?

Ele finalmente havia conseguido pegar uma Coca-cola e um saquinho de Skittles.

— Não. De jeito nenhum.

Mas seja lá o que ele fosse, as garotas gostavam. Elas tiraram fotos dele quando estavam indo embora. Bastian nem reparou.

— Você come bastante — falei.

Ele devorava o pacote de Skittles.

— Cara, eu amo comida.

Ele enfiou a mão inteira na boca e me ofereceu o pacote.

Balancei a cabeça.

— Não, valeu. — Eu gostava de Skittles, mas as balinhas se transformavam em minigranadas dentro do meu estômago. Faziam mais mal do que grande parte das comidas. — Você sabe que são 11 horas da manhã, né?

Bastian ergueu as sobrancelhas.

— Nossa, que cedo. — Ele engoliu mais balas. — Gideon, não quero me intrometer, mas a gente não pode estragar as coisas por causa das nossas diferenças. — Ele olhou para o jipe. Para Marcus. — Nunca vamos sair dessa se ficarmos brigando entre nós. Talvez seja melhor você focar. E aulas passadas não movem moinhos.

Concordei com ele até a parte final. Eu já tinha ouvido Sebastian errar várias expressões, mas dessa vez não consegui.

— Cara, é *águas*. A frase diz que águas passadas não movem moinhos. Aulas moverem qualquer coisa soa... péssimo, cara. Qual é a sua de ficar assassinando os ditados?

— Ah, isso. Acho que é porque inglês é a minha segunda língua. Não, não é isso. Não acho que seja isso. — Ele levantou os ombros. — Eu troco as frases, só isso. Mas pelo menos memorizo as falas. Cara, já pensou se eu não conseguisse decorar minhas *falas*? — Ele disse aquilo com pesar, como se não pudesse se lembrar da própria mãe.

Eu o encarei por um instante, sem ter certeza se ele estava zoando com a minha cara. E então ele abriu um sorriso de *peguei você*, jogou uma mão cheia de Skittles na boca e mastigou tudo.

Estendi a mão.

— Me dê um pouco.

Quando voltamos para o jipe, Daryn estava sentada no banco de trás, conversando com Marcus. Ela parou de falar quando sentei ao volante. Ou ela estava falando de mim ou não queria que eu ouvisse a conversa.

Tanto faz. Não importava.

Eu precisava encontrar um cavaleiro. Então, era melhor aulas passadas começarem a mover moinhos.

Como o carro era meu, e como tinha certeza de que faria Marcus sofrer, enfiei a fita k7 do Pearl Jam, entrei na estrada e aumentei o som. Depois de algumas músicas, Bas ficou obcecado em descobrir a letra de "Yellow Ledbetter" — uma missão impossível, uma vez que era praticamente um monte de sons indecifráveis com algumas palavras no meio. A música era sentimento puro, mas ele estava determinado. Escutamos sem parar, e a cada vez entendíamos algo novo. Metaforicamente, era a música perfeita para a nossa missão.

Quando estávamos a 130 quilômetros de Los Angeles, Daryn sugeriu que a gente parasse para comer. Encostei diante de uma lanchonete de estrada — um lugar muito estiloso, caso o ano fosse 1972 — e dei uma conferida. Não havia muitos carros no estacionamento. Apenas alguns caminhoneiros e alguns idosos do lado de dentro. Pedi uma mesa perto da porta, de frente para a entrada, para o estacionamento e com visão para todas as mesas.

A Ordem havia matado alguém no meio de um estúdio de gravação. E Alevar — o sujeito morcego bizarro — havia me encontrado no meio do deserto. Nenhum lugar era seguro.

Todos escolheram seus pratos e, em seguida, fizeram comentários sobre o meu pedido de "só pão sem manteiga". Fui forçado a explicar sobre os Skittles e meu estômago idiota.

— Então quer dizer que Guerra tem uma barriguinha sensível? — ironizou Sebastian, sorrindo para mim do outro lado da mesa.

— Guerra não tem nada sensível, idiota. Come a sua torrada aí. Quem é que pede coisas de café da manhã às duas da tarde?

Ao meu lado, Daryn levantou os olhos de suas panquecas de blueberry.

— Cara, está *muito bom* — elogiou Bastian. — Nossa, olhe só isso! Delicioso!

Ele estava tirando onda com a minha cara. Realmente parecia muito bom. Enquanto isso, Marcus engolia seu hambúrguer como se não estivesse presente.

— Preciso contar uma coisa a vocês. — Daryn afastou o prato. Ela não tinha terminado de comer as panquecas e me perguntei se eram tão boas quanto as de Cayucos. — Estão prontos?

Ninguém disse nada. Acho que todos nós pensamos se tratar de uma pergunta retórica. E não estávamos prontos, estávamos desesperados para saber o que era.

— Los Angeles não é nosso destino final — prosseguiu ela. — Precisamos ir à Itália.

— Então estamos dirigindo para o lado errado — falei. Hahaha. E então vi a seriedade no olhar de Daryn e me arrependi profundamente. Ela estava falando *sério*? — Negativo, Martin. Itália, não.

— Peste está lá. Temos que ir.

— Não vou para a Itália. Não vou levar essa busca sem sentido até a Itália.

— Então eu vou sozinha.

— Não, Daryn. Ir até a Itália não é o problema. Não sei o que estou protegendo. Não sei o que estou enfrentando. Não vou me arrastar pelo mundo inteiro. Existem muitas variáveis desconhecidas. Então... não.

Marcus afundou no banco e esfregou a nuca.

— Concordo — disse ele.

Odiei que ele tivesse dito aquilo. Eu estava certo, mas, quando ele concordava comigo, parecia que não.

— Ok — disse Daryn. — Então vamos eliminar uma coisa.

— Voto no Marcus — falei. E ganhei uma olhada feia vinda do outro lado da mesa.

— Quis dizer eliminar uma das variáveis desconhecidas — esclareceu Daryn, embora eu soubesse exatamente o que ela dissera.

Ela mordeu o lábio superior e pensou por um instante.

— Ainda não posso dizer o que estão protegendo. Por enquanto é melhor que apenas eu saiba por que...

— Por quê? — Eu já sabia o motivo, mas queria ter certeza de que Sebastian e Marcus também soubessem. — Continue, Martin.

— Porque é um objeto. Um objeto poderoso e divino que precisa continuar em segredo. Samrael, um dos membros da Ordem, pode ler a mente de vocês. Pode ver o que já viram. Pode vascular a mente das pessoas como se fossem fotografias, então quanto menos souberem sobre o objeto e sobre onde ele está, mais seguro será para todos nós. Mas posso falar mais sobre *ele*. Sobre *eles*. A Ordem.

Nosso garçom chegou para recolher os pratos, dando um momento para todos processarem a ideia de que éramos um slide-show ambulante para Samrael.

— Talvez vocês já tenham ouvido falar da Batalha pelo Paraíso — prosseguiu ela. — A queda de Lúcifer, que foi expulso de volta à terra por ser orgulhoso. É o conceito mais comum quando se fala de bem contra o mal. Lúcifer desafiou Deus e por isso foi expulso, assim como os anjos que o apoiaram. A Ordem era composta por sujeitados a Lúcifer. Eram todos seus servos, mas acabaram fazendo a mesma coisa que seu mestre. Porque também eram orgulhosos e rebeldes. Decidiram então que não queriam ser discípulos de Lúcifer e foram embora. — Daryn olhou para mim. — São desertores.

— E o que isso significa mesmo? — perguntou Sebastian, um instante depois.

Ele não estava sozinho na confusão.

— Saíram sem ter permissão — expliquei. — Fugiram.

— Isso — confirmou Daryn. — Eles deram as costas para Satanás.

— E isso não deveria ser bom? — perguntou Bastian.

— Não é — respondeu Daryn. — Eles não rejeitaram o mal como um todo. Apenas a estrutura de poder sob a qual estavam sujeitados. Continuam sendo criaturas más e se tornaram um problema porque se juntaram e ficaram mais fortes. Criaram mutações, espécies de... aberrações. Eles se escondem sob uma forma humana, mas não são humanos. E eles têm planos. Querem poder, independência. Já fizeram muito mal e vão fazer ainda mais se não tivermos sucesso em nossa missão. Estamos tentando impedir que isso aconteça.

— Vamos — garanti. — Vamos impedir.

— Sim — concordou Daryn. — Vamos impedir.

Sebastian fez uma careta. Parecia arrependido do café da manhã.

Pensei nos meus confrontos com Samrael no dormitório de Anna e no estúdio de cinema. Parando para pensar, eles realmente pareciam apressados. Samrael e o time dele tinham sido rápidos tanto para atacar quanto para bater em retirada. Com certeza não queriam demorar.

— Eles estão sendo perseguidos, não estão?

— Sim, é possível. Lúcifer não quer que eles ganhem ainda mais poder.

— Então eles estão sendo caçados pelo Demônio. E estão caçando a gente. Todo mundo caçando todo mundo. Mas o que está no final da caçada? O objeto dá o que a eles?

Mais do que nunca, eu precisava saber o que estávamos protegendo.

A mão de Daryn fez a mais leve menção de tocar a corrente em seu pescoço, mas ela se conteve. Colocou algumas mechas de cabelo atrás da orelha.

— Permitiria que eles estabelecessem seu próprio reino de poder.

— Um reino? — disse Marcus. — Com reis e coisas do tipo? É isso que eles querem criar?

— Na verdade, eles não podem criar nada. Estão tentando acessar o que não é deles através de um reino, uma dimensão, e já quase conseguiram uma vez. Eles quase roubaram o objeto, mas está conosco agora. Temos que mantê-lo seguro até que retorne ao seu lugar de origem. — Ela olhou para cada um de nós. — Preciso da ajuda de vocês para fazer isso, e de Peste, quando o encontrarmos.

— Tudo bem — falei. — Então, estamos numa missão contra uma facção dissidente de demônios que está tentando construir um segundo inferno?

— Isso mesmo. Construir é uma boa palavra. Eles querem poder. Se conseguirem esse reino, é possível que escravizem pessoas.

— *Escravizem* pessoas? — perguntou Bastian, com o rosto completamente pálido.

Marcus recostou os cotovelos e entrelaçou os dedos atrás da cabeça. Eu sabia exatamente como eles se sentiam, mas enfim estávamos recebendo algumas informações. Precisava extrair o máximo possível porque sabia que não duraria muito.

— Você disse que eles estão rastreando o objeto — comecei. — Como, exatamente?

— Já disse isso. Eles sentem a energia. E, com certeza, existem outras maneiras, mas não sei de todas.

— Realmente não sabe ou está selecionando informações para nos proteger?

Bas franziu a testa para mim.

— O que foi? Não é uma pergunta justa? Então, quais são as habilidades deles? — Eu sabia que Samrael tinha poderes mentais e a faca feita de osso. Alevar tinha asas. Não era tanta coisa. Havia muito a se aprender sobre nossos inimigos. — Pode falar sobre isso? Ou vamos voltar a brincar de adivinhar?

Daryn me lançou um olhar de raiva.

— Eu disse no início. Não posso contar tudo.

— É, mas não está dizendo quase nada. — E lá estava novamente. *Olá, temperamento. Bem-vindo de volta.*

Ficamos em silêncio por um segundo. E, então, Daryn disse:

— Gideon, posso falar com você a sós?

Sebastian e Marcus saíram da cabine antes que eu pudesse responder.

Daryn e eu nos encaramos. Perto demais, não tinha como olhar para nenhum lugar que não fosse ela, então me sentei no lugar de onde Bas tinha se levantado.

— Está fazendo isso por causa do que aconteceu mais cedo? — perguntou ela.

— Mais cedo?

— Você e eu.

Talvez tivesse a ver com a minha frustração. Mas apenas dei de ombros e disse:

— Até parece.

Ela baixou os olhos para a mesa.

Como assim? Ela estava *decepcionada*?

Bola fora número 3. Ou 20. Eu simplesmente não conseguia acertar uma.

Algo chamou a minha atenção na entrada do restaurante. Um grupo de motoqueiros, vestindo couro e tatuagens dos pés à cabeça, entrou, tirando as jaquetas e os capacetes. Não era a Ordem, mas estávamos ali havia tempo demais. Meu jipe começava a parecer um abrigo, embora não fosse. Mas pelo menos nos mantinha em movimento.

— Eu disse que contaria só uma coisa, mas já dei muito mais do que isso — disse Daryn.

Era verdade. Ainda assim não parecia suficiente.

Quando olhei novamente para ela, reparei que a corrente em volta do seu pescoço estava para fora do casaco. Uma chave pendia. Parecia pesada, antiga. Nada espetacular, mas nada comum também.

Era isso.

Tinha que ser esse o objeto procurado pela Ordem. Uma chave que abria reinos.

Olhei nos olhos dela. Calmos, como sempre.

Ela confiava em mim.

— A gente precisa ir para a Itália — lembrou ela, tranquilamente.

— Ok. — Inacreditável que eu estivesse concordando com aquilo. — Tudo bem. Como vamos chegar lá?

— Você.

Esfreguei as mãos e pensei. Eu tinha mil e tantos dólares guardados. Talvez fosse o suficiente para quatro passagens. Se não fosse, eu poderia me virar usando o cartão de crédito. Precisava descobrir os horários dos voos, se precisávamos de visto, mas tudo aquilo era possível. Só precisaríamos de um tempo.

— Quando a gente precisa estar lá?

— Amanhã.

Dei uma risada. Já passava das três da tarde.

— Daryn, não vejo como isso é possível.

— Mas é — assegurou ela, olhando para mim com a mesma expressão que tinha na festa de Joy. Como se me pedisse para aceitar o desafio. — Vamos pegar um voo hoje à noite. Vi a gente em uma avião de carga.

— Você *viu* a gente?

Ela fez que sim.

— Você nos fez chegar a tempo, Gideon. Agora só precisamos descobrir como.

Capítulo 31

A primeira parada em Los Angeles foi o meu banco, onde esvaziei a conta, retirando os quase dois mil dólares economizados com alguns bicos, aniversários, formatura e o soldo até então. Era o dinheiro que eu queria usar para ajudar a custear os estudos da Anna em Paris. E, agora, eu ia usá-lo para ir à Itália. Minha vida estava dando umas reviravoltas e tanto.

Sebastian foi comigo, e parece que o caixa também era ator e tinha feito uns testes com ele, então a transação demorou uns 15 anos para ser concluída. Deixei o banco com um pequeno envelope de dinheiro. Bastian saiu com uma sacola cheia de chaveiros, canecas e blocos de Post-it com a logo do banco.

Seguimos para uma loja de artigos esportivos e fomos às compras, graças a este que vos fala, acumulando roupas quentes de cores escuras, binóculos, um par de rádios de comunicação com GPS, corda, um kit de primeiros--socorros e um canivete, o que me pareceu desnecessário por motivos de espada mágica, mas também parecia necessário porque naquele momento eu tinha mais chances de fazer chover que de evocar minha arma. Entramos no jipe com nossas mochilas recém-compradas e cheias de suplementos, barras de cereal e garrafas d'água. Completamente equipados, embora equipamento não fosse a única coisa necessária para cumprirmos a missão.

Em seguida, paramos em uma loja de remessas internacionais para deixar um dos rádios, e gastamos uma pequena fortuna para enviá-lo dentro de um dia para o Ritz Carlton em Roma. De lá, seguimos para o aeroporto LAX. Eu me despedi do jipe, e foi mais difícil do que imaginava. Senti como se estivesse deixando um pedaço do meu pai, mas peguei a fita do Pearl Jam e guardei na mochila, o que me fez sentir um pouco melhor.

Por volta das 18 horas, deixei todos no terminal doméstico e fiz um reconhecimento de área na parte do aeroporto de onde saem os voos de carga.

Algumas horas depois, a etapa preparatória completa, encontrei o restante do pessoal e revisamos o plano bolado por mim. Chegava a hora da execução.

Pegamos o ônibus que fazia o *transfer* do aeroporto. Como era final de tarde, não estava muito cheio, mas Daryn ficou do meu lado, com a mão apoiada na barra de metal ao lado da minha. Reparei mais uma vez na corrente em seu pescoço. A chave estava guardada. Escondida dentro da roupa.

— Estamos quase lá — comentou ela. — Falta só um cavaleiro.

— Depois do três vem o quatro — falei, lendo os avisos das companhias aéreas que passavam do lado de fora. Eu tinha cometido um erro ao começar a gostar dela. Precisava dar um jeito de corrigir aquilo. Não era hora de acrescentar outras complicações ao bolo.

— Gideon...

— É melhor a gente se concentrar na missão.

— Era o que eu ia dizer, mas você não olha para mim.

Girei o corpo para encarar os olhos azuis dela.

— Você tem toda a minha atenção. Mais alguma coisa?

Ela não disse nada, mas o rosto ficou vermelho e a mão ao lado da minha se flexionou. Eu sabia que ela também sentia. A energia entre nós. Como dois ímãs que não conseguem se alinhar corretamente.

Marcus e Sebastian nos observavam. Sem disfarçar.

— Chegamos — avisei.

— Não que eu não queira, é só que...

— Precisamos descer, Daryn. — Ajeitei a mochila no ombro e saí do ônibus. — Pronto? — perguntei a Sebastian.

Ele fez um som que talvez tenha sido um sim, talvez uma leve regurgitação.

Para chegar ao terminal de cargas, tínhamos que passar por dois postos de segurança. Primeiro, por uma guarita que servia de entrada para um grande estacionamento tomado de pistolas semiautomáticas. Era o lugar onde as companhias de carga guardavam as encomendas antes de passá-las pelo posto de segurança seguinte em direção ao terminal dos aviões; seria nossa segunda transgressão, invadir o aeroporto em si.

O primeiro pátio era cercado por um muro de concreto com 3 metros e meio de altura, finalizado com uma cerca de arame farpado. A melhor maneira de entrada seria pela guarita.

Conferi a hora, e, então, Sebastian e eu disparamos naquela direção, Marcus e Daryn ficando para trás. Tínhamos dois minutos antes que as câmeras de segurança voltassem a funcionar.

O senhor dentro da guarita parou de fazer suas palavras-cruzadas e olhou para nós.

— Posso ajudar? — perguntou ele, surpreso. Aquela parte do aeroporto não permitia tráfego de pedestres.

De acordo com o plano, Sebastian deveria agir nesse momento, mas ele parecia prestes a desmaiar, o que não era o combinado.

— Sem pressa, cara — ironizei.

— Não consigo — disse ele. E em seguida abriu um sorriso sem graça para o homem.

O guarda retribuiu o sorriso, mas começava a demonstrar sinais de ansiedade.

— Vocês estão perdidos? — perguntou ele.

— Não. Quero dizer, *sim* — disse Bas, lançando um olhar suplicante para mim. — Já estamos de saída.

De jeito algum. Ele não ia amarelar. Busquei a raiva dentro de mim, o sentimento em potencial que estava sempre ali, e deixei a chama se acender. Olhei diretamente nos olhos do Bastian e lancei uma dose.

— Merda! — xingou ele, arregalando os olhos. — Gideon, o que você fez comigo?

Era a primeira vez que eu ouvia um palavrão sair da boca de Bas.

— Estou proporcionando um pouco de motivação. Agora é a sua vez, cara. A gente precisa de você. Encarne o personagem e faça acontecer.

Ele olhou para o guarda. Um segundo depois, o corpo do homem relaxou. Saltei pela janela e segurei o homem antes que caísse no chão.

— Ele parece bem, né? — perguntou Sebastian. — Ele não se machucou, né?

— Ele está bem. Só vai estar com uma leve dor de cabeça e confuso quando acordar.

Coloquei o corpo atrás da cadeira e tranquei a porta da guarita pelo lado de dentro para que ficasse seguro até a hora de acordar.

Encarei a escuridão. Daryn deveria aparecer a qualquer momento.

— Cara, estou me sentindo estranho — comentou Bastian, sacudindo os ombros. — Ansioso. É assim que você se sente o tempo todo? O que é mesmo que a gente tem que fazer agora?

Ele parecia um pouco elétrico demais, inquieto, mexendo a mandíbula como se rangesse os dentes. Eu me lembrei de Anna chorando depois de bater em Wyatt. Às vezes, minha habilidade tinha consequências que não eram muito boas.

Daryn e Marcus chegaram em seguida, ambos parecendo mais calmos que Bas.

— Ok, vamos nessa. Bem devagar. É apenas uma caminhada, pessoal — falei, enquanto entravamos no pátio. De um lado, havia galpões movimentados lotados de pallets e empilhadeiras. Levei a gente na direção contrária, para o lado escuro. Havia tantos caminhões ali que as luzes do estacionamento criavam um jogo de damas de luz e sombra. Perfeito para fazer qualquer um surtar. Cada caminhão era o esconderijo perfeito para um membro da Ordem. Até mesmo com meu treinamento para ficar calmo naquele tipo de situação, eu estava tomado de adrenalina.

Olhei de relance para Marcus. Parecia hostil e desconfiado. Achei que ele seria meu foco de preocupação, mas graças à dose de raiva que eu havia aplicado, Sebastian parecia exaltado e prestes a socar alguém.

Chegamos à cerca de arame que delineava a área do aeroporto. Dava para ver a pista de onde estávamos, fileiras de aviões de carga, caminhões de combustível e empilhadeiras por toda parte. Peguei o rádio/GPS da mochila e rastreei a posição da outra unidade que tínhamos despachado mais cedo.

— É isso aqui? — perguntou Daryn. Ela se inclinou perto de mim e olhou para o ponto na pequena tela que eu tinha em mãos. O aparelho indicava uma posição a 146 metros bem à nossa frente.

— É. — Olhei para a fileira de aviões, medindo as distâncias. — Nosso avião é o terceiro — chutei, mas o GPS me levaria na direção correta. Botei o rádio no bolso e tirei um alicate da mochila para abrir um pequeno buraco na cerca. Sebastian ficou agarrado e rasgou a manga, mas sobrevivemos e conseguimos passar. Estávamos dentro do aeroporto. Segunda transgressão completa.

Agora vinha a parte mais arriscada: andar até o avião. Eu sabia que haveria câmeras por toda parte e muita movimentação, então tínhamos que ficar próximo às sombras; sem despertar suspeitas.

O trajeto foi cumprido em tiros rápidos e curtos, comigo na dianteira e Marcus na ponta de trás. Todos se mexiam em silêncio, exceto Sebastian, tão discreto quanto uma girafa.

— Fique em silencio e se abaixe — sussurrei para ele.

Ele abaixou a cabeça, ficando quase invisível com 1,85 metro.

Estávamos a 30 metros do avião quando vi dois mecânicos de macacão azul se aproximarem. Rapidamente, mandei todo mundo entrar atrás de um caminhão de combustível.

Eles chegaram mais perto, passeando como se estivessem de folga. Pararam na frente do caminhão, perto o suficiente para que eu ouvisse um deles coçar a barba. Estavam implicando um com o outro por conta de uma aposta relacionada a um jogo de futebol.

Aquilo não era bom. Nosso avião decolaria em breve. Dava para ver a rampa de carga do ponto onde eu havia agachado. Estávamos *muito* perto. Suor escorria pelo meu peito e pelas costas. Seriamos presos se alguém nos visse. Eu seria fichado. O que tornaria praticamente impossível a chance de recuperar uma vida normal. Eu não podia estragar a missão.

Os mecânicos não saíam da frente do caminhão. Eles não conseguiam decidir o valor da aposta, vinte dólares ou um engradado de cerveja. Bastian não parava de se mexer, raspando o sapato no asfalto. Eu sabia que ele ainda se sentia exaltado por minha causa.

Eu me virei e lancei um olhar de *cale a boca* para ele. Ele tocou o bracelete, como se fosse um relógio.

— Me deixe acabar com eles! — sussurrou ele.

Mas eu não podia deixar isso acontecer. Um segurança apagado na guarita não levantaria suspeitas. Mas três? Não queria atrair esse tipo de atenção. Já tinha coisas demais fora do meu controle.

— *Gideon!* — Bas voltou a dizer.

Daryn se aproximou dele e articulou sem som, *Bas, fique quieto.*

Os homens pararam de falar. Marcus, que eu sabia ser capaz de lutar, trocou olhares comigo. Partir para a briga seria melhor que ser preso, mas nenhuma das duas soluções era boa. Balancei a cabeça, sinalizando que não. Por um instante, imaginei como seria contar aquela história para Cory, o que estava acontecendo ali, e como ele acharia incrível. Torcia para que ele tivesse a chance de fazer algo parecido um dia.

Os homens voltaram a conversar e partiram.

Conferi o GPS novamente. Última chance. Corremos para o 757 que eu tinha visto mais cedo. Quando nos aproximamos, ouvi o som do motor. Significava que o avião partiria em breve — ótimo. Levei todos diretamente para a rampa e então passei os olhos ao redor: pallets, caixas, nenhuma pessoa.

Tudo certo.

Ou talvez não.

Ouvi um gemido vindo do fundo avião.

— Fiquem atrás disso e esperem — exigi, indicando um dos contêineres. E então peguei meu canivete e segui na direção do som. O avião estava lotado de pallets de aço dos dois lados do corredor central. A cada passo que eu dava, o ambiente ficava mais escuro e o gemido mais alto. Segui o som até uma jaula de metal e me ajoelhei.

Silêncio.

Olhos dourados me encararam no escuro. Saquei minha lanterna de bolso e a acendi. Era um cão. Reconheci a raça: Malinois belga. Eram bastante usados em combate.

— Amigão, aguente firme que eu já volto.

Procurei algumas etiquetas nas caixas ao meu redor e confirmei que estávamos no avião certo. FIUMICINO, ROMA, IT. Marcus, Bastian e Daryn chegaram correndo.

— Tinha gente vindo — justificou Daryn.

Eu podia ouvir. A equipe de pista na traseira do avião confirmando a lista de tarefas.

Sinalizei para que meu grupo ficasse parado, e segui até o final da área de carga, em direção à cabine. Eu precisava cumprir três novos objetivos. Primeiro, confirmar que o cachorro era o único ser vivo a bordo — confirmado. Segundo, eu não achava que os pilotos fossem voltar para a área de carga, mas precisava trancar a porta do nosso lado — fiz isso com uma corda de nylon guardada na mochila. Terceiro, encontrar um lugar onde a gente pudesse se esconder durante o voo — feito.

O piso da aeronave era composto por um trilho elétrico — uma espécie de sistema de carrinhos para carregar os pallets —, mas, na metade do caminho, o trilho acabava. Nesse ponto surgiam vigas de aço tão grandes quanto os trilhos no piso, uma espécie de reforço, bem no centro, que criava um corredor amplo de mais ou menos 1 metro de largura. Em frente, mais pallets, que deviam ter sido carregados pela frente do avião. Notei uma embalagem de chocolate e uma guimba de cigarro no chão. Acho que não éramos os únicos a viajar clandestinamente.

Encontrei o resto do pessoal e os levei até o lugar.

— É apertado, mas deve funcionar.

O uivo das portas traseiras se fechando fez com que Bastian desse um pulo. As luzes claras no teto se apagaram, restando somente as mais fracas, de emergência, nos lançando à escuridão. Nos espalhamos pelo pequeno espaço e sentamos. Em 10 minutos, o avião estava no ar, os motores rugindo a todo volume.

Sebastian me deu um soco no ombro.

— Foi animal! Eu não sabia que seria tão *divertido*!

— Tente não gritar, que tal? Tem gente pilotando esse troço — falei.

— Pare de fingir que não foi incrível porque foi! — Ele me empurrou novamente. — Você é muito sinistro, Gideon!

Tive que sorrir.

— Você fez a parte mais difícil.

— É, mas você ficou todo "Espere aí, galera, fiquem calmos" — disse ele, fazendo uma cara muito intensa que eu realmente esperava que não fosse igual a minha. — Foi *animal*!

No final do corredor, Daryn se inclinou para a frente e sorriu. Não abriu a boca para fazer qualquer elogio, mas aquele parecia ser o momento certo caso assim quisesse. Mas tudo bem. Um sorriso já era bom.

Ótimo, na verdade.

A gente tinha conseguido. Estávamos em um avião com destino à Itália.

Mexi na minha mochila para achar um alicate e fiquei de pé.

— Aonde você vai? — perguntou Bas.

— Missão de resgate canino — expliquei e fui até o cachorro.

Capítulo 32

— **V**ocê foi até o cachorro e...? — perguntou Cordero, quando parei.
— Tirei a cadela de lá. Era uma fêmea.

— Legal da sua parte, Gideon. Gostaria de saber mais sobre a chave que você mencionou.

— Já retomo. Só estava pensando uma coisa. — *Por que Daryn está aqui?* Mas não posso perguntar a Cordero. Olho para Texas e, depois, para Beretta. Fiz o juramento da medalha de ouro. — Acabei de dizer que existem sete demônios vagando pela terra. Você não tem perguntas sobre isso?

Cordero sorri de forma irônica. Ela abre a boca para falar, mas fecha novamente.

— Estou esperando — responde ela, finalmente. — Você terminar.

— Está interessada em saber que a Ordem pegou a chave? E que no final de tudo eles a levaram até a Noruega? E que estão com ela neste exato momento?

— Claro que estou interessada. É por isso que estou ouvindo.

Ela até pode estar ouvindo, mas meio que não importa. O que importa é se ela *acredita* ou não em mim. Se acredita, por que não está surtando? Tomando medidas drásticas? Mas, se *não* acredita em mim, por que está aqui?

Cordero se levanta da cadeira.

— Vamos fazer mais um pequeno intervalo. Tenho certeza de que está ficando com fome. A barra de cereal não deve ter ajudado em muita coisa. Vou ver o que posso fazer.

Ela sai e leva Beretta consigo.

Conto até 60 antes de me dirigir a Texas.

— Só me diga uma coisa. Daryn veio por conta própria?

Ele me ignora. O aquecedor liga e faz barulho por um minuto antes que Texas me dê uma confirmação de cabeça que poderia ser medida em nanômetros.

E agora quero saber *por quê*. Por que ela voltou? A Ordem conseguiu o que queria. Nós perdemos. Eles ganharam. Então, por que ela voltou? A gente vai atrás deles de novo?

Beretta retorna com uma fatia gelada de pizza de muçarela. Estou prestes a terminar de comer quando Cordero volta, um furacão perfumado de alta potência. O cheiro é uma mistura de floricultura, seção de frutas e terra mexida, e não consigo me conter. Faço uma careta e tento disfarçá-la, mas é tarde demais. Cordero já viu.

Ela senta, ajeita a cadeira e repousa um lápis número 2 em cima do meu arquivo. Ao abri-lo, o lápis rola para a ponta da mesa e cai no chão.

Vejo tijolos vermelhos. Meu pai caindo. E, instantaneamente, e de forma violenta, a pizza golpeia meu esôfago tentando fazer o caminho inverso.

Sabe-se lá como eu consigo mantê-la dentro de mim.

Texas dá um passo à frente e pega o lápis. Os olhos dele me observam antes que ele devolva o objeto a Cordero. Beretta também está me olhando.

Cordero sente a tensão. Ela olha para cada um de nós, e então se dá conta.

— Ah, Gideon! — exclama ela. — Me desculpe. — Ela guarda o lápis no bolso do paletó e tira a caneta que estava usando anteriormente. — Desculpe. Não me dei conta.

Balanço a cabeça porque não consigo falar. Não me parece comum a ela não pensar. Será que ela fez aquilo de *propósito*? Mas por que faria isso?

Estou ansioso, sinto uma inquietação. Eu estava pensando em algo importante. Agora só consigo pensar no meu pai caindo do telhado de um bangalô amarelo.

— Pronto para continuar? — pergunta Cordero.

Capítulo 33

O avião de carga era frio, desconfortável e barulhento. Ou seja, muito parecido com um avião militar. Os motores rugiam como uma dúzia de britadeiras ligadas ao mesmo tempo, algo exaustivo até mesmo com os tampões de ouvido que tínhamos comprado. Marcus vedou os ouvidos com eles e apagou em 10 minutos de voo.

Deixei Sebastian encarregado da cadela. A pastora, Lia, estava tão assustada que mal conseguia andar quando a tiramos da jaula. Tive que carregá-la até onde estávamos. Disse para Bas fazer carinho nela e se certificar de que estivesse bem. Era o que eu queria ter feito, mas ele ainda estava agitado por causa da raiva que evoquei nele. Achei que, se procurasse acalmar Lia, talvez se acalmasse também, e estava certo. Em pouco tempo os dois estavam completamente apagados.

Gastei um tempinho localizando o outro rádio porque achei que seria útil em algum momento. Estava em um dos contêineres, e o encontrei quando estávamos passando sobre Scottsdale, Arizona. Estava ficando tarde, mas eu não conseguia dormir. Reparei que Daryn, do outro lado do corredor, ao lado de Marcus, também não. Ela segurava uma lanterna de bolso enquanto escrevia em seu caderno. Deslizei o rádio até ela. Daryn olhou para mim, guardou o objeto na mochila e voltou a escrever.

Voltei a me sentar e pensei no que ela dissera mais cedo, na lanchonete. Estávamos enfrentando *demônios*. Eu estivera tão concentrado em manter o grupo seguro e a bordo do avião que não tinha conseguido pensar sobre o assunto. Agora, tempo era tudo que eu tinha.

Sendo soldado do exército norte-americano, eu estava preparado para fazer o que me fosse pedido porque acreditava, com toda a convicção, que o uniforme dos Rangers representava a defesa da independência e da liberdade do país que eu amo. Havia escolhido me alistar porque assim poderia lutar e porque, enquanto houvesse guerra, pessoas como eu seriam necessárias. Eu tinha zero problemas em relação a fazer o que fosse preciso para manter pessoas inocentes em segurança. Zero. Ponto final, exclamação e um grito de guerra.

Mas eu não sentia essa mesma clareza desde que tinha me tornado Guerra. Não sabia por que eu estava lutando — ou sequer quem estava enfrentando. Mas, sentado ali naquele avião, as peças começaram a se encaixar. Demônios eram o inimigo, mas ainda era meu papel manter pessoas inocentes em segurança. Fiquei profundamente aliviado ao perceber isso.

Ruminei esse pensamento por um tempo, mas continuava sem sono. Pensei em como Bastian conseguia evocar sua balança e seu cavalo com tanta facilidade. Eu precisava atingir o mesmo nível de eficiência com meus instrumentos. Passei um tempo tentando evocar minha espada ao pensar no bracelete, repetindo *Aqui. Apareça. Agora.* Depois tentei rezar, algo que eu não fazia havia muito tempo. Também não funcionou, mas me senti melhor, como se tivesse sentido falta daquilo. Então, tentei meditar, algo que nunca fiz... E acabei descobrindo que sou péssimo. Nada funcionava. A espada havia me abandonado.

Então deixei para lá.

No aeroporto, eu havia pedido para Daryn comprar um guia da Itália para mim. Tirei o livro e a lanterna da mochila e passei algumas horas lendo, observando cuidadosamente os mapas de Roma e as rotas dos principais meios de transporte; estações de trem, ônibus, barcas etc. Eu sempre fui bom aluno, mas minha mente funcionava melhor em missões. Quando os detalhes eram importantes, eu conseguia absorver muita coisa. Decorei o guia de viagem. Quando sobrevoamos o estado do Arkansas, eu já tinha construído um mapa preciso de Roma na cabeça e bolado algumas ideias para nos tirar em segurança do avião e pisar em solo italiano.

Meus olhos ardiam de cansaço e da leitura, então guardei o guia. Apontei a lanterna para meus companheiros e confirmei que Marcus e Sebastian ainda dormiam. Os olhos de Marcus tremulavam enlouquecidamente, no meio de um pesadelo terrível, o que me deixou muito feliz. A alguns passos, Daryn fingia dormir. Deduzi isso porque, quando pousei a luz em seu rosto, ela me mostrou o dedo do meio.

Apoiei as costas e sorri no escuro por um instante. Depois, peguei meu rádio e o aproximei da boca antes que eu mudasse de ideia.

— Chamando Agente Especial Daryn Martin. Responda, por favor, Srta. Martin. Guerra falando. Câmbio.

Por causa do barulho do motor eu não conseguia ouvir, mas Daryn tinha recebido a mensagem. Observei enquanto ela remexia na mochila. Alguns segundos depois, a voz dela surgiu no meu rádio.

— Sim, Gideon?

Apertei o botão.

— Confirmado?

— Confirmado o quê?

— Acabei de chamar você aqui, e você disse sim.

— Você não quis dizer isso.

— Mas você respondeu mesmo assim. Venha cá.

— Não.

— Você está atrapalhando o equilíbrio do avião. Vamos ficar dando voltas até você vir.

— Seu ego está equilibrando muito bem o lado daí.

Dei uma risada.

— Isso é outro não?

— Afirmativo.

— O que você escreveu sobre mim no seu caderno?

Dessa vez, ela riu, mas não para o rádio. Ouvi a risada a distância, em meio ao barulho do motor.

— Na verdade, eu estava mesmo escrevendo sobre você. Foi ótimo hoje. Obrigada por ter conseguido trazer a gente até aqui. Eu sabia que conseguiria, mas... obrigada.

Olhei para o rádio. Ela escrevera sobre meu *feito* ou sobre *mim*? Havia uma grande diferença. Mas ainda assim era incrível. Fazia muito tempo desde que um elogio me afetava tanto. Estranho, porque ela era basicamente uma desconhecida. Estávamos juntos havia muitos dias, mas eu ainda não sabia quase nada sobre ela. O que me deu uma ideia.

Apertei o botão de transmissão.

— Daryn. Diga três coisas sobre você. Pense nisso como uma recompensa pelo meu bom trabalho. Só três. Podem ser qualquer coisa.

Houve um grande momento no qual nada se ouvia além do barulho do motor. Fiquei esperando que ela me dissesse não. Bastian e Marcus continuavam dormindo.

— Ok — concordou ela, finalmente. — Três coisas. Primeira... eu tenho uma irmã. Ela se chama Josie. Josephine. É quatro anos mais velha que eu e é uma nerd que trabalha com ciência. Se perguntar qualquer coisa sobre planetas, o tempo, a tabela periódica ou *qualquer* pergunta científica, ela vai saber a resposta. Ela é *muito* inteligente. Ela sempre soube, desde criança, que queria ser médica. Aposto que deve começar a especialização em breve. Ela queria estudar na Purdue. Aposto que vai conseguir. Josie... ela realiza as coisas que planeja. É incrível... Sinto falta dela.

— Qual foi a última vez que a viu? — perguntei.

— Duzentos e oitenta e um dias atrás. E isso conta como a segunda coisa porque acabei de responder outra pergunta...

Apertei o botão.

— Era uma pergunta relacionada à primeira, e não brinque com isso. Tive muito trabalho para conseguir essas informações, então nem tente trapacear.

— Você se irrita com muita facilidade — disse ela, rindo.

— Culpa sua.

— Então não é por que você tem um péssimo temperamento?

— Não mude de assunto. Segunda coisa, anda.

— Tudo bem. Segunda coisa. Bem, vamos ver... No ano passado eu fiquei três meses internada em um hospital psiquiátrico, que tal? Foi logo quando comecei a apagar e acordar com informações. Antes de entender de verdade. Na época eu achei que estava enlouquecendo. Literalmente, porque minha mãe sofre de depressão e ansiedade, e às vezes a coisa fica feia. É muito difícil para ela. Para todos nós, a família inteira. Então, quando comecei a desmaiar, os médicos acharam que fosse algum distúrbio psiquiátrico, porém manifestado de outra maneira. Acho que no começo eu também pensei isso. Meu time de psiquiatras, e era um time mesmo, recomendou veementemente minha internação. Meus pais concordaram, e eu não discordei, então terminei em um hospital particular no Maine.

"Na verdade, tive que fugir, senão ainda estaria lá. Você ficaria orgulhoso. Foi totalmente *A fuga de Alcatraz*. Tive que cavar um buraco e rastejar sob uma cerca. Cortei as costas no processo. Doeu demais. Fiquei com uma cicatriz gigante que só consigo ver quando olho no espelho — três linhas verticais, como se eu tivesse sido atacada por um tigre. Era bem bizarra no início. Mas enfim... Consegui. Fugi e nunca mais passei perto daquele lugar ou voltei para casa."

Meu coração estava acelerado com aquela história. Eu queria voltar no tempo e ajudá-la a fugir daquele hospital no Maine. E eu queria saber mais sobre ela. Muito mais.

— Por que você não voltou para casa?

— Porque nada mudou. A minha vida é assim. Esse processo nunca vai parar. Sempre preciso partir. Sempre preciso ir aonde sou necessária. E seria difícil demais ver minha família e ter que me despedir novamente. Seria difícil demais para *eles*. Faço o possível para tornar as coisas mais fáceis. Alguns meses atrás mandei um cartão postal da Croácia dizendo que eu estava viajando pelo mundo, tentando me encontrar, e que eles não precisavam se preocupar. Espero que tenha ajudado. É melhor do que saber a verdade.

Eu conseguia entender. Eu mesmo tinha deixado Anna e minha mãe sem uma explicação ou um adeus.

— Já perdeu o interesse? — perguntou Daryn. — Está me imaginando em uma camisa de força?

— Era esse o plano? Boa, Martin. Mas não funcionou. Agora gosto ainda mais de você.

Não era para eu ter deixado escapar a última parte, mas lá estava. E ficou ali pairando por vários e vários segundos. Eu não fazia ideia do que Daryn tinha achado. Nenhuma ideia. Minha confiança morria a cada instante.

E então, ela disse:

— Não quer saber a terceira coisa?

Apertei o botão.

— Com certeza. Manda ver.

Eu estava pronto para ouvir mais 300 coisas.

— Essa é um pouco diferente. Acabei de perceber, meio que por uma revelação, que... adoro os seus olhos. — A voz dela havia se tornado suave e calma, portanto eu não estava certo de ter escutado direito até ela voltar a falar. — São incríveis. Tão azuis e objetivos, às vezes. Em outros momentos, quando você não está sendo sarcástico ou rebelde, quando presta atenção em alguma coisa ou simplesmente dirige, vejo uma quantidade imensa de humor neles. Humor e bondade. Algumas vezes pego você me olhando e o que vejo no seu olhar me faz esquecer de tudo. O que sou, o que faço e... volto a ser apenas uma garota. Uma garota que fica nervosa por causa de um cara com os olhos azuis mais bonitos que já vi. Eu me sinto tão normal... Tão normal e tão bem...

Eu não sabia o que dizer. Acho que até tinha desaprendido a falar. Meu coração batia freneticamente dentro do peito. Finalmente, consegui me recompor para dar uma resposta.

— Então, está me dizendo que eu faço você se sentir alguém extremamente comum?

Ela riu.

— Sim. Você me faz sentir perfeitamente ordinária. É a melhor sensação.

— Daryn... Dare. Vem aqui. — Não falei "por favor", mas estava subentendido. Eu queria que ela ficasse perto de mim. Estava enlouquecendo de tanto desejo.

Mas eu sabia que não seria possível. Cada segundo que passava abria mais 1 quilômetro entre nós. Se aquela era mesmo a vida de Daryn — cartões postais da Croácia? —, então eu começava a entender a necessidade de se manter distante. Não era fácil se apegar às pessoas tendo que ir embora constantemente. Eu era de uma família de militares, então sabia bem como ela se sentia.

— É melhor a gente descansar — disse ela. — Agente Especial Daryn Martin desligando. Boa noite, Gideon.

— Boa noite, chefa.

Desliguei o rádio. Mas demorei muito a dormir.

Capítulo 34

A cordei morrendo de fome, cansado e parcialmente surdo, mas pronto para coordenar nossa entrada na Itália. Quatro passageiros clandestinos saltando de um avião de carga na pista do aeroporto de Fiumicino com certeza chamariam atenção. Então estava na hora do planejamento.

Fique de pé, alonguei o corpo, coloquei Lia de volta na jaula e deixei uma barra de cereal lá dentro. Sebastian e Marcus já tinham acordado, mas Daryn, usando meu moletom dos Giants como travesseiro, ainda estava apagada.

Pensei na nossa conversa pelo rádio. Eu queria me informar melhor sobre depressão para conversar com ela sem parecer um idiota. E a cicatriz nas costas? Com certeza eu queria ver aquilo. Ela agia como se fosse algo feio, mas aquilo era impossível. E a última coisa que ela disse? Chocante.

Conferi a hora e decidi deixar que ela dormisse mais um pouco. Ainda tínhamos tempo. Havíamos deixado Los Angeles às 23h55. Voos diretos para Roma demoravam cerca de 12 horas, e estávamos com uma diferença de nove horas no fuso-horário. Isso faria com que desembarcássemos de noite também, por volta de 21h30, horário local. De noite era melhor. O escuro oferecia mais opções. Ajustei o relógio. Se meus cálculos estivessem corretos, aterrissaríamos em meia hora.

Fui até a parte traseira do avião, onde o espaço era maior, e apresentei para Marcus e Sebastian o plano de desembarque que evitaria nossa prisão.

— Eu cuido disso — avisou Marcus, antes que eu terminasse. — Tenho uma ideia.

Apontei a lanterna para ele.

— Não. Não sem me contar sobre a ideia primeiro e sem a minha aprovação.

Ele fechou a cara, apertando os olhos contra a luz.

— Você não manda em mim. Acha que porque passou um mês no exército sabe de alguma coisa? Você não sabe *nada* do mundo real.

Eu não sabia quem havia contado que eu era do exército; Bastian ou Daryn, é claro. De qualquer forma, aquilo não me agradou.

— A gente encontra Doença, e eu vou embora — disse Marcus.

— Você quis dizer Peste — corrigiu Bas.

— Até porque a doença a gente já encontrou, parceiro.

— Quem você está chamando de *parceiro*? — Ele me deu um empurrão no peito.

Respondi imediatamente com um soco, mas Sebastian se enfiou entre nós e não consegui desviar a tempo. Atingi a parte de trás da cabeça dele, o que o fez cair. Marcus veio na minha direção. Levei um soco na testa, mas ainda assim me desequilibrei. Minha cabeça foi arremessada, e meu corpo, obrigado a segui-la. Bati em um pallet de aço.

Lia latia. Eu sabia que Marcus atacaria novamente, mas o som do trem de pouso me fez parar.

Percebi duas coisas naquele momento. Na verdade, três. Primeiro, Marcus tinha se aproveitado do meu lapso momentâneo de atenção para me dar um soco na têmpora. Segundo, Bastian e Daryn, perto de nós, discutiam em pânico sobre como lidar com nós dois. Terceiro, meus cálculos de tempo estavam completamente errados. O avião ia aterrissar *naquele segundo*.

O soco de Marcus criou manchas de luz em minha visão, daquelas que doem, como se o sol estivesse refletido por espelhos. Depois vi tudo vermelho, como se meus vasos tivessem estourado. Quando recuperei a visão, Daryn e Bastian haviam se posicionado entre Marcus e eu. Eles conversavam, mas eu não conseguia ouvir. Algum blá-blá-blá sobre *sombra*.

— Sombra de quem? — Marcus perguntou a Bas.

— Meu cavalo — explicou Bastian. — Dei o nome de Sombra para ela. Parecia que ela merecia um nome. — Ele olhou para mim, todo preocupado.

— Lia tem nome, por que minha égua não pode ter um também?

— Acho que ele deve evocá-la quando aterrissarmos — disse Daryn.

Fiquei ali sem reação por um instante, tentando acompanhar. E então, falei:

— O que voc...?

O chão tremeu, e as rodas tocaram a terra.

Ficamos imóveis e, em seguida, congelados. Até Lia tinha parado de latir. Estávamos em Roma.

Itália.

E continuávamos sem um plano.

— Agora, Bastian — exigiu Daryn. — Evoque Sombra agora.

— Não! *Não* faça isso, Sebastian.

— Não sei o que fazer, Gideon! Você disse que Daryn estava no comando! — gritou Sebastian. E, então, ele fechou os olhos por um instante e lá estava.

Sombra surgiu do mesmo jeito que havia surgido no estúdio de gravação... uma fumaça preta e retorcida tomando a forma de um cavalo até se solidificar bem na nossa frente, entre os pallets e a porta traseira. Mais uma vez, fiquei abalado com tanta beleza, uma égua completamente negra. Na luz difusa do avião, ela seria praticamente invisível se estivesse parada. Mas assim que tomou forma, Sombra começou a se mexer com nervosismo, a luz turva refletindo o movimento dos músculos e crina, as ferraduras batendo no chão de aço.

Marcus, que olhava fixamente para Sombra, parecia legitimamente abalado. Eu me perguntei se aquela era a primeira vez que ele via um dos cavalos.

— Vá até lá, Bastian — disse Daryn. — Precisa acalmá-la.

Ele obedeceu imediatamente, aproximando-se da égua com cuidado.

— Ei. Está tudo bem. Sou eu.

Ele estendeu as mãos e se aproximou mais. Aos poucos, os movimentos de Sombra se acalmaram. Os olhos ficaram mais gentis, cada vez mais concentrados em Bastian. As orelhas dobraram-se para a frente, como se o escutasse. Finalmente a égua resfolegou longamente e relaxou.

— Muito bem. — Bastian levantou a mão e passou os dedos na linha do focinho. — Boa garota. — E então ele se virou para nós, o rosto tomado por emoções: surpresa, felicidade, orgulho. Bastian abriu um sorriso enorme.

— Ela é incrível, né? Então, o que a gente faz agora?

Eles formavam uma ótima dupla; meio lânguidos e *feitos um para o outro*. Um par de vasos. Pensei no meu cavalo — uma criatura que era a personificação da agressividade e aparentemente feita de fogo — e, por um instante, quase senti pena de mim mesmo, mas tinha assuntos mais importantes para resolver. O avião estava contornando a pista, mas não por muito tempo.

— Boa pergunta, Bas. — Meu plano inicial seria entrarmos em um dos contêineres. Só que não havia mais tempo para isso. Olhei para Daryn. Ela já tinha visto aquela cena. Era hora de fazer o que fosse possível. — E agora, Martin? Qual é o plano?

— Estava pensando se não é melhor eu sair primeiro com Bastian e Sombra? Podemos usá-la como distração para que você e Marcus saiam em seguida.

— E depois?

Ela deu de ombros.

— Bastian e eu vamos blefar. Vamos agir como se não soubéssemos o que está acontecendo. Se a gente fingir que está confuso, vão pensar que o erro não foi nosso, mas deles. Talvez não tenham recebido a papelada, sei lá. A gente dá um jeito.

— Entendi. Então vamos usar a velha estratégia chamada *Mandei um cavalo por FedEx*? Um clássico. Sempre funciona.

— Teve alguma ideia melhor enquanto você e Marcus caíam na porrada? Além do mais, tem um *cachorro* a bordo. E quais são as outras opções? A gente não pode simplesmente sair andando do avião.

— Daryn, sair com 20 pessoas do avião ainda seria uma ideia melhor do que esse cavalo! — Como era possível ela querer levar aquela ideia adiante? — Mande Sombra embora, Sebastian. Agora.

Nosso melhor instrumento era Bas, não a égua dele.

Ele passou as mãos pelo cabelo bagunçado.

— Não posso, Gideon. Ela acabou de se acalmar. Só agora está começando a confiar em mim e se eu a mandar...

O avião freou, e nós cambaleamos.

Agarrei o ombro dele.

— Fique pronto para apagar as pessoas, ok? Peguem suas coisas e não façam mais nada que eu não mandar.

Peguei a corda na minha mochila e dei um pequeno nó na ponta.

— Para que serve isso? — perguntou Daryn.

— Sabe o que chama ainda mais atenção do que descarregar um cavalo de um avião? Fazer isso sem uma guia. — Joguei a corda para Sebastian. — Põe isso em volta do pescoço dela.

Assim que ele se moveu na direção de Sombra, a égua soltou um leve grunhido e retesou.

— Amarre, Sebastian.

— Tem certeza? — perguntou ele.

Eu não tinha certeza. A cada passo que ele dava na direção do animal, a égua preta ficava mais agitada... e então era tarde demais.

Um golpe de ar fresco me atingiu quando a porta traseira se abriu. Começaram a baixar a rampa. Uma luz branca artificial invadiu o avião. Em seguida vieram os sons: o apito constante de um caminhão manobrando. Vozes. Falavam italiano, mas o tom era universal: pessoas batendo papo conforme trabalham.

A rampa já estava na metade da altura quando ouvi um som metálico furioso e vi um borrão preto e fino. Sombra se lançou para fora do avião com a mesma aptidão para o drama de seu cavaleiro, as patas compridas avançando no ar, o rabo estalando como um chicote preto.

E, então, ouvi apenas... gritos.

Capítulo 35

Tentei absorver a cena enquanto descia a rampa correndo.

A mais ou menos 20 metros de distância, Sombra corria em um círculo estreito, tentando achar uma maneira de passar pelas pessoas, caminhões e outros obstáculos que a encurralavam. Cada pessoa no local tinha parado o que fazia para observá-la. Dois operários de carga a encaravam, chocados, ignorando as caixas que caíam de uma esteira diretamente no asfalto. Uma mulher saltou de dentro de uma van e procurava de forma estabanada pelo rádio na cintura. Próximo de mim, um homem careca caiu de joelhos e fez o sinal da cruz.

Daryn agarrou meu braço.

— Gideon, olhe!

A 50 metros, dois agentes alfandegários italianos saíam às pressas de um carro, ambos carregando rifles. Sebastian também os viu, e correu para tentar salvar Sombra.

— Espere! — Segurei Sebastian pela camisa. — Ela pertence a você, Sebastian. Se você entrar em pânico, *todo mundo* vai entrar em pânico. — Forcei a corda na mão dele. — Vá até lá e controle a situação.

Sebastian me olhou chocado.

— Não posso colocar isso nela!

— *Ande*, Sebastian.

— Gideon, isso não vai funcionar!

Marcus olhou de mim para Sebastian e então saiu em disparada.

Era a pior decisão possível. Até então, Sombra havia feito o que Daryn esperava: criado uma distração. Assim que Marcus saiu correndo, nós também fomos percebidos.

— *Stai fermo!* — gritaram os guardas. Ambos empunharam os rifles e dividiram a mira; um em Sombra, outro em Marcus.

— Vá! — disse Daryn. — Pegue Marcus. Vou ajudar Bas.

Foi a decisão certa. Eu já tinha decidido que seguiria Marcus, pressentindo um potencial maior para desastres. Corri atrás dele, com as mãos para cima a fim de que os guardas as vissem.

— Está tudo bem! Está tudo bem! — gritei. — Ele só se assustou!

— *Fermati!* — gritaram os dois. — *Parem!*

Mas Marcus continuou correndo em direção ao terminal, então fiz o mesmo. Três tiros em sequência saíram de um rifle — *pow, pow, pow* —, e Marcus caiu no chão. Só me restava aumentar a intensidade da coisa.

Eles atiraram novamente assim que o alcancei. Marcus já estava se levantando, mas golpeei as costas dele, o que o fez correr automaticamente. Seguimos para o lugar seguro mais próximo, uma van, e nos jogamos atrás dela. Empurrei Marcus contra o carro.

— Eu te odeio! — exclamei, ofegante. Sangue escorria dos meus dedos. Meu ou dele? Marcus agarrou o ombro. Estava sangrando. Era dele.

Ele fez uma careta, claramente com dor.

— Cara, *não enche.*

A van estava destrancada, e as chaves, na ignição — primeira sorte do dia. Abri a porta traseira e o arrastei para dentro.

— Faça pressão no ombro. Talvez assim você não morra.

Quando dei mais uma volta na van, Sebastian e Sombra não estavam em lugar algum. Tinham desaparecido. Daryn estava agachada sob a rampa do avião, mas todas as outras pessoas também sumiram. Um tiroteio causava isso. E então olhei novamente e vi duas sombras na pista. Os agentes alfandegários. Ambos de cara no chão, com facas de osso enfiadas nas costas.

Não.

Daryn me viu, saltou de trás da rampa e veio correndo pelo mesmo caminho que Marcus e eu havíamos acabado de percorrer.

— Não! Daryn, *não!* — gritei.

A Ordem estava ali.

Samrael caminhou casualmente até os corpos caídos. Mais quatro indivíduos o acompanhavam. Pyro, o mais jovem, com uma energia desconfiada.

Ronwae e seu cabelo vermelho. Malaphar, com sua cara de fuinha e terno grande demais. E um demônio que eu ainda não conhecia. Uma mulher de aproximadamente 30 anos. Alta, com dreads e corpo musculoso.

Samrael se agachou e puxou uma das facas. Depois, levantou-se e olhou para mim e, em seguida, para Daryn.

Daryn estava na metade do caminho. Fazia muito esforço. Temi que ela jamais me alcançasse. Fui tomado pelo instinto e corri até ela. Eu estava desarmado, sem qualquer forma de cobertura. Fiz a única coisa que podia: me coloquei entre ela e a Ordem.

Por algum motivo chegamos vivos até a van. Demos a volta e abri a porta do carona.

Ela entrou correndo.

— Vamos! Vamos! — gritou ela.

Nos fundos da van, Marcus estava jogado em uma pilha de caixas, segurando o ombro.

Balancei a cabeça.

— *Bas.*

— Gideon! A gente precisa sair daqui!

Mas eu já estava em movimento. Me agachei e passei os olhos na frente da van.

A Ordem não havia se mexido. Circundavam Samrael, que tinha os olhos fixados em mim e sorria.

Corri os olhos pela pista, pelos aviões de carga gigantes e pelos caminhões de serviço. Onde Bas tinha se metido?

Um golpe invisível atingiu meus olhos. A dor era violenta e súbita, como uma porta fechada na cara. Encolhi o corpo contra a van.

Samrael não estava medindo esforços dessa vez. Não era apenas uma leve pressão de dedos. Era uma chave de fenda perfurando meu crânio. Minha mente cedeu com um estalo. Eu estava de volta ao túnel de escuridão. E, então, uma imagem apareceu diante de mim. Eu estava vendo Daryn no elevador a caminho da Agência Herald. Meu foco se moveu dos olhos azuis dela para a corrente de prata grossa em volta do seu pescoço.

É isso aqui?

Eu não queria que ele soubesse.

Aaaah. É, sim. É isso que está tentando esconder de mim? Vamos olhar mais um pouco.

Vi flashes. Alguma coisa na velocidade de um raio vasculhando minha memória.

Daryn no meu jipe, dormindo enrolada...

O teste de elenco de Sebastian, ele olhando para as mãos...

O bizarro cara alado no deserto...

Então você conheceu Alevar, não é? Sentiu pena dele, Gideon? Ele causa certa empatia, não? Com aqueles olhos cegos e o rosto que diz "me ajude". É nosso membro mais fraco, mas não fique esperançoso. Ainda assim ele é terrível. E você ainda não conheceu Ra'om. Ra'om compensa bem nosso pequeno Alevar.

O borrão voltou.

Daryn no ônibus do transfer do aeroporto, onde tínhamos encarado um ao outro...

A toalha ensanguentada dentro do carro de Marcus...

Daryn na lanchonete a caminho de Los Angeles, quando tínhamos ficado sozinhos...

Muito bem. Veja só. É isso, não é? Ela disse a você que isso era a chave?

Por que ele estava me perguntando? A chave estava bem ali. Visível. A primeira e única vez que a vi.

— Gideon, *por favor*! Me escute! Preste atenção. *Me escute.*

Com o som da voz de Daryn, o mundo real voltou a ficar mais próximo. Eu continuava sentado, as costas apoiadas no para-lama. Daryn estava ajoelhada diante de mim, as mãos seguravam meu rosto e ela me olhava diretamente nos olhos.

— Volte, Gideon. Volte. Por favor, por favor. Conto três coisas novas sobre mim se você voltar.

Eu não conseguia responder. A conexão entre o cérebro e a boca parecia cortada.

Daryn espiou atrás da van e arregalou os olhos de medo. Imaginei o que ela havia visto. Samrael se aproximava.

— Gideon — disse ela, desesperada —, é uma boa proposta. Eu nunca falo de mim mesma, então aceitaria se fosse você. Três coisas. Dez coisas. Por favor, volte.

Tentei, mas Samrael me segurou.

Vocês acham que podem fugir, mas não podem. Estamos sempre atrás de vocês. Acima de vocês. Entre vocês. Poupe nosso tempo e traga a chave para mim. É simples, Gideon.

Aos poucos, senti que Daryn havia me levantado e me arrastado até a porta do carona. Garota forte. Muito forte.

Mais do que você imagina.

— Entre! — gritou ela, tentando me empurrar para o banco. — Marcus, me ajude!

Meu corpo estava voltando. Minha mente também. Senti meus pés e me ergui para o banco da van. E então me lembrei de Sebastian e cambaleei para fora.

Daryn e Marcus soltaram palavrões enquanto eu me arrastava em volta da van novamente — desta vez em direção ao campo aberto. Eu não podia deixar Bas para trás. Não era assim que eu agia. Não era assim que *eu* agia.

É o treinamento do exército.

É o coração do soldado, seu demônio de merda.

Agora eu olhava diretamente para Samrael. Ele estava a 30 metros de distância, segurando uma de suas lâminas pálidas ao lado do corpo. Sirenes urravam e piscavam do outro lado da pista do aeroporto, acelerando em nossa direção pela noite escura.

— Qual é o problema? — perguntei. — Não aguenta um xingamentozinho de nada?

Nesse momento ele me largou, libertando completamente minha mente com um recuo agressivo, como se eu tivesse acertado um ponto fraco. Em seguida, ele se virou para Pyro e disse:

— Enfim, chegou seu momento, meu irmão. Queime-o.

Imediatamente, Pyro abriu os braços. Um fogo de chama branca subia das palmas das mãos dele. Emitindo uma luz brilhante e intensa. Eu a vi por um segundo antes se serem lançadas em minha direção.

Desviei, me jogando no chão. Uma explosão eclodiu na noite, emanando uma onda de calor em seu rastro. Um ar quente subiu pelas minhas narinas e desceu pela garganta quando tentei respirar. Lutando para ficar de pé, olhei para a van, apertando os olhos para a claridade e o calor das chamas.

Entrei em pânico. Estava quase completamente tomada pelo fogo.

Daryn e Marcus estavam lá dentro.

Corri, pensando apenas que precisava alcançá-los.

A porta traseira da van se abriu assim que a alcancei, e Marcus me puxou para dentro.

— Vamos! — gritou ele.

Saltei para dentro, caindo sobre a pilha de caixas. Daryn pisou no acelerador, Marcus e eu fomos arremessados para os fundos enquanto fugíamos dali.

Estávamos em chamas, mas vivos.

Capítulo 36

Enquanto nos afastávamos daquele avião de carga, quis encontrar um hangar onde a gente pudesse se esconder e esperar que Sebastian e Sombra aparecessem. Mas não tinha a menor chance de isso acontecer.

A lateral da van continuava em chamas; era noite. Impossível não sermos vistos.

Não tínhamos opção a não ser continuar fugindo.

Não notei Samrael ou nenhum dos outros membros da Ordem atrás de nós, mas avistamos a polícia. Duas viaturas italianas. Daryn conseguiu tirar uma delas da nossa cola graças à sua habilidade incrível ao volante. Tiramos a outra quando chegamos à *autoestrada* e pegamos um retorno subitamente, o que fez a viatura sair da pista.

Marcus estava no fundo da van, observando o carro pelo vidro traseiro. Ele sentou, apoiando-se contra a porta. Quando vi sua expressão de surpresa, sabia que tinha usado sua habilidade. Ele havia atingido a pessoa atrás do volante com uma dose cavalar de medo, fazendo com que o motorista entrasse em pânico e virasse o volante.

— Por que não usou isso três minutos atrás? — gritei.

— Eu tentei!

— Tentou usar isso na Ordem?

— Acabei de dizer isso, cara. Tentei, mas não funcionou.

— *Merda.*

Recostei no assento.

— Acha que eles pegaram Sebastian? — perguntou Marcus após um instante de silêncio. — Não consegui ver o que aconteceu com ele.

Não respondi. Estava irritado demais. Bas havia sumido. E nossas habilidades sequer funcionavam contra nossos inimigos. Para que elas *serviam*?

A única boa notícia naquele momento era que o fogo na lateral da van estava quase completamente extinto.

— Gideon — disse Daryn. — Bas conseguiu fugir. A situação estava caótica, mas tenho quase certeza de que ele conseguiu. Vamos encontrar Peste e depois voltamos para buscar Sebastian.

Tirei o rádio da mochila com os dedos trêmulos. Não podia acreditar que havíamos deixado Fome para trás. O sangue pulsava em meus ouvidos, e meu rosto parecia ter sido queimado.

— Para onde estamos indo, Daryn? Onde está Peste?

— No Vaticano.

Que surpresa.

— São 10 horas da noite. A gente vai agora?

Ela me olhou.

— Daryn. A gente vai agora?

— Sim. O mais rápido possível.

— Porque nosso amigo, Samrael, também deve estar indo para lá, certo? Por que eles estão sempre dois passos na frente? O que você não contou? Parece que está tentando tornar as coisas ainda *mais* difíceis que o necessário.

— Qual é o seu problema? — perguntou Marcus.

Eu devia ter controlado a situação. Era esse o meu problema. Havíamos perdido Sebastian, Marcus levou um tiro, e eu fui atingido por mais uma porrada mental porque não controlei nem organizei a situação. Eu tinha mais treinamento que o restante do pessoal. Devia ter coordenado tudo, estabelecido um ponto de encontro caso nos perdêssemos. Mas não tinha feito nenhuma dessas coisas e agora tínhamos um cavaleiro a menos.

Eu havia me acostumado a receber sinais do bracelete, dizendo quando Sebastian ou Marcus estavam por perto. Agora que Sebastian estava desaparecido, eu podia *sentir* sua falta. A única vibração vinha de Marcus. Isso não era bom.

Peguei as coordenadas para o Vaticano no GPS do rádio, passei para Daryn e pulei para o banco de trás.

— Me deixe ver seu ferimento.

Marcus olhou para mim, como se estivesse me fazendo um favor, depois tirou o moletom e arrancou a blusa.

Morte tinha sido sorteado na loteria dos ferimentos à bala. Ela havia atravessado o deltóide e o músculo, até sair do outro lado. Observei o ponto de entrada e de saída do projétil, e a ferida já não sangrava tanto. Tirei o kit de primeiros-socorros da mochila, apliquei spray antisséptico e envolvi o ferimento com gaze.

— Mantenha pressionado.

Marcus baixou a camisa e voltou para o fundo da van. Olhei para aqueles olhos ingratos e cogitei abrir as portas e arremessá-lo para fora. Ele era desrespeitoso, tinha uma energia negativa, era rebelde, egoísta. Tudo que eu odiava.

Voltei ao banco do carona e tentei pensar aonde Sebastian teria ido. Panteão? A escadaria da Praça de Espanha? Será que estaria no Vaticano? Ou a Ordem o alcançaria primeiro?

— Gideon, você precisa se acalmar — pediu Daryn.

Eu estava tentando. Queria bater em algo, mas ainda não tinha feito isso. Já me sentia vitorioso.

Com a ajuda do GPS, orientei Daryn pelas ruas até uma igreja — uma imensa construção gótica, decorada com pináculos e estátuas angelicais — e me dei conta de onde estava. Sempre esperei que minha primeira viagem para fora dos Estados Unidos fosse por conta de uma missão militar, mas agora eu estava ali. Na Itália.

— Isso não é o Vaticano — disse Daryn.

— Vamos nos livrar da van.

Pegamos nossas mochilas e trocamos a van por um Fiat detonado. Quebrei uma das janelas, arrebentei o protetor de plástico sob o volante com minha faca Bowie, liguei alguns cabos. E fomos embora. Se nossa missão dependesse de roubar carros, já teríamos conseguido.

Meia hora depois, estacionei o carro na via della Conciliazione, em frente à praça de São Pedro. Eu tinha lido no guia que o enclave do Vaticano era cercado por um muro de pedra e que aquele seria o melhor ponto de entrada. Logo adiante, vi o famoso obelisco ao centro da imensa praça pavimentada. No lado oposto, dava para ver a basílica de São Pedro, a fileira de santos esculpidos em mármore iluminada lá no alto. Era um lugar impressionante, repleto de história e de arte, com um ar sagrado que dava para sentir na pele. Eu me concentrei no aspecto segurança.

Dois membros da Guarda Suíça estavam posicionados a algumas centenas de metros, debaixo do arco. Tinha lido no guia de viagem sobre as armas e o treinamento deles. Eram guerreiros extremamente competentes e jamais deveriam deixar um companheiro para trás.

Eu precisava terminar aquela missão para voltar a me concentrar em achar Sebastian. Meu bracelete era uma espécie de GPS entre os cavaleiros. Se eu chegasse perto o bastante de Bas, conseguiria captar um sinal e encontrá-lo. Roma era uma cidade grande. Poderia demorar dias, semanas talvez. Mas não importava. Eu iria encontrá-lo.

Quando senti que estava pronto, segurei a mochila com mais força e olhei para Daryn.

— Tem alguma coisa que queira me dizer antes que eu vá? O nome dele? Onde ele deve estar? Ou você quer continuar tornando o desafio cada vez maior?

— Jode. O nome dele é Jode, e a gente deveria encontrá-lo aqui, hoje. Em algum lugar. E você não está facilitando, caso não tenha notado.

— E Sebastian? Onde ele está?

— Não sei.

— O que significa que a gente não deveria ter saído de lá sem ele.

— A gente saiu porque precisou sair! Por favor, para de agir como se você fosse o único sofrendo com isso, ok?

Balancei a cabeça. Daryn não entendia. Deixar alguém para trás ia contra tudo em que eu acreditava.

Ela soltou um longo suspiro.

— Samrael estava perto demais — disse ela, calmamente. — Se tivéssemos ficado, poderíamos ter perdido tudo.

Poderíamos? Lembrei de como Samrael encontrara minha lembrança de Daryn na lanchonete. Ela usava a corrente naquela hora e agora também. Uma chave sagrada pendurada na ponta, algo que Samrael já vira. E se meus pensamentos já tivessem comprometido nossa missão?

A vontade de contar isso a Daryn era imensa. Ela merecia saber — era ela quem carregava o negócio —, mas eu não era capaz de dizer aquelas palavras. Não com Marcus no banco traseiro. Não com tudo que eu já fizera de errado. Eu estava decepcionando todo mundo, mas isso seria diferente.

— Vamos dar um passo de cada vez — decidi. — Marcus precisa ficar aqui. — A gente não podia andar por aí com um cara sangrando. Teríamos que nos separar. — E você?

— Também vou ficar — disse Daryn.

Claro. Imaginei que sim.

— Ok. Fique com o rádio ligado. Enviarei minha localização, caso a gente precise. Senão, fiquem aqui. Volto em duas horas, não importa o que aconteça. — Virei para o banco de trás. — Prepare-se para usar a foice, Morte. E não saia de perto dela, senão eu mesmo mato você. Está entendendo?

Marcus me respondeu apenas com um olhar.

Saí do Fiat, mas algo me impedia de ir embora. Voltei o corpo na direção do carro. Daryn continuava com os olhos fixos no para-brisa. Eu queria dizer alguma coisa. O quê? O que eu queria dizer? Muitas coisas, na verdade, mas não havia tempo suficiente. Ela também não parecia interessada em me escutar.

Então, fechei a porta do carro e parti.

Capítulo 37

— **P**are um instante, Gideon.

— Ok.

Quando volto a reparar na sala, percebo que a lâmpada pisca ainda mais e faz um leve som metálico. Está nas últimas. Em alguns minutos ficaremos no escuro total.

Olho de Texas para Beretta. Depois para Cordero.

Parece que ninguém reparou nesse detalhe.

— Você deixou Sebastian no aeroporto? — pergunta Cordero.

Baixo os olhos para as abraçadeiras de plástico que me prendem àquela cadeira. Estou com os punhos cerrados. Abro as mãos. Obrigo-as a relaxarem.

— Não tive a intenção de que soasse como uma crítica. Tenho certeza de que não teve escolha.

— Tudo bem. — Fui eu que fiz aquilo. Sofrerei as consequências.

— Então, você deixou Sebastian lá — continua ela — e foi para o Vaticano. E depois?

Levanto os olhos. Sério? Ela precisava ter *repetido* aquilo?

Cordero ergue as sobrancelhas, como se não tivesse entendido, mas Texas e Beretta se entreolham.

— Você trabalha para o departamento de segurança nacional? — pergunto. — Para a CIA? Não consigo descobrir.

Ela sorri.

— Talvez devesse parar de tentar. Sei que está cansado, mas estamos quase no fim, não é mesmo?

Faço que sim. Depois da Itália, fomos para a Noruega. Onde ficamos até perdermos a chave. Onde eu achava que Daryn tinha ficado. Lembrei do rosto dela ali, no corredor.

O que ela está fazendo *aqui*?

— Vamos em frente — diz Cordero. — Você deixou Sebastian para trás e chegou ao Vaticano. O que aconteceu em seguida?

Capítulo 38

E ram quase 11 da noite quando comecei a percorrer as colunas. Meu plano era simples. Um, permanecer vivo. Dois, caminhar por ali até o bracelete me alertar da presença de Peste. Três, dar o fora. Com Peste, vivos.

Parte de mim queria que a Ordem aparecesse. Levar uma surra deles estava virando rotina e aquilo precisava acabar. Eu queria uma chance mínima — ou grandiosa — para me vingar; eu tinha uma espada e um cavalo de fogo, às vezes, e a habilidade de instigar raiva nas pessoas. Meus instrumentos não me deixavam propriamente inferior em um confronto.

Mesmo tão tarde da noite, turistas passeavam pelo local, tirando fotos. Tentei me misturar a eles enquanto prestava atenção na posição dos guardas e fazia o reconhecimento básico do Vaticano. Como sempre, minha concentração estava mais aguçada pelo ar fresco e por estar em movimento. Eu ainda trazia um cheiro de queimado entranhado em mim, e meus olhos ardiam, mas eu havia deixado o incidente do aeroporto para trás.

Dei uma volta inteira na praça, estudando o lugar. Na segunda volta, gastei alguns minutos observando a ala que abrigava os museus do Vaticano. Em algum lugar ali dentro estava a Capela Sistina, lar da obra mais famosa de Michelangelo. Pensei na minha irmã, que deveria estar ali comigo, apreciando toda aquela cultura e história. Depois, pensei na minha mãe e olhei de relance para um telefone público, visualizando *certa* ligação.

Oi, mãe. Foi mal eu ter sumido. Estava ocupado protegendo uma chave sagrada da mão de alguns demônios. Não, é isso mesmo. Demônios. Tem uma garota comandando tudo. Daryn. Eu sei, é um nome estranho, mas gosto dela. Isso mesmo. Gosto dela nesse sentido. Se é recíproco? Não. Na verdade, acho que ela me odeia no momento. Foi mal deixar você animada.

Tudo bem. Tudo bem, mãe. Já falei que sim. Mãe, pode parar? Já concordei umas dez vezes. Prometo que vou ser mais legal com ela. A gente pode falar sobre outro assunto agora?

Provavelmente não seria assim, mas me fez sorrir. Eu só esperava que ela estivesse bem.

Depois de duas horas vagando, ainda não tinha sentido a presença de Peste e começava a ficar ansioso. Era quase uma da manhã, e o lugar tinha esvaziado. Os guardas começavam a suspeitar de mim. Algo parecia errado. Daryn e eu havíamos achado Bastian e Marcus logo de cara. Aquilo estava demorando demais.

Passei um rádio para eles avisando que demoraria mais 15 minutos. Em seguida, peguei um caminho mal iluminado que levava até um portão de ferro vigiado por dois guardas. Os jardins do Vaticano.

— Está fechado, né? — perguntei, embora eu soubesse que não me responderiam. Do outro lado do portão, avistei uma extensão de escuridão total. Eu tinha lido sobre aquele lugar no guia; jardins ordenados em padrões geométricos, cada arbusto milimetricamente modelado, nenhuma folha fora do lugar. Em outras palavras, meu tipo de jardim predileto.

Meus olhos se ajustaram, e comecei a identificar os formatos dos arbustos. Uma cerca viva aparada, e então uma trilha. Meus olhos se desviaram para a esquerda, buscando a simetria, e vi um borrão em movimento.

Fiquei tenso, e o guarda menor olhou para mim.

— Boa noite — cumprimentei, e comecei a andar.

Casualmente, estendi a mão e me certifiquei de que minha faca ainda estava no bolso de fora da mochila. O caminho seguia em curva e ficava cada vez mais escuro conforme o portão de ferro se transformava em um enorme muro de cimento. Agora eu estava sozinho — nenhum guarda à vista. Meu coração pulsava dentro do peito. Começou a cair uma leve garoa no caminho de volta à via della Conciliazione. Eu precisava voltar para Daryn e Marcus. Estava com uma sensação forte de que a Ordem havia nos encontrado novamente. Precisávamos ir embora. Eu não podia perder mais ninguém.

O Fiat não estava no lugar de origem. Assim que percebi a falta dele, mudei de percurso, na direção contrária ao Vaticano.

Virei em uma rua residencial e saquei o rádio do bolso enquanto as solas do meu sapato deslizavam nas pedras escorregadias.

— Daryn, cadê vocês?

Reparei que o meu bracelete vibrava, mas não era Bas nem Marcus. O tom no meu braço era diferente. Era Peste. Ele estava ali em algum lugar. Minha folga tinha chegado ao fim; agora tudo seria rápido demais.

— O que está acontecendo, Daryn? Fale comigo. — Eu tentei novamente.

Não havia mais ninguém na rua, que estava na penumbra, mal iluminada por postes escassos. De ambos os lados da rua, prédios residenciais de seis a oito andares se elevavam, as janelas cobertas pela escuridão do horário tardio. Avistei diversas garagens subterrâneas, portões sombreados e pequenos becos. Eram todos lugares perfeitos para a Ordem ficar à espreita. Pensando que eu poderia sofrer uma *emboscada*, desci o meio-fio e caminhei pelo meio da rua.

O rádio deu sinal de vida.

— Gideon... tivemos que sair... tentamos avi...

Ouvi apenas trechos do que ela dizia, mas o medo em sua voz era inconfundível. Fui tomado pela adrenalina. Apertei o botão de comunicação.

— Não entendi, Daryn. Fale devagar. Onde vocês estão?

— Desculpe. Eu precisei...

Parei. Encarei o rádio.

Por favor. De novo, não. Não com ela.

Nenhuma resposta. Movimentei a tela do GPS com rapidez para achar a localização do Fiat.

Fiquei arrepiado quando vi uma sombra desenhada no paralelepípedo molhado. Senti uma rajada de vento e olhei para cima. Por um momento, vi asas pretas batendo acima de mim. E então Alevar aterrissou a alguns passos de distância, tocando o chão sem fazer qualquer barulho.

Fui tomado pelo medo. Agarrei minha faca e congelei quando o rádio deu sinal de vida na minha mão.

Estática. Apenas estática.

Alevar se pôs de quatro e recolheu as asas. Virou a cabeça na direção do som, tentando ouvir enquanto me observava com aqueles imensos olhos de súplica.

Eu precisava da minha faca, mas ela continuava presa à mochila. O corpo de Alevar estava curvado, como um sapo, compacto e pronto para saltar. Ele chegaria a mim em um pulo, tinha certeza. Poderia rasgar minha garganta com seus dentes antes mesmo que eu alcançasse a faca.

— O que você quer?

Minha voz estava rouca, a respiração fraca demais.

Ele rastejou na minha direção, a cabeça ainda inclinada. Marcas em um padrão elaborado seguiam por sua testa e pelo couro cabeludo, brilhando levemente como os olhos da criatura. Som, percebi, olhando para suas grandes orelhas dobradas. Ele estava tentando me localizar pelo som, em resposta à estática do rádio.

Ele veio em minha direção. Estava quase me tocando.

— *Pare.*

Ele baixou as orelhas e o corpo, abraçando a calçada. Em seguida, esticou o braço ossudo e apontou para o rádio.

Eu mostrei o objeto a ele.

— É isso que você quer? Nem pensar.

Ele gesticulou novamente, ainda mais afobado. Suas garras curvas eram da cor de aço maciço.

— Daryn? O que diabos você está tentando me dizer? De que lado você está...

A voz de Daryn surgiu na escuridão, um grito abafado de pura dor. Não estava vindo do rádio, mas de algum lugar no final da rua.

Saí correndo.

Alevar subiu para o céu.

Daryn parecia estar perto. Procurei por ela nas sombras da rua, minhas pernas trêmulas, a mochila batendo contra a lombar. Cadê você, Daryn?

Tinha quase alcançado a esquina quando Samrael surgiu da escuridão de um beco escondido e se colocou no meio do caminho.

Não diminuí a velocidade. Dei de cara com ele, e a colisão emitiu uma onda de choque por todo meu corpo. Nós nos agarramos, lutando para permanecer de pé. Ele era forte; eu não conseguia segurá-lo. Samrael se desvencilhou e me empurrou.

— Cadê Daryn? — gritei.

Quando o encarei, me lembrei do que eu tinha visto na festa da Joy. Agonia e dor. Medo e angústia. Estava tudo ali atrás daquele olhar inexpressivo. O potencial para o mal.

— Em algum lugar, Gideon. — Ele sorriu, desfrutando do meu pânico. — Ela, com certeza, está em algum lugar.

Um punho invisível atingiu minha testa, e eu cambaleei. Era ele, mas eu não podia cair nessa de novo. A raiva dentro de mim ganhou um único objetivo: *impedi-lo*.

Eu sabia que tinha conjurado minha espada antes mesmo de senti-la na mão.

Dei o golpe mais forte possível, de baixo para cima. Samrael esquivou, mas a ponta da lâmina abriu um talho em seu queixo. Um sangue escuro começou a escorrer, descendo pelo pescoço.

— Cadê ela? — perguntei mais uma vez.

— Você está ficando mais forte, Gideon — constatou ele, os olhos estudando a arma na minha mão. Ele tocou o pescoço e observou o sangue nos dedos, tomado pela raiva. — Onde está Alevar? — perguntou ele, olhando através de mim. — Você sabe, não é?

Alevar estava agachado alguns passos atrás de mim. Ele engatinhou até Samrael e curvou a cabeça num ato de submissão enquanto as asas dobradas brilhavam por causa da garoa.

— Ele gosta de você — disse Samrael. — Mandei que buscasse a chave, e você o distraiu. — Samrael repousou a mão sobre Alevar, acariciando a cabeça suave da criatura, que estremeceu e se abaixou ainda mais. — Talvez eu espere demais dele. Uma criaturinha tão ingênua. Não tem sequer um pensamento lógico. Gostar. Desgostar. Odiar. Matar. É basicamente tudo que ele sabe fazer.

Alevar olhou para mim com seus olhos cegos. Não sentia o mal vindo dele. Não como sentia de Samrael.

— Vá em frente — disse Samrael, bajulando a criatura. — Não posso negar a oportunidade de se exibir para seu novo amigo. Mostre seu dom para Gideon. — Alevar não se mexeu. Samrael removeu sua mão do demônio alado. — Não sei por que você ainda tenta não me obedecer.

Alevar soltou um grunhido agudo, reagindo a uma dor que eu conhecia bem. Ele caiu para trás, distanciando-se de Samrael, depois ficou de pé e abriu as asas.

Eram fantásticas. Enormes. E então vi a escuridão escoar de suas penas. Uma escuridão que se assemelhava a uma tinta empoçada aos pés dele. Alevar sacudiu as asas e a escuridão se espalhou, rolando pelas ruas em ondas.

Eu já tinha visto aquilo antes. Do lado de fora do dormitório da minha irmã, na noite que eu havia perseguido Samrael. No deserto, quando Alevar tinha aparecido bem na minha frente. Provavelmente era o método usado por ele para se aproximar despercebido.

Eu não enxergava mais nada do outro lado da rua. A luz dos postes estava fraca e fria. Um conjunto de sombras formando um negrume total. Alevar preenchia a quadra com escuridão.

— Basta, Alevar. — Samrael sorriu para mim. — Não é um cavalo de fogo, mas ainda assim é impressionante, não acha?

Minha atenção foi desviada para o final da rua. Outros membros da Ordem estavam a caminho, surgindo das sombras. Pyro e Malaphar vinham juntos. O passo de Pyro era curto, desconfiado, e seu olhar tinha um ar insano. Completamente o oposto, Malaphar se arrastava desajeitadamente pela rua. Eles vinham na nossa direção, mas outros dois demônios — as mulheres, Ronwae e a musculosa de dreadlocks — se posicionaram uma de cada lado da rua, fazendo guarda.

Lembrei que a Ordem também era fugitiva. Eram rebeldes.

Havia seis deles ali. Faltava apenas um.

Eu não tinha saída. Estava cercado.

Samrael limpou o sangue do queixo mais uma vez.

— Sabe que ela está usando você, Gideon? Daryn? Você é apenas um instrumento para ela conseguir o que deseja. Vi na mente dela.

— Não. Você não pode ver a mente dela, senão não estaria se dando o trabalho de vir até mim. E ela também não está com você. Caso contrário vocês não estariam aqui.

Aquilo era uma armadilha... para mim.

Samrael me encarou.

— Bem pensado — admitiu ele. — Tenho inveja da habilidade dela. Consigo ver apenas o que os outros pensam, mas o conhecimento dela não tem limites. Ela pode ver o passado e o futuro. O que dificulta muito sua captura. — Ele ergueu a palma da mão enquanto falava. Um pedaço de osso surgiu através da pele e deslizou para fora. Tinha o formato de uma lâmina e era do tamanho do braço dele. Meu estômago se revirou ao ver aquilo. — Como deve ser para ela? Será que ela já viu a sua morte, por exemplo? Pode imaginar isso, cavaleiro? A sua *morte*? Pyro. Malaphar. Vamos ajudá-lo a imaginar.

Eles se aproximaram ao mesmo tempo, o skatista e o mendigo. Pareciam inofensivos, mas não eram. Fui atingido pelo fedor que emanava deles: terra rançosa e morte.

Pyro estendeu a mão, criando uma chama branca. Levou-a até o rosto de Malaphar, iluminando a pele e os olhos escuros do homem envelhecido.

O rosto humano de Malaphar sumiu, e então vi uma criatura monstruosa como Samrael, mas com deformações diferentes. Ele tinha partes derretidas. Pele caída. Era horrendo. Um boneco de cera esquecido ao sol. Em seguida, ele virou um borrão mais uma vez, e fiquei diante de Daryn.

Ela sorriu, mas não era seu sorriso. Era totalmente diferente.

Eu me sentia atraído pela Daryn igual me sentia pelo mar. Mas aquela garota apenas me causava repulsa.

— Você vai morrer, Gideon. Muito em breve — anunciou ela.

A voz de Daryn. *Exatamente* igual, mas com uma entonação estranha.

— Vou torcer a faca enfiada em suas costas quando menos esperar.

Eu sabia que não era ela, mas meu corpo não se importava. Uma forte dor atravessou minha garganta.

Malaphar ria quando retornou à forma humana. De volta ao fracote de cabelo ralo e pele enrugada. Ele soltou uma enorme risada espalhafatosa que fez Alevar se esconder dentro das asas.

— Não foi como eu esperava, Malaphar — disse Samrael, com um tom divertido. — Mas talvez tenha melhorado. A sua cara era uma obra de arte, Gideon. Você tinha que ver. Gosto muito do nosso tempo junto. — Ele lançou um olhar para as mulheres-demônio que estavam à espreita, ansiosas. — Mas não podemos nos demorar mais. Ra'om quer falar com você. Parece que ele perdeu a paciência com a sua teimosia...

Ataquei Samrael com toda minha força, mas ele estava preparado. O demônio desviou e devolveu o golpe com sua faca comprida. Nossas lâminas se encontraram, então desviei e ataquei novamente. Repetimos o movimento algumas vezes, mas ele era mais rápido e mais ágil. Experiente naquele tipo de combate. Eu não era páreo para ele. Samrael me prendeu contra a parede de um prédio com um movimento extremamente rápido e imobilizou o braço que segurava a espada.

— Não tente lutar, Gideon. — Ele posicionou a lâmina no meu pescoço. E então a pressão sobre meus olhos recomeçou. Era ele forçando sua entrada em meu cérebro. — Pare de resistir. Isso, muito bem. Sei que é difícil para você, mas quanto mais cedo isso acabar, mais cedo encontraremos a chave... e mataremos você.

O mundo se fechou sobre mim. Aquele túnel confuso de escuridão havia se tornado uma tortura recorrente. Eu me entreguei a ela.

— Logo verá — disse Samrael, enquanto eu me entregava mais. Muito além do que das outras vezes. A escuridão se fechou à minha volta, engolindo toda a luz. Apagando tudo, até que eu não visse mais a rua ou Samrael.

Até aquele momento havia apenas uma escuridão completa, e eu estava perdido dentro dela.

À deriva.

E então ouvi um grunhido grave, reptiliano, e, da escuridão, surgiram olhos intensamente vermelhos.

Ra'om.

O sétimo demônio.

Aquilo não podia ser bom.

Os olhos vermelhos se aproximaram, levitando. Vi as pupilas pretas, curvas como foices. Depois, o formato de uma grossa sobrancelha coberta por escamas cinzentas feito pedra molhada. Ambas extremamente grossas. Do tamanho da minha mão.

Olá, Gideon.

A voz era um pesadelo. Perversa. Vibrante. O som da maldade.

O medo percorreu meu corpo, como uma corrente.

Ra'om se aproximou, e um focinho enorme, com dentes grandes, tão afiados quanto espadas, apareceu. A língua preta se batia contra eles, salivante. Ele mudou de posição, revelando mais de sua forma. Exibindo flashes de seu corpo enorme. De suas asas. Da corcova com espinhos pontiagudos.

Ele não merecia ser chamado de dragão. Eu nunca tinha visto um dragão tão pavoroso. O poder maléfico que Ra'om emanava era hipnótico e forte demais para tentar compreender.

É essa a ideia, Gideon. Fico feliz de saber que você concorda. Samrael me disse que você é um tipo difícil. Não cooperativo e resistente. Mas acredito que eu possa convencê-lo a trazer a chave para nós.

Ra'om recuou sem aviso, voltando para a escuridão.

Entrei em pânico. Aquilo não era igual ao poder de Samrael. Eu não sabia o que esperar. O que estava acontecendo?

Uma imagem se formou na minha frente, surgindo da escuridão.

Era minha mãe, parada em um gramado, com um vestido preto voando ao vento. Lágrimas escorreram pelo meu rosto. Eu conhecia aquela imagem. Aquele lugar. Era o cemitério nas montanhas de Santa Cruz, onde meu pai estava enterrado.

Minha mãe baixou os olhos para a lápide dele, e o nome gravado tomou forma.

Gideon Christopher Blake

Mas aquilo estava errado. O nome do meu pai era Christopher Gideon Blake. Meus pais haviam me dado o mesmo nome, mas invertido.

Eu estava vendo o *meu* próprio funeral. Estava vendo minha mãe de luto por *mim*.

Será que é o suficiente para convencê-lo?, perguntou Ra'om. *Ou talvez isso?*

A imagem se desfez e foi substituída por outra.

Era Anna. Deitada no chão de um quarto vazio, ela balançava o corpo curvado no piso sujo de concreto. Estava chorando e arrancando pedaços do cabelo escuro. Rasgou o próprio rosto com as unhas até sangrar, enquanto me implorava para que eu acabasse com aquilo.

Eu. Como se eu estivesse fazendo aquilo com ela.

Isso. Estou incomodando você, não estou? Que tal agora, Gideon?

A imagem mudou novamente, e vi uma festa. Estava tudo escuro e fora de foco, a não ser pelo brilho dourado do cabelo de Daryn. Caminhei na direção dela, lutando para passar pela multidão. Quando finalmente a alcancei, vi que não estava sozinha. Daryn estava envolvida pelo braço de um cara, sorrindo para ele, como se fossem um casal. E então ele olhou para mim e vi que era Samrael. E, por algum motivo, eu sabia que ela estava com ele porque eu havia falhado. Porque eu a decepcionara.

Vê-los juntos estava me matando, mas eu não podia ir embora. Não conseguia sequer falar.

Só podia assistir.

Depois vi minha própria imagem. Eu, de pé sobre o telhado de madeira empenado de um bangalô amarelo em Half Moon Bay. Aos meus pés, meu pai se agarrava à calha, prestes a cair. Ele olhou para mim e pediu ajuda. Se eu não ajudasse, ele morreria.

Eu me abaixei. Peguei o lápis amarelo de dentro da calha. Depois me levantei e fiquei olhando seus dedos perderem a força. Fiquei olhando enquanto ele caía sobre os tijolos vermelhos da calçada abaixo. Apenas olhei.

Quer mais, Gideon? Ou vai me trazer a chave?

Capítulo 39

Depois daquilo, formou-se um buraco no tempo. Eu não estava consciente, mas também não estava inconsciente. Estava preso em algum lugar intermediário.

Lembro apenas de alguns trechos do que aconteceu em seguida. A mulher de dreadlocks erguendo a cabeça, emitindo um som longo e grave. Samrael me libertando e partindo com os outros membros da Ordem. Em resposta a uma ameaça que era maior que eu. Ra'om me libertou — e isso era tudo que importava —, mas ainda não estava completamente livre.

Fui tomado por um enjoo. Digno de revirar o estômago, como ter uma concussão e o enjoo por estar num carro em movimento juntos, tudo isso somado à sensação de que meu cérebro tinha sido completamente vasculhado.

Dobrei as pernas e tentei respirar, superar a tremedeira nos músculos, a tosse e o gosto amargo na boca. Demorei muitos minutos para recuperar algum controle. Quando levantei e olhei ao meu redor, me senti fraco e desorientado.

A escuridão que tinha sido espalhada pelas asas de Alevar começava a sumir. Sob o brilho dos postes, as pedras molhadas pareciam ouro, as janelas dos apartamentos pareciam cristal. A noite nunca tinha me parecido tão clara.

Percebi que eu não estava mais com a minha espada. Lembrava vagamente de que tinha tentado conjurá-la outra vez quando Samrael me apresentou a Ra'om. Eu havia usado o mesmo sentimento que tinha funcionado antes. Com um único objetivo. Com uma intenção clara. Estava quase certo de que conseguiria fazer aquilo de novo.

Pelo menos eu tinha conseguido uma coisa boa com aquilo tudo.

Quando voltei ao normal, reparei que alguém me observava do final da rua. Um cara de casaco escuro, sentado nos degraus de um prédio. Cabelo louro. Pelo que eu podia ver, mais ou menos da minha idade. Tinha a impressão de que ele estava ali havia alguns minutos, enquanto eu colocava meu estômago para fora. Também conseguia ter bastante certeza de quem ele era graças ao bracelete, mas não fui imediatamente em sua direção. Ainda não me sentia confiante para isso.

— Gideon!

Daryn e Marcus chegaram correndo pelo outro lado da rua. Daryn pulou em meus braços. Puxei-a para perto e a abracei com força, precisando sentir que ela era de verdade. Ra'om havia devastado alguma parte minha que eu ainda não tinha recuperado.

— O que aconteceu? — perguntou Daryn, afastando o corpo. — Gideon, seu nariz.

— Não sei. — Agora eu estava sentindo... o inchaço e a dor. E o gosto de sangue na boca. — Eles me ferraram. Daryn, onde vocês se meterem?

Parecia que a minha voz tinha sido triturada e eu estava com dificuldade de concentração. Daryn estava bem na minha frente, mas eu precisava lembrar a todo instante que ela estava ok. E que a minha mãe e Anna também.

Marcus desviou o olhar, reparando a presença do cara nos degraus.

— A gente teve que sair de lá — explicou Daryn. — Tentei falar com você pelo rádio. Sei que você queria que a gente ficasse, mas Alevar nos viu e foi embora. A gente achou que ele buscaria o resto da Ordem.

Ela olhou para Marcus, esperando que ele entrasse na conversa para dar uma explicação.

— Faz tempo que ele está ali? — perguntou Marcus, sem tirar os olhos de Peste.

— Dez minutos.

Ele não disse mais nada, mas nós dois sabíamos o que precisava ser feito. Saímos correndo como dois mísseis movidos a calor humano.

Peste saltou de pé quando nos viu chegando. Correu escada abaixo e partiu pela rua, mas Marcus acelerou, cortando a rota de fuga do cara. Cheguei por trás e conseguimos deixá-lo sem saída.

Peste olhou de Marcus para mim, como se não conseguisse decidir quem parecia ser menos perigoso. Ele se virou para mim. Escolha errada.

— Oi, cara — cumprimentei. — Você se chama Jode?

— Quem é você? — perguntou ele, franzindo o rosto com os olhos injetados.

O sotaque era inconfundível. Jode era inglês. E, a julgar pelas roupas que vestia, rico. Um trench coat de abotoamento duplo. Estilo pescador, mas do tipo que se vê em passarelas, não em deques. Ele estava com dificuldade de ficar parado e fedia a álcool.

Era tudo que eu precisava. Saltei para a frente e lhe dei um soco.

Ele caiu graciosamente. Joelho, quadril, ombro. Como se alguma parte dele tivesse decidido *Que se dane. Vou apagar mesmo. Melhor começar logo.*

— Gideon! — gritou Daryn, chocada. — O que você fez?

Ela correu até nós e se abaixou.

Eu não tinha como explicar tudo. Não conseguia me livrar dos medos que Ra'om e Samrael haviam colocado dentro da minha cabeça. Alguma coisa parecia diferente. Mais obscura. E não tínhamos tempo para ficar ali tentando convencer Peste a se juntar a nós. Mas como eu não ia dizer tudo isso, dei de ombros e disse apenas:

— A guerra conquistando a peste. Sou um bom pesticida, sabe como é...

Daryn saltou do chão.

— Isso não é engraçado!

Eu não tinha a intenção de ser engraçado. Mas também não esclareci. Meu raciocínio lógico retornava aos poucos. Eu precisava tirar a gente do meio da rua. Daryn e Marcus haviam sido vistos no Fiat, então estávamos sem carro. Também estávamos sem Sebastian, mas a prioridade era levar os presentes para um local seguro.

Eu me agachei ao lado de Peste e o virei de costas. Um hematoma começava a surgir no local do soco. Ele soltou um ronco profundo, e Marcus soltou uma risada, o que me surpreendeu. Eu não achava que ele sequer *sabia* rir. Levantei a manga de Peste. O bracelete dele era completamente branco, com linhas simples, mais parecido com o meu bracelete e de Sebastian que com o de Marcus. Era o cara certo.

Depois, revirei os bolsos do casaco metido a besta e encontrei uma carteira feita de couro, macia como manteiga. Retirei os conteúdo rapidamente e achei um pequeno bolo de notas de euro novinhas, cartões de crédito e uma carteirinha da Universidade de Oxford em nome de James Oliver Drummond Ellis. Ficou óbvio por que ele usava o nome Jode.

Com aquela carteira, roupa e relógio chamativo, além do rostinho bonito, comecei a me preocupar com a possibilidade de termos que lidar com mais um Wyatt Sinclair.

Examinei o outro bolso e finalmente encontrei o que procurava. Levantei o cartão do hotel.

— O Grande Gatsby está hospedado na cidade. — Peguei o rádio e conferi o endereço no GPS. — O hotel dele fica a menos de cinco quilômetros.

— Jura? — disse Daryn. — Isso seria completamente *possível* se todos nós pudéssemos *caminhar*.

Três minutos antes ela havia me abraçado, preocupada. Agora ela parecia prestes a terminar o serviço começado por Samrael.

— Não tem problema — falei. Agarrei o braço de Jode e puxei o corpo dele sobre meu ombro. Felizmente, tinha repetido aquilo muitas vezes no treinamento militar. Eu costumava carregar Cory nas costas durante as corridas. E Cory era do meu tamanho. Quase 90 quilos e 1,85 metro. Eu sabia que podia aguentar o Príncipe da Peste.

— Aposto que chego antes — provoquei, acomodando o sujeito sobre meus ombros.

Marcus e Daryn olharam para mim como se eu fosse louco, o que era algo comum e que deu uma levantada necessária na minha moral. E então partimos, marchando pelas ruas escuras de Roma.

Quando chegamos à ponte Sant'Angelo, eu estava suando baldes, mas a adrenalina finalmente começava a deixar meu corpo. Parte do medo também. Mas ainda sentia que, se eu fechasse os olhos por muito tempo, as imagens mostradas por Ra'om voltariam imediatamente.

Tentei me concentrar nos arredores. Segundo meu guia de viagem, aquela ponte existia havia quase dois milênios. Passei por diversas estátuas de anjos e senti o peso dos séculos testemunhados por aquela ponte. Todos os dias e noites de águas passadas pelo rio Tibre. Diante daquilo eu me sentia insignificante. Conectado a todos os seres humanos do planeta. Tudo parecia incrível agora que eu não estava mais preso mentalmente a um demônio.

— No que você está pensando? — perguntou Daryn. — Agora.

— Estava pensando que isso aqui é incrível — respondi.

— Não estava, não.

— Estava, sim. Estou vivendo o agora, Martin.

Aquele momento era bem melhor que os vividos recentemente.

Caminhamos mais um tempo. Marcus estava um pouco à frente, longe demais para ouvir nossa conversa. Ele não estava mais segurando o próprio ombro. Talvez já estivesse curado.

— Você realmente faz isso o tempo todo? — perguntei. — Percorre o mundo desse jeito?

Daryn balançou a cabeça.

— Não desse jeito. Essa missão é de longe a coisa mais difícil que já fiz. — Ela se virou para mim, com brilho nos olhos. — Em grande parte por sua causa.

Abri um sorriso.

— Mas quem não gosta de um desafio, não é mesmo?

— Ai, sei lá. Às vezes um desafio é só um desafio — argumentou ela, mas sorrindo.

Jode parecia ficar mais pesado a cada minuto, mas eu precisava aguentar. Tinha apagado o cara. Ele era minha responsabilidade.

— Então, o que você faz normalmente?

Ela deu de ombros.

— Não existe uma rotina, na verdade. Um monte de coisas. Sempre algo diferente. — Ela tirou o cabelo preso sob a alça da minha mochila e o amarrou em um coque. Estava carregando nossa mochila. — Mas, por exemplo, eu já encontrei montanhistas perdidos e os ajudei a voltar para o caminho correto. Já impedi que algumas crianças corressem para o meio da rua. Fiz *dezenas* de ligações para a polícia. Já fiz companhia para uma mulher sozinha em seu carro no acostamento de um descampado em Oregon. Impedi suicídios. Foram experiências incríveis. Já estive em muitas festas, de colégio e faculdades, e evitei que estupros acontecessem. Um tipo de atividade que me deixa enjoada. Fisicamente, eu digo. Fico doente após esses eventos. Então... são coisas desse tipo. Menores se comparadas ao que estamos fazendo agora. Mas, ainda assim, muito importantes. — Ela franziu a testa. — Por que eu falo tanto com você?

— Não sei. Isso te faz sentir mal?

— Contar as coisas para você? — Ela sorriu. — Sim. Cada palavra.

— Essa doeu, Martin — falei, mas eu sabia que ela gostava de conversar comigo. Provavelmente não tanto quanto eu gostava. Tudo que ela dizia a deixava ainda mais incrível. E me ajudava a esquecer Ra'om. — Quis dizer se você se sente mal por ser uma Seletora.

— Não, não me sinto. Nem sempre é fácil, mas é um privilégio. Era mais difícil no começo, quando eu não estava acostumada. Em dado momento me senti tão sozinha que achei que não fosse aguentar. Acabei trabalhando com outra Seletora, uma mulher maravilhosa chamada Isabel. Ela me ajudou muito. Foi ela quem me disse para começar a escrever um diário, o que também me ajuda muito. Vejo Isabel de tempos em tempos, quando preciso dela. É como uma tia para mim. E pessoas do mundo todo me recebem. Pessoas do bem que me alimentam e oferecem um quarto pelo tempo que for necessário, sem perguntar nada. Sou testemunha de muita bondade por causa do que faço. E eu ajudo as pessoas. Não consigo pensar em algo que me faria mais feliz. E você? Te faz mal?

— Ser um cavaleiro? — Troquei Jode de ombro. — Ainda não decidi.

Meu instinto me dizia que não, que não fazia. Eu conhecera Daryn por causa daquilo. Tinha visto coisas incríveis. Sabia a resposta para as questões existenciais mais profundas. Não conseguia olhar para as estrelas sem pensar que Deus estava ali, cuidando de mim. De *tudo*. Havia aspectos positivos enormes. A parte nem tão positiva era a Ordem. E Marcus. E meu cavalo. Talvez os acessos de raiva. A minha saída do RASP era algo chato. A preocupação da minha mãe, também. E meu jipe deixado no aeroporto de Los Angeles. Mas, fora isso, era legal ser um cavaleiro.

— Aposto que tem se perguntado por que isso aconteceu com você — comentou Daryn.

— Está certa.

— Também me perguntei muito isso no começo. — Ela olhou para mim de relance. — Mas... e se estiver acontecendo *por* você? Não estou dizendo que sim. Estou apenas levantando a possibilidade. O que você acharia?

— Muito profundo, Martin. Preciso de um segundo para pensar melhor.

Na verdade, eu precisava de um descanso. Acomodei Jode ao lado de uma das estátuas de anjo que demarcavam a ponte. Quando me levantei, um golpe gelado de vento atingiu minhas costas suadas.

— Blake — chamou Marcus, virando-se para mim. — Está sentindo isso?

— O que foi? — perguntou Daryn.

— Não tenho certeza — respondi. Passei os olhos pelas ruas próximas. Estavam quietas. Era a hora mais calma da noite, pouco antes do amanhecer. E, então, vi uma sombra permeando a margem distante do rio. Podia ser Alevar, mas o bracelete emanava um sinal, para Marcus também, de que Sebastian estava próximo. Conforme a sombra se aproximou, fechando o cerco à ponte onde estávamos, pude ver mais claramente. Parecia uma fumaça longa, escura e esvoaçante.

Achei que sabia o que era, mas precisava ter certeza. Busquei me concentrar no sentimento que eu tinha conseguido acessar apenas uma hora antes — uma combinação de *proteger, defender, servir* — e conectei tudo aquilo a um poder dentro de mim. Minha mão sentiu um solavanco e vi uma chama, em seguida, a espada era minha.

Isso.

Marcus se aproximou. Ele olhou para mim como quem diz *Ah, a gente vai brincar assim?* Um segundo depois, um tornado de poeira clara, do tamanho de uma foice, surgiu da mão dele.

O turbilhão de fumaça se aproximou e diminuiu o ritmo a alguns passos de distância. De dentro daquela escuridão móvel, surgiu um casco preto, depois outro, depois patas, ombros, ancas e todo o resto. Eu já vira Sombra se materializar duas vezes, e continuava impressionado.

Mas daquela vez era diferente. Sebastian se materializou com o cavalo. Em um instante era só uma fumaça entrelaçada, no instante seguinte, lá estava ele. Montando Sombra. Sobre uma sela preta que eu nunca tinha visto. Vestido em roupas negras e uma armadura leve que eu também jamais vira.

Ele não parecia nem um pouco consigo mesmo.

Parecia impressionante. E assustador.

A única parte reconhecível era um enorme sorriso, que desapareceu quando ele viu Jode caído ao lado da estátua.

— Nossa! — exclamou Bas. — O que aconteceu com *ele*?

Capítulo 40

Cinco minutos depois, usando a corda que eu tinha na mochila, havíamos posicionado Jode em segurança sobre o cavalo. Enquanto eu guiava Jode, dei uma olhada na armadura de Sebastian e na sela de Sombra. Ambas eram feitas de um material que parecia couro em algumas partes e, em outras, a mesma substância do bracelete que ele usava. E, assim como ele, a armadura e a sela tinham um desenho entrelaçado e detalhado. Nunca vira nada parecido.

Também me aproximei como nunca de Sombra. Ela era impressionante. Puro poder sobre uma camada leve e macia como a noite. Tentei não pensar no meu malvado cavalo em chamas quando recomeçamos nosso trajeto.

Passamos por algumas pessoas na rua, mas ninguém deu muita bola. Fazia muito tempo que cavalos passeavam por Roma, e, no escuro, ninguém parecia notar que Sombra era um pouco diferente.

Nossa sorte mudou quando chegamos ao hotel de Jode. A entrada do saguão era grandiosa, então os quatro funcionários da portaria examinaram atenciosamente o grupo de cinco pessoas e um cavalo quando nos aproximamos. Assim que os alcançamos, eles pareciam completamente boquiabertos.

— *Ciao, signores* — cumprimentei, com um ótimo sotaque ítalo-californiano. — Estamos trazendo nosso amigo James Oliver Drummond Ellis de volta ao hotel depois de uma noite em comemoração a seu aniversário. Jode se empolgou um pouco com a festa, como podem ver. Bebeu *vino* demais. Mas ele me deu a chave do quarto antes de apagar. — Tirei o cartão do bolso e o exibi. — E que tipo de amigos seríamos se não tivéssemos certeza de que ele chegou bem?

Eles se entreolharam. E então o mais velho indagou:

— *Perché hai un cavallo*? Por que o cavalo?

— Foi presente de aniversário do pai dele — explicou Daryn. — Um pônei de polo.

— Uma cria de campeões — acrescentei, afagando Sombra. — Temos grandes expectativas com essa garota.

Daryn sorriu para mim.

— E ela vai corresponder. É uma lindeza, não é?

Com certeza ela era.

— *Che meraviglia! Un regalo per el compleanno!* — O funcionário se apressou a contar o restante. Ele voltou o olhar para mim, apontando para o próprio rosto. — Signore, seu nariz.

— Ah, fui eu — disse Daryn. — Ele estava dando em cima de mim.

— Aham. Aí ela devolveu. Um gancho de direita sinistro. Será que isso faz sentido em italiano?

Sebastian abafou uma risada. Ele estava atrás de nós com Sombra e o apagado Jode. Marcus também estava, observando tudo silenciosamente. Parecia pronto para entrar em ação ao menor sinal de problema.

— Mas está tudo bem agora — falei para Daryn. — Não está?

Ela deu de ombros.

— Eu estou bem, mas acho que seu nariz está quebrado.

Aquela história fantasiosa pareceu perfeitamente aceitável para o porteiro, porque de repente estávamos todos brincando com Daryn, com o cavalo preto bonito e rindo sobre como meu nariz estava engraçado hahaha. A partir desse momento não tivemos qualquer problema ao pedir a ajuda deles para descobrir o número do quarto de Jode. Eles queriam ajudar a carregá-lo, mas Daryn e eu dissemos que não precisava. Levantamos Jode pelos braços e o carregamos pelo saguão mais metido a besta que eu já tinha visto em toda minha vida.

Assim que chegamos ao quarto, deitei Jode na cama.

— Não se acomode — avisei a Daryn. Peguei o telefone e pedi um quarto maior. Achei que teríamos alguma dificuldade, porque eram duas horas da manhã, mas meu pedido foi imediatamente atendido. Eu já sabia que o dinheiro abre portas, mas nada abria mais portas do que a conta bancaria de Jode.

Quinze minutos depois, Marcus e Bastian se juntaram a nós na suíte presidencial. Os funcionários tinham levado Sombra para o jardim do hotel, onde Bas havia discretamente desconjurado a égua.

Na suíte, larguei Jode no primeiro quarto que vi, depois dei uma volta pela acomodação. O primeiro andar tinha dois quartos e uma sala imensa com um bar. O de cima tinha um terraço com uma banheira e um jardim pequeno. Meu olho era treinado para enxergar qualidade artística, de tanto ouvir Anna falar sobre o assunto. Tudo naquele lugar era muito sofisticado.

— Deve custar uma fortuna — disse Bastian.

Olhei para ele e me peguei sorrindo. Ele era meu cavaleiro favorito e estava feliz em tê-lo de volta.

— A gente precisa de espaço; não dava para ficar no quarto antigo. Encontre um lugar para dormir.

Ele e Marcus se jogaram nos sofás antes que eu terminasse de falar. Depois de um voo transatlântico, da luta no aeroporto e de outra no Vaticano, estávamos todos acabados.

Olhei para Daryn.

— Ei, Martin. — Inclinei a cabeça na direção da escada. — Eu e você, banho quente de banheira.

Ela revirou os olhos.

— Vai sonhando. — Ela repousou a mochila em uma cadeira. — Posso dar uma olhada no seu nariz?

— Claro — respondi. Do jeito como ela me olhava, eu teria concordado com qualquer coisa.

Fomos até o banheiro que ficava dentro de um dos quartos. Sentei na beirada de uma banheira ornamentada de mármore, enquanto Daryn molhava uma toalha na torneira da pia. Ela se aproximou e ficou de joelhos no tapete na minha frente. De repente, eu não estava mais cansado.

Ela chegou mais perto e pressionou a toalha contra meu nariz. Eu tinha um corte no osso. Com o inchaço, o machucado estava na minha visão periférica havia um tempo, mas a dor parecia distante. Eu já sabia que tinha começado a cicatrizar. Estava concentrado em apenas uma coisa, e essa coisa não era o meu nariz.

— Foi ele quem fez isso? — perguntou ela. — Samrael?

— Não. Tecnicamente, acho que fui eu.

Estava quase certo de que tinha sido eu, quando dei de cara com ele na rua.

Senti os olhos de Daryn encontrarem os meus, mas me mantive concentrado em observar a pulsação no pescoço dela. O colar estava bem ali. Eu não queria pensar naquilo agora.

Ela passou a toalha no corte, em volta da minha boca e do queixo. A sensação era estranha. Daryn enxugando o sangue seco e o machucado em meu rosto. Havia um monte de coisas que eu não me importaria se rolassem entre nós. Aquilo não estava na lista.

— A gente tem que começar a agir em conjunto — disse ela.

— A gente vai — falei. Estávamos lutando contra forças muito mais poderosas do que qualquer um de nós. Nossa única chance era agir em conjunto. Mas aquele time (um ator, um bêbado e um sociopata) não inspirava muita confiança. Ainda assim. Eu tinha que achar um jeito de trabalhar com eles. — Conheci Ra'om hoje.

Eu não tinha certeza de por que havia dito aquilo. Não conseguia parar de pensar nele. Não conseguia parar de ver seus olhos vermelhos no escuro. Não conseguia pensar em Anna sem imaginá-la arrancando o próprio rosto. Todas aquelas imagens estavam à flor da pele. À espreita. Sentia como se Ra'om tivesse plantado explosivos em meu cérebro.

Daryn afastou a toalha.

— Achei que isso tinha acontecido. — Ela sentou sobre as pernas e olhou para mim. — Você está... bem?

— Aham.

Obriguei meu corpo a ficar parado.

Ela continuou me observando por um longo tempo. E então se levantou e lavou a toalha.

— Amanhã — disse ela. Depois voltou para limpar meu rosto mais uma vez. — Estamos todos juntos agora. Amanhã conto mais.

Concordei com um aceno de cabeça, e ficamos em silêncio por um instante. Eu sabia que estava quase no final. Em breve ela iria embora e eu não queria que isso acontecesse.

— Você me disse que a sua irmã queria ser médica. Você também? Leva jeito para a coisa.

— Não. Eu, não.

— O que a pequena Daryn queria ser quando crescesse? Você me deve três respostas. Prometeu no aeroporto. Acho que me prometeu dez, mas me contento com três. Hora de pagar a promessa.

Ela sorriu.

— Tudo bem. Três coisas. A pequena Daryn ainda não tinha pensado no que queria fazer depois da faculdade quando a vida dela virou de cabeça para baixo. Mas ela sabia que queria continuar correndo. Ela fazia parte da equipe de atletismo no ensino médio.

Aquilo fazia muito sentido.

— Qual modalidade?

— Corrida com barreiras.

— Sexy, Martin. E maneiro. Muito maneiro.

— Valeu. Eu amava. E era muito boa. Você é rápido. Você e Marcus.

— Sou mais rápido. Ganho dele.

Daryn riu, mas não tinha certeza de qual era a graça.

Ela ajeitou o cabelo atrás da orelha.

— Ok. Segunda coisa?

— Quinta. Vamos contar em sequência, em vez de dois rounds de três.

— A gente pode categorizar essa parte como A, B e C?

— Se a gente quisesse me deixar infeliz, sim.

Ela balançou a cabeça.

— Você é tão estranho. Ok, quinta.

Ela encarou o papel de parede sofisticado, semicerrando os olhos enquanto pensava. Daryn sorria e estava incrivelmente bonita.

Tive vontade de beijar seu pescoço. Tipo, muita vontade. Também queria mordê-la de leve. Não para machucar, é claro. Mas é que ela estava tão bonita. Com aquela pele macia. Estava me fazendo sentir um pouco vampiresco e maluco. Eu queria pular nela. Eu sempre queria, na verdade, mas, principalmente, quando ela estava perto de mim daquele jeito.

— Sou obcecada por Amélia Earhart — disse ela. — Eu me fantasiei de Amélia no Halloween por dez anos seguidos. Em todas as minhas fotos de infância estou usando óculos estilo aviador. E não estavam presos como um arco de cabeça. Estavam nos olhos mesmo.

— Na frente dos olhos?

Ela riu.

— Sim. Eu queria ver o mundo como ela via. Eu usava o cabelo curto e tudo. E obriguei todo mundo a me chamar de Amélia durante toda a minha segunda série e metade da terceira. Ainda queria que esse fosse o meu nome. Amélia Martin.

— Não é tão bom quanto o seu. Daryn é perfeito. É o nome ideal pra você.

— Eca, mas valeu. É um nome de família. — Ela hesitou, sorrindo ao se lembrar de alguma coisa. — Acho que essa coisa de salto com obstáculos... acho que veio da minha vontade de voar.

Ela havia parado de limpar meu nariz fazia um tempo. Peguei a toalha da mão dela e joguei na pia. Eu estava hipnotizado com tudo que ela dizia, mas não sentia que era o suficiente. Como se a gente não estivesse próximo o suficiente.

— Vem aqui — falei, puxando-a para meu lado.

Pude ver que Daryn não esperava aquilo porque ela ficou quieta. Por um tempinho, tudo ficou silencioso enquanto olhávamos para nossas próprias pernas. Agora que eu sabia do atletismo, gostava ainda mais das pernas dela. Eram fortes e sabiam correr muito rápido e *saltar*. Irado. Não podia ser mais legal. Também gostava mais do nome dela agora. Sentia que era meu dever defendê-lo.

— A sexta coisa é meio que uma confissão. — Ela me olhou de lado, suspirando lentamente. — Eu não gosto muito de Pearl Jam. Quero dizer, eu não gostava até conhecer você. Quando estávamos a caminho de Los Angeles no seu jipe, eu queria que você gostasse de mim então acho que fingi. Mas é irônico porque acho que agora estou começando a amar Pearl Jam, de verdade. Uma mentira que se tornou realidade.

— Você sabe que eu gosto de você.

Peguei as mãos dela e passei os polegares sobre os nós dos seus dedos. Eram fortes e macios, como ela. Eu não podia acreditar nas coisas que estávamos dizendo.

— Eu não queria gostar de você... mas eu gosto.

— Daryn, eu quero beijar você, mas não quero te assustar.

— Você beija tão mal assim?

— Nossa! Essa foi pesada, Martin. E, só para você saber, sou ótimo em tudo a que me dedico...

Ela voou na minha direção e encostou sua boca na minha. Moveu os lábios de modo rápido e suave e em um instante tinha chegado ao fim.

— Fiquei preocupada de não machucar seu nariz — disse ela. — Por isso que...

As bochechas dela estavam vermelhas.

— Não machucou. Minha vez?

— Sim — respondeu ela, imediatamente.

Eu me virei e deixei uma perna dentro da banheira, depois virei o quadril dela na minha direção e a puxei para perto.

— Gideon, o que você está fazendo?

— Confie em mim — pedi. Então segurei seu rosto e a beijei. Assim que nos tocamos, ela abraçou meu pescoço, puxando meu corpo, e nos perdemos. Nossos *eu gosto de você* estavam em nossas bocas, línguas, mãos. Muitas vezes a gente se estranhava, mas não agora. Estávamos finalmente sendo honestos. Completamente sinceros um com o outro. Eu jamais me sentira daquele jeito. Aquela força. Aquela intensidade. Não queria parar de sentir nunca mais. E então ela se afastou. Cedo demais. Mas estava começando a desconfiar que nunca chegaria ao meu limite com ela.

Ela abaixou os braços, segurando minha cintura e descansou a cabeça no meu ombro.

Eu precisava de um segundo para voltar à terra. Para ficar lúcido novamente. A proximidade dos nossos corpos não estava ajudando. Nem sua respiração quente no meu pescoço.

Passei os dedos no cabelo dela. Era macio e ondulado, dourado em algumas partes, e castanho-escuro em outras. Não existia cabelo mais bonito.

— Não acredito que nosso primeiro beijo foi num banheiro.

Ela estava me abraçando com força.

— Que banheiro?

Dei um sorriso. Era um bom sinal.

— Quero poder reproduzir esse momento em um lugar melhor. Pelo menos a gente não estava sentado na privada, mas a banheira não é...

Ela me largou e endireitou as costas. Não estava sorrindo. A expressão no rosto dela foi como um soco no estômago.

Ela parecia *arrependida*.

— Tudo bem. — Fiz que sim com a cabeça. — Tudo bem. Eu entendo. Acho que isso não vai se repetir.

— Entende *mesmo*? Quando essa missão terminar, não quero que você seja mais uma coisa da qual sinto falta.

A calma havia deixado seu olhar. Uma tempestade havia tomado o lugar.

— Eu também não quero ser isso — retruquei.

— Não quis dizer isso, Gideon. Não queria que isso tivesse acontecido. É só que... você me faz esquecer. Esqueço de tudo quando estou com você.

— Daryn, eu disse que entendo.

Eu não conseguia mais olhar para ela. Meus olhos se desviaram para a corrente de prata.

— Mas podemos ser amigos. A gente pode dar um jeito... certo?

Eu queria dizer sim, mas não podia mentir. Eu não sabia se podia ser amigo dela. Não tinha clareza suficiente para determinar aquilo na hora. Estava me sentindo anestesiado.

Não estava sentindo nada, então não disse nada.

O que provavelmente era uma resposta.

Capítulo 41

A lâmpada finalmente queima, e a sala fica às escuras. Um descer de cortinas repentino. Escuridão, como se Alevar tivesse causado aquilo. Um breu tão profundo que quase posso tocá-lo. Cordero. Texas e Beretta. As paredes de tábua de madeira. Tudo apagado.

Minha respiração é o único som e está acelerada. A sensação parece demais com quando encontrei Ra'om. Mas sei que estou bem. Ainda na cadeira, falando sem parar, graças aos remédios que me deram. Então me lembro de tudo que acabei de dizer, e me contorço.

Que bosta, Blake. Falar sobre a Ordem, tudo bem. Sobre Marcus, Bas e Jode. Fale sobre qualquer coisa, menos sobre ela.

Quero que coloquem a mordaça de volta. Alguém precisa me soltar para que eu possa me dar um soco.

Cordero solta um longo suspiro.

— Cortes de orçamento — diz ela. — Um de vocês pode buscar uma lâmpada nova, por favor?

A porta se abre, fazendo com que luz e som transbordem. Há uma discussão acontecendo no corredor. Nada amigável. Consigo escutar apenas um pouco antes que Beretta saia e feche a porta.

— A gente pode continuar assim mesmo, não pode? — pergunta Cordero.

— Quer saber se eu posso?

O aquecedor liga novamente. Por que os sons ficam tão mais altos e límpidos no escuro?

— Sim, claro. Quis dizer você — fala ela. — Está ficando mais difícil de falar sobre o assunto?

Se está fica ⁀lo mais difícil? Sim. Meus pensamentos estão mais claros. Quase me sinto normal de novo. O que significa que não quero cooperar.

— Gideon?

— Desculpe. Eu só estava pensando.

— Então está ficando mais difícil. Se for ajudar, a gente pode administrar outra dose.

— Desses remédios? — Ela está brincando com a minha cara, né? Aham. Como se eu fosse aceitar *essa* oferta. — Não, estou bem. Por que você me drogou, aliás?

— Acho que expliquei quando começamos. Você estava agressivo quando comecei a falar e quando o detemos em Jotunheimen. Claro que agora compreendo melhor a sua raiva.

— Porque eu sou Guerra.

— Sim. E não deve ter sido fácil ver Daryn ficar na Noruega em vez de vir embora com você.

Espere.

Espere.

Eu falei isso para ela?

Sei que *pensei* bastante no assunto. Ainda não cheguei nessa parte. Tenho quase certeza de que não falei.

Será que ela soube disso por Daryn?

Pelos outros?

Encarei a escuridão, desejando ver o rosto dela.

O aquecedor desarmou. Toda a minha concentração está direcionada para o odor que tomou conta do meu nariz. O perfume de Cordero. Cítrico e rosas. E aquele cheiro de mofo. Eu *conheço* aquele fedor.

— Está tudo bem, Gideon?

— Sim — falei. Embora achasse que não.

Eu precisava de uma chance para *pensar*.

— Então vamos recomeçar. Por que a gente não finge que você está contando uma história de acampamento? Sem a fogueira, é claro.

Mantenha a postura, Blake. Tudo continua igual.

— Claro. A gente finge.

Capítulo 42

Na manhã seguinte, eu esfregava os olhos, recém-acordado, quando ouvi o sofisticado sotaque britânico de Jode ao chegar à sala da suíte presidencial.

Ele estava andando de um lado para o outro na frente do sofá, com o cabelo espetado feito um boneco troll. Na luz do dia, consegui observá-lo melhor. Estava com um olhar aguçado e as bochechas rosadas, como se estivesse no frio. Com as roupas de grife amassadas, ele agora estava menos parecido com um bêbado e mais com alguém que tivesse acabado de sair de um iate. Daryn, Bas e Marcus estavam espalhados pela sala, explicando a nossa situação.

Reparei que a chave no pescoço da Daryn estava à vista. A luz da manhã banhava a varanda, fazendo o objeto brilhar. Aparentemente, agora todo mundo sabia da existência dele. Eu precisava de um segundo para entender como me sentia em relação a isso, o que era "não muito especial", embora compreendesse que partilhar essa informação era o melhor para o grupo.

— Estou entendendo o que vocês acham que está acontecendo — disse Jode. — Mas não posso me envolver. — Ele parou de andar quando me viu. — Ah, que bom. — Ele gesticulou na minha direção. — Aqui está ele. Bem-vindo ao encontro. Foi você quem pediu essa suíte, não foi? Com o meu dinheiro? Obrigado.

— De nada — rebati. Caí no sofá e esfreguei os olhos mais uma vez. Eu tinha dormido muito mal. Passei a maior parte da noite sonhando com as imagens de Ra'om. Mesmo ali, elas ainda pareciam próximas. Sentia como se um resquício do mal tivesse ficado dentro da minha cabeça.

— Sei que é muita coisa para assimilar — disse Daryn a Jode —, mas você precisa tentar entender. Ainda estamos em perigo e isso inclui você, querendo ou não. A Ordem não está longe. Com os quatro juntos, eles nos acharão mais facilmente.

— Você me disse que eles eram atraídos pela chave — falei.

Daryn olhou para mim. Bem nos meus olhos. Sua pele bronzeada parecia desbotada, e ela exibia leves olheiras, como se também não tivesse dormido muito bem.

Eu havia decidido deixar no passado o que tinha rolado entre a gente. Precisava ficar concentrado. Precisava terminar aquela missão de cavaleiro para voltar à minha vida normal.

— Eles são — disse ela. — Mas também têm outros meios de rastrear a gente.

Eles tinham, e eu estava começando a notar quais eram. Sentei sobre os joelhos e pigarreei. Depois contei o que tinha acontecido comigo na noite anterior. Quando terminei, continuei falando sem parar e descrevi as habilidades que eu tinha notado em cada membro da Ordem.

Alevar tinha as asas da cor da noite e voava. Desse modo precisávamos deduzir que ele estava por perto, sobrevoando para nos observar. Samrael podia acessar nossas mentes. Cada plano feito por nós estava sujeito a uma busca, caso ele chegasse próximo o suficiente. Ele também tinha a habilidade de tirar facas feitas de osso diretamente do braço. Eu não sabia do que Ronwae era capaz, mas a luz difusa que ela emitia me preocupava, como se talvez tivesse dificuldade em se manter na forma humana. A outra, a mulher de dreadlocks, era mais uma incógnita, mas havia um aspecto meio "lobisomesco" no seu comportamento — ela uivava. Malaphar tinha a habilidade de mudar de aparência e imitar outras pessoas. Pyro era um skatista maluco, atirador de bolas de fogo. E então Ra'om. Ra'om tinha uma categoria própria. Tinha visto o demônio apenas em meus pensamentos, mas não duvidei de sua existência nem por um segundo.

Conforme falei, Jode parou de andar e sentou-se para escutar o que eu dizia. Percebi que finalmente estávamos todos juntos, nós cinco. Com Bas, Jode e Marcus presentes, senti uma nova vibração no bracelete — um sinal completo —, mas era mais do que isso. Era uma sensação de satisfação, de dever cumprido.

Quando terminei, Jode pressionou os olhos com as bases das mãos.

— Então não somos os únicos com habilidades?

Bastian abriu um sorriso.

— Conte para Gideon qual é a sua.

Jode desviou o olhar para ele.

— Não acho que isso seja relevante para a conversa.

— Qual é? — Olhei para Marcus, mas aquilo não ajudaria em nada. Ele estava largado em uma poltrona, escondido sob o capuz do moletom, como se a gente não valesse seu tempo. — Qual é o poder dele, Bas?

— Ele faz as pessoas desejarem coisas.

— Não *coisas* — disse Jode. — Pelo que entendi, aumento a *vontade* nas pessoas. A determinação. Seja lá qual for o maior desejo da pessoa.

— Espere aí. Seu poder é aumentar o *desejo*?

Por que em nome de Deus esse não podia ser o *meu* poder?

— Aham, e escute só — continuou Bas. — Para mim e Marcus foi o desejo de comer. A gente esvaziou a comida do quarto faz uma meia hora. Marcus quase quebrou a porta da geladeira tentando abri-la.

— Espere aí de novo. Você usou seu poder neles? — perguntei a Jode.

Jode ficou ainda mais vermelho.

— Não foi intencional.

— Ele ainda está descobrindo como se controlar — explicou Daryn.

— Até agora essa coisa só me ajudou a beber até cair.

— Era por isso que estava bebendo ontem à noite — concluiu Daryn. — Mas fiz Sebastian aplicar uma dose de cansaço nele, o que parece ter sido um bom substituto.

— Foi uma boa ideia — admitiu Jode.

Olhei de Jode para ela e de volta para Jode. Por que de repente eu estava sentindo vontade de bater em alguma coisa?

— Qual é nosso próximo passo, Martin? — perguntei. — Para onde devemos ir? Porque isso ajudaria bastante. Em vez de ficarmos correndo por aí com a chave, a gente poderia guardá-la em algum lugar seguro. Podemos fazer isso? Ou é mais uma coisa da qual não podemos saber? Provavelmente, certo? Senão, seria fácil demais. Sabe, às vezes parece que você até trabalha para a Ordem. Estou quase com vontade de pedir que prove não ser Malaphar.

Calma aí, Blake. Que merda foi essa?

Juntei os fatores. Cansaço. Falta de sono. Rejeição. Tudo aquilo tinha acontecido, mas isso era algo novo. Era o resquício da escuridão de Ra'om do qual eu não conseguia me livrar. Estava sendo vencido. Eu tinha passado dos limites, e todo mundo concordava.

O ambiente ficou tenso. Mais do que isso: ficou tomado pela raiva que emanava de mim.

Marcus endireitou a postura e me encarou. Com intensidade. Pronto para atacar.

Eu precisava pensar bem no meu próximo passo, senão sabia que a gente brigaria de novo.

A varanda. Um pouco de ar na varanda.

— Na verdade — disse Daryn. — Que bom que você disse isso.

— Você está... *contente*?

Recostei novamente nas almofadas.

— Sim — respondeu ela. — Malaphar foi responsável pelo começo de tudo. Como você disse, ele pode vestir a voz e a imagem de qualquer pessoa. Foi assim que a Ordem quase conseguiu a chave da primeira vez.

Ela fez uma pausa e olhou para cada um de nós. O barulho do tráfego na rua rugia suavemente ao longe, subindo pela varanda. Eu podia sentir uma calma emanando de Daryn sobre todos nós. Ela queria que prestássemos atenção. Algo grande estava chegando.

— A chave sempre esteve sob a proteção de um dos arcanjos. Até recentemente, esteve na posse de Miguel, quando ele desceu em um penhasco de um lugar chamado Lagos, em Portugal. Um Seletor muito antigo que morava lá estava à beira da morte e ser recebido no pós-vida por um arcanjo é um privilégio conquistado por nosso serviço. A Ordem enxergou uma oportunidade nessa ocasião.

"Sei que Samrael não tinha como ter olhado a mente do Seletor e previsto aquele encontro. Nós somos mais fortes que eles. Mas ele deve ter colocado alguém da Ordem para seguir o Seletor, esperando pelo momento certo. Quando Miguel apareceu no penhasco, havia muitos membros da Ordem escondidos por perto — e um em especial estava *muito* perto. Tenho certeza de que já descobriram que o senhor que encontrou Miguel não era de fato o Seletor. Era Malaphar, tomando sua forma.

"O arcanjo identificou a farsa, mas era tarde demais. Eles começaram a lutar. Na confusão, Malaphar roubou a chave das mãos de Miguel. Ela caiu e atingiu as pedras do penhasco, rolando para baixo. E então, desapareceu. Miguel se desvencilhou das garras de Malaphar, mas os outros estavam a caminho. A chave estava segura por enquanto. Bem escondida. A Ordem não a encontraria nas pedras, então Miguel fugiu. Quando chegasse o momento certo, ela enviaria alguém para buscar o objeto. E esse alguém..."

O sorriso de Daryn era modesto e orgulhoso ao mesmo tempo.

— Esse alguém era eu.

Ela alisou as mãos no jeans. Calma. Sem pressa.

Eu não podia acreditar que estava olhando para uma garota que conhecia os anjos.

— Eu já sabia de Malaphar havia um tempo, mas não quis dizer nada até agora. Vocês tinham coisas demais às quais se acostumar. — Ela olhou de mim para Marcus. — E alguns de vocês não confiaram de cara. Fiquei com medo de piorar a situação. E se começassem a duvidar um dos outros? Ou de mim? Ou de *todos*? Dá para imaginar como seria prosseguir se eu tivesse acrescentado essa dúvida em vocês?

Eu podia imaginar com facilidade.

Malaphar. Fingindo ser qualquer pessoa.

— Me pareceu melhor esperar — continuou Daryn. — Sou do tipo que acha melhor confiar em alguém antes de duvidar. Mas agora entendo que isso foi ingênuo da minha parte. Acho que fui eu que causei problemas para nós no aeroporto ontem. Fiquei tentando entender como eles souberam que a gente estaria lá. Estavam esperando por nós. Em Los Angeles, algum de vocês disse a alguém onde estávamos indo?

— Gideon, lá no banco — disse Sebastian. — Você se lembra do caixa que me deu aquele monte de chaveiros?

Marcus se inclinou sobre as pernas, o capuz balançando sobre os olhos.

— Na loja onde a gente comprou os rádios. O cara que trabalhava lá ficou perguntando sem parar sobre a viagem e o que a gente precisava. Muito amistoso. Achei que ele estava fazendo o trabalho dele.

Daryn suspirou.

— Malaphar podia ser qualquer um dos dois. Eu deveria ter alertado vocês. Desculpe, é que... — Ela virou o olhar para mim. — É que estou agindo sozinha há muito tempo.

— Tudo bem, Daryn — apaziguei. — Já foi.

Eu não queria que ela ficasse se martirizando pelos erros do passado. Eu já tinha cometido muitos. E a gente precisava se mexer. A Ordem havia recuado na noite anterior, mas quem podia dizer quanto tempo tínhamos? Assim que estivéssemos em um local seguro, poderíamos avaliar a situação e criar um plano. Mas aquele quarto de hotel não era lugar para isso.

Estabelecemos algumas medidas de segurança. Não falaríamos com ninguém de fora do grupo. E ficaríamos de olho em cada movimento de Daryn dali em diante. Não somente por causa de Malaphar. Mas porque ela estava com a chave.

— O que a chave faz mesmo? — perguntou Jode. — Acho que não peguei essa parte.

— Se a Ordem conseguir a chave, vai abrir um reino do qual os demônios rebeldes serão os comandantes — respondeu Daryn.

— Comandantes de quem? — perguntou Jode, esfregando a testa. Ele parecia quase catatônico. Estava ouvindo tudo aquilo pela primeira vez.

— Da maior quantidade possível de pessoas inocentes — disse ela. — Reinos precisam de súditos.

— Então eles simplesmente vão sequestrar as pessoas e levar pra lá? — indagou Bastian — Mas por quê?

— Para se fortalecerem. Eles se alimentam destruindo o que há de bom na alma humana.

Não.

Não, não, não.

Era *isso* que eu estava sentindo?

Tinha alimentado Ra'om?

Ok, Blake. Calma. A peça que falta da sua bondade crescerá novamente.

— A gente precisa se mexer — falei, levantando. Não aguentava mais ficar sentado. — Vamos nos concentrar em achar um local seguro. Depois a gente começa os trabalhos.

Enquanto todo mundo arrumava suas coisas, Jode e eu deixamos a suíte e voltamos ao quarto onde ele tinha se hospedado. Ainda estava em seu nome e ele havia deixado dinheiro no cofre. Eu tinha dito para que deixasse a quantia para trás — estávamos havia quase 7 horas sem a presença da Ordem e eu queria manter as coisas assim —, mas, quando Jode disse quanto era, concordei. A gente tinha que voltar para pegar o dinheiro.

Fomos pela escada por precaução. Conjurei minha espada, o que fez Jode dizer palavrões que teriam impressionado até mesmo meus parceiros do exército.

— Esse negócio de super-herói é realmente necessário? — perguntou ele, enquanto descíamos os dois andares.

— Sim. Agora cale a boca. Por favor.

Abri a porta para o corredor.

Era pesada, mas estava lubrificada e correu fácil. Não fez som algum — ao menos não aos meus ouvidos —, mas Alevar ouviu.

No final do corredor, a cabeça dele chicoteou para mim e Jode. As asas pretas estavam fechadas, próximas ao corpo, e por um instante ele pareceu um besouro gigante nos encarando. Nos confins do corredor, com seu carpete sofisticado e papel de parede ornamentado, o demônio parecia mais assustador do que nunca.

Atrás de mim, Jode disse outro palavrão.

— O que é aquela coisa?

Ao som da voz dele, Alevar correu na nossa direção.

Saltei de volta para a escada, fechando a porta, mas Alevar conseguiu passar a mão e agarrou meu pulso. Um choque quente atravessou meu corpo... e travei.

Não havia saída.

Alevar se agachou no corredor; eu fiquei no vão da escada. A porta estava entreaberta entre nós. Durante a luta eu havia erguido o braço com a espada. A ponta pressionava o pescoço enrugado da criatura.

Eu também havia conjurado minha armadura.

Podia senti-la cobrindo meu corpo do pescoço aos pés, uma armadura sem peso e robusta que parecia ter nascido comigo.

— Me solte — exigi.

Alevar fedia e segurava meu antebraço com força. Enquanto ele me encarava com aqueles olhos leitosos e suplicantes eu me perguntei se a bondade *dele* havia sido drenada. Será que algum dia existiu bondade ali?

— O que *ele* está fazendo? — disse Jode atrás de mim.

Com uma rapidez surpreendente, Alevar me largou e girou, expandindo as asas. Elas se abriram com um estalo, como velas ao vento, batendo contra as paredes do corredor.

Atrás dele, ouvi passos e depois a voz de uma mulher.

— É esse, Bay. Esse aqui.

Ronwae. Eu a ouvira falar apenas uma vez, na festa de Joy, mas reconheci a forma esquisita de articular as palavras, parecida com um gargarejo.

Jode me puxou pelo braço, mas balancei a cabeça. A gente não podia se mexer. Eu não podia largar a porta. As asas de Alevar estavam nos protegendo, mas, se a gente fizesse qualquer barulho, estávamos acabados.

O chão tremeu aos meus pés, como se alguém tivesse deixado cair um carro. E então ouvi um rugido e o som de um guizo de serpente.

Alevar se mexeu levemente. Através das longas penas pretas, vi partes do corredor. Havia duas criaturas. Uma era feito um escorpião mutante com uma casca grossa e avermelhada, garras imensas e um ferrão nas costas. Chacoalhava de leve e brilhava do mesmo jeito de Ronwae; movia-se tão rapidamente que não passava de um borrão. Criaturas menores estavam espalhadas ao redor da coisa-escorpião, em versões miniatura. Soube imediatamente que aquilo era Ronwae. A outra criatura era uma besta peluda e com as costas curvadas. Um híbrido de javali e urso, só que deformado. Com grandes corcovas nas costas e nos membros. Tinha presas e garras feitas para a destruição. Era a garota demônio de dreadlocks: Bay.

Fiquei olhando enquanto ela se levantou nas patas traseiras e virou o ombro, pressionando-o contra a porta do quarto para onde Jode e eu estávamos indo. O batente da porta vergou e cedeu com um estrondo ensurdecedor, e os demônios sumiram para dentro do cômodo.

Em instantes, o corredor fora tomado por sons de coisas sendo quebradas. Uma demolição e tanto.

Alevar fechou as asas. Então se virou, olhando para mim com um olhar de quem pede desculpas. Em seguida, rastejou atrás das duas mulheres da Ordem, nos deixando ali.

Capítulo 43

— Tem algum motivo especial para você ter parado nessa parte, Gideon?

Parei porque estou enjoado.

Parei porque não posso mais falar.

Parei porque eu sei quem é você.

— Não. Estou bem.

— Tem certeza? Precisa de mais água?

— Estou bem.

— Não está assustado com o escuro? Devo confessar que está me assustando um pouco. Esses tais demônios que você descreveu parecem terríveis. Detestaria ver um deles de perto.

Meus músculos estão congelados.

Só consigo sentir o fedor de Malaphar.

Era ele esse tempo todo.

Continue, Blake. Nada mudou.

Mas tudo mudou.

Capítulo 44

Jode e eu voltamos para buscar o restante do grupo, depois saímos correndo do hotel em plena luz do dia.

Roma estava a todo vapor. Desbravamos as ruas, desviando de hordas de turistas e pessoas comuns indo para o trabalho. Algumas delas tiraram fotos de mim com seus telefones. Eu ainda não tinha me livrado da armadura porque não *conseguia* me livrar dela. Tentei me concentrar — acessar o mesmo canal que eu estava começando a controlar com a espada —, mas não funcionou. Eu não conseguia me desarmar, então tive que me acalmar e agir normalmente. Não era a primeira vez que Roma via Guerra.

Enquanto eu nos guiava para a estação de trem mais próxima, continuava olhando para ver se a Ordem estava atrás de nós. Mas, de toda forma, Malaphar poderia ser qualquer pessoa na rua. Tínhamos que acelerar o passo e torcer para que tudo desse certo. Quando chegamos à estação, Jode assumiu a dianteira e comprou nossas passagens.

— Milão — disse ele, enquanto nos levava até a plataforma. O trem já estava lá, e os passageiros começavam a embarcar. — Mas podemos tomar outra rota de lá e ir para qualquer lugar. Suíça, Alemanha, Dinamarca, Suécia. Para onde quisermos, contanto que seja dentro do sistema Eurail.

— A gente não tem passaporte — argumentei, seguindo-o até o trem.

— Já cuidei de tudo.

— É bom você não ter usado meu nome.

— Não sou idiota, Gideon — disse ele. — Fiz um acordo financeiro com o caixa. Está tudo certo.

Ele nos levou até a primeira classe, que estava ocupada pela metade. Seguimos até as duas últimas fileiras vazias. Sebastian jogou a mochila no chão.

— Está tudo certo — disse ele, imitando perfeitamente a voz de Jode. Depois, ele se jogou em dois bancos no lado oposto do corredor. Marcus pegou a fileira do lado para si. Na última fileira, Jode sentou à esquerda. Daryn, à direita. Eu congelei.

Daryn chegou para o lado, abrindo espaço para mim. Em 10 minutos, o trem corria a uma velocidade maior do que 160 km/h. Larguei minha cabeça no encosto. Eu finalmente respirava normalmente. Parecia que a gente tinha conseguido escapar ilesos.

Conforme a adrenalina diminuiu, comecei a me arrepender de ter sentado ao lado de Daryn. O silêncio entre nós era pesado. Encarei firmemente as costas do banco à minha frente, tentando não pensar em como eu a havia tratado mais cedo. Ou como eu tinha me sentido quando nos beijamos. Ou em quando ela havia me dispensado.

Encolhi o corpo quando a mão dela tocou meu ombro, pego de surpresa.

— Isso é incrível — disse ela, silenciosamente. Os dedos dela passearam pelo material da minha armadura, explorando-a. — Podemos conversar, Gideon?

Eu não merecia a preocupação que os olhos dela exibiam, mas a desejava. O problema era que eu desejava bem mais que isso.

— Claro — falei. — O que houve?

Eu precisava dar um jeito. A gente tinha que conseguir trabalhar em harmonia.

Bastian enfiou a cabeça pelo banco na nossa frente.

— Vou ao vagão do restaurante, alguém quer alg... ops, foi mal. Eu não sabia que vocês estavam... — Ele desapareceu.

Daryn se virou na direção da janela, apoiando a cabeça no vidro. Alguns minutos depois ela estava dormindo.

E foi basicamente o que aconteceu pelo resto da Itália. Daryn, dormindo contra a janela ao meu lado.

Eu dormi também, até Veneza, quando acordei com as minhas roupas normais, sem a armadura. Fiquei feliz, mas um pouco decepcionado. A armadura havia se tornado minha parte favorita de ser cavaleiro. Depois de vesti-la, minhas camiseta e calça cargo pareciam muito moles e largas. Muito mais desconfortáveis.

Em Veneza, trocamos de trem imediatamente. Pegamos qualquer um que nos levasse para o norte o mais rapidamente possível e fizesse o menor número de paradas. Na Suíça, pegamos um vagão-leito com quatro camas e uma pequena área de convivência. Como éramos cinco, o sofá me serviu de cama. Com a privacidade de um vagão particular, conversamos sobre a Ordem. Em algum lugar de Frankfurt, comecei a fazer uma lista de pontos fortes e fracos. Eu estava preocupado com as miniaturas de Ronwae que vira sobre o corpo dela. Jode também.

— Como uma horda — disse ele. E então lembrou de algo que eu não tinha reparado. Bay tinha caroços sob a carcaça grossa e cinzenta. Eu achava que eram apenas parte do corpo. Que ela exibia músculos enormes. Mas Jode considerou que poderia ser algo além disso e lançou a teoria de que Bay também tinha minicriaturas, só que presas do lado de *dentro* do corpo. Em retrospecto, concordei que era completamente possível. Os demônios em forma de mulher podiam ser uma turba. Então, concluímos que corríamos um risco ainda maior do que imaginávamos.

Com Jode no time, a gente tinha acrescentado um arco-e-flecha ao nosso arsenal — a arma do cavaleiro da Peste. Não que já tivéssemos visto a arma, mas, mesmo com esse acréscimo, não tinha certeza de como nos sairíamos contra as hordas. Parecia que não tínhamos o suficiente.

Aprendemos algumas coisas uns sobre os outros durante aqueles dois dias no trem. Conversamos sobre coisas sem importância. Ainda configurávamos um grupo de desconhecidos, mas fizemos um esforço. Exceto Marcus, que não fez esforço algum.

Jode tinha 19 anos, assim como Sebastian. Ele cresceu em Londres e estava no primeiro ano de Oxford. A família Ellis era dona de propriedades havia gerações, mas recentemente — no século atual — tinha expandido os negócios para as atividades bancárias. Pelo que entendi, a família dele trabalhava no ramo de gerar toneladas de dinheiro.

Jode sabia de tudo. Aprendemos que podíamos lançar qualquer nome ou lugar aleatório, e ele nos informava como uma Jodepédia. O lado negativo era que às vezes ele era um pouco arrogante. Muitas vezes. Até o poder dele surgir. A habilidade de aumentar o *desejo* tinha muito a ver com o aumento dos *sentimentos*, e aquilo não combinava com um inglês metido a besta.

O lado positivo era que ele conseguiu descobrir como controlar o poder sem a ajuda de Bas.

Jode nos contou que depois de ter a vida virada de cabeça para baixo após um acidente, ele fora ao Vaticano tentar encontrar uma resposta na biblioteca. Não conversamos sobre ele ter ficado parado enquanto eu botava minha alma para fora, ou sobre o fato de que eu o socara por isso. Conseguimos deixar o passado para trás. Ao contrário de Marcus e eu.

Bastian era o quinto filho de sete irmãos. Nasceu na Nicarágua, mas a família se mudou para Miami quando ele era pequeno. Cresceu por lá até se mudar para Los Angeles, um ano antes, depois de decidir seguir a carreira de ator. Ele não disse nada, mas dava para ver que sua origem era humilde — o oposto de Jode — e eu tinha a forte impressão de que Marcus também tinha uma história parecida.

Bas era a diversão do grupo. Contava histórias sobre tudo, de forma completamente aleatória e divertida. Ele dizia coisas como *Ei, G. Já contei a minha história das trufas?*. E a gente se perguntava como uma história sobre trufas podia ser minimamente interessante. Em pouco tempo, estávamos rolando de rir. Imaginando Bas cuspindo trufas como bolas de pelo em uma pia cenográfica, diante de cinquenta pessoas. Eu e ele nos dávamos muito bem.

Bas também mencionou que sua vida saiu dos trilhos depois de um acidente, e, coincidentemente, percebemos que todos nós havíamos sofrido um "acidente" somado ao surgimento dos braceletes no mesmo dia: 2 de agosto. A gente sabia que tinha morrido naquele dia, ou deveria ter morrido, mas não entramos em detalhes. Era pessoal demais. Para mim, por mais de um motivo. Meu pai tinha morrido no mesmo dia, só que um ano antes.

Marcus dormiu por grande parte da Europa Central. Acho que de propósito. Mas Daryn e eu meio que chegamos a uma trégua silenciosa. Começamos a nos tratar como colegas de trabalho ou algo do tipo, o que era estranho. Estranho para todos nós. Todo mundo sabia que era. Mas era o melhor que eu podia fazer e, provavelmente, ela também.

De forma nada surpreendente, ela não compartilhou muito sobre si mesma. Na maior parte do tempo, escreveu no diário e nos ouviu, ou falou sobre algo relacionado à missão, exceto quando nos contou sobre ter crescido em Connecticut. Em algum lugar chique chamado Darien.

— Daryn de Darien — brincara ela. — Podem rir.

Coincidentemente, Jode conhecia Darien, Connecticut. Ele tinha velejado por lá ou algo do tipo, então conversaram um pouco sobre isso, o que era fofo. Pessoas ricas trocando histórias sobre seus clubes e casas de veraneio sempre enternecem meu coração. Bastian e eu ficamos ouvindo a conversa como dois indigentes.

Compartilhei alguns detalhes pessoais. Um pouco sobre Anna. Um pouco menos sobre o exército. Mas não muita coisa. Estava me sentindo claustrofóbico e alerta. Estranho. Eu sabia que ainda era o efeito colateral de Ra'om e Samrael na minha cabeça. Tinha quase certeza de que eles haviam ficado para trás, mas os pesadelos seguiam comigo. Minha única forma de defesa era ficar acordado, e foi o que fiz até não conseguir mais. Quando dormi, minha mente repetiu inúmeras vezes a queda do meu pai daquele telhado. O braço de Samrael em volta de Daryn. O luto da minha mãe. Anna enlouquecida.

Era cruel. Um looping de maldade que nunca perdia força. Eu ficava destruído todas as vezes.

Se aquilo era um exemplo do que a Ordem queria fazer com as pessoas, um *reino* inteiro daquele tipo de abuso e tortura...

Eu precisava impedi-los.

A gente precisava devolver a chave ao lugar de origem.

Capítulo 45

A porta se abre, e Beretta aparece, tomado pela luz do corredor, com uma lâmpada na mão.

Cordero me encara na semiescuridão enquanto ele entra na sala e troca a lâmpada antiga. A luz se acende, e ela continua me encarando.

Ele está me encarando.

Aquela *coisa*.

Malaphar.

Agora que sei a verdade, não consigo entender como não percebi antes. A concentração naqueles olhos pretos não é humana. O modo como Malaphar coça e esfrega as mãos e os nós dos dedos. Eu tinha pensado que era apenas um hábito, mas não. É o desconforto de um demônio que está ocupando um corpo pequeno demais. E a morte dele fede. Ele fez um bom trabalho tentando esconder o cheiro com perfume. Agora está forte demais. Toma conta de tudo.

Não sei o que achar daquilo. É Malaphar, mas ainda vejo uma mulher diante de mim. É ele, mas é ela.

Cordero. Preciso pensar nele como Cordero.

Não mude, Blake. Ou ele vai saber.

— Estava me dando uma perspectiva tão pessoal — diz Cordero assim que Beretta volta a seu posto ao lado da porta. — Agora está resumindo. Está ficando ansioso para chegar ao final?

Atrás de mim, o aquecedor faz barulho. Precisa parar. Meu rosto está queimando. A sala toda parece quente demais.

— Não percebi que estava fazendo isso — digo.

— Não. Acho que não percebeu. O que me faz lembrar de algo. — Cordero olha para o relógio. — Está na hora de mais uma dose.

— Eu já disse que não preciso. — Não posso voltar para aquela confusão. Não agora. — Estou cooperando, não estou?

Cordero abre um sorriso amarelo, sem dentes.

— Sim, mas as coisas estão indo tão bem assim. Não vejo motivo para mudar nosso *modus operandi*, não é mesmo?

Temos todos os motivos para mudar nosso *modus operandi*, mas nenhum que eu possa dizer em voz alta. Ainda não consigo convocar minha espada ou armadura, mas estou perto.

Preciso de uma hora. Talvez menos.

Preciso de tempo.

Preciso descobrir por que ele está aqui.

Por que Malaphar está de volta?

O mesmo motivo pelo qual Daryn está. Só pode.

Eles se esqueceram de pegar alguma coisa.

O que será?

Preciso de tempo para pensar.

E preciso de ajuda.

— Não confia em mim, Cordero? Fui completamente sincero com você. Estou sentado aqui, amarrado, contando toda a verdade há horas. Não mereço um pouco de crédito? — Olho diretamente para Texas. — Estou errado? Porque acho que mereço uma medalha de ouro por ser um prisioneiro tão bom.

A reação dele para o código é zero reação. Beretta faz o mesmo.

Nada.

Nenhum piscar de olhos ou mudança na respiração.

Será que são tão bons assim? Tão frios sob pressão? Ou será que não pegaram a referência? Não estou tentando dizer para que fiquem calados. Estou tentando dizer que existe um demônio bem na frente deles.

— Está cooperando bastante, Gideon, mas ainda assim precisa de mais uma dose. Não leve para o lado pessoal. É apenas uma medida de segurança.

Cordero olha para Beretta, mas é Texas quem dá um passo à frente.

— Cada um de nós tem uma dose — diz ele. E se ajoelha na minha frente, vestindo as luvas de látex. Atrás dele, Beretta aponta a pistola para mim.

Texas olha para cima. O rosto dele demonstra uma expressão que não consigo decifrar, mas que talvez seja um pedido de desculpas pelo que está prestes a fazer. Medalhas de ouro que nada. *Merda.*

Ele pega uma seringa subcutânea de dentro da pequena pochete, assim como um pedaço de algodão, e então ergue minha manga e pressiona a agulha contra a minha pele. Sinto um líquido gelado quando ele aperta o êmbolo. A dose que deveria subir pela minha veia é absorvida pelo algodão.

E não pelo meu corpo.

Texas se vira casualmente ao se levantar, certificando-se de que Cordero veja a seringa vazia.

Preciso baixar a cabeça porque sei que estou com uma expressão de alívio. *Ufa!* Tenho alguém do meu lado. Ele sabe que tem algo errado, e Beretta também deve saber.

É um começo.

Agora preciso apenas de tempo. Uma chance para raciocinar. Até o restante das drogas sair do meu corpo.

Cordero pede que eu recomece de onde parei.

— Vocês estavam a caminho da Noruega — diz ela. — Até Jotunheimen, imagino. Acho que todos aqueles trens eventualmente os levaram até lá, certo?

Demoro um tempo para ativar o sentimento que tive da última vez que me deram uma dose. Como se minha cabeça estivesse cheia de nuvens. Penso em Sebastian e em como ele consegue transformar uma simples respiração em algo. Transmitir uma sensação.

Preciso ser convincente para que isso funcione. Preciso parecer o mesmo Gideon que estava botando as tripas para fora. Se bem que essa não seria a melhor expressão. Enfim, preciso parecer o mesmo Gideon *sem pudores*.

Por fora, preciso parecer sincero. Por dentro, preciso ficar mais esperto. Posso fazer isso.

Capítulo 46

A ida para a Noruega foi ideia de Jode. A gente precisava de um lugar remoto onde os quatro pudessem trabalhar no aperfeiçoamento das armas enquanto Daryn esperava pelo próximo comando. Jode nos garantiu de que a Noruega era o lugar ideal.

Depois de quase três dias dentro de trens, chegamos a Oslo por volta do meio-dia. Jode partiu com Daryn para realizar alguma mágica com o dinheiro da família Ellis em diferentes agências de viagem da estação. Uma hora depois, voltaram com as chaves para uma van Mercedes e o aluguel de um chalé no parque nacional de Jotunheimen.

O primeiro item foi simplesmente comprado, em euros. O último foi dado de graça — parte de um sistema do governo norueguês onde um conjunto de chalés era oferecido para o puro desfrute da natureza.

Aquilo me pareceu um pouco fácil demais. Parecia que a gente estava improvisando coisas muito importantes, mas Jode sabia mais que eu sobre a Noruega, o que significava que ele sabia *alguma coisa* sobre o país. Eu não tinha opção a não ser concordar com tudo.

Antes que seguíssemos para as montanhas, paramos no mercado e nos abastecemos com um suprimento de comida que durasse semanas. Coisas essenciais como arroz e feijão. Sopa enlatada. Bolachas de sal e chocolates. Depois, deixamos Oslo e seguimos por algumas das paisagens mais bonitas que já vi na vida. Rios calmos cortando montanhas imensas. Geleiras azul-claras aninhadas em cordilheiras. Cascatas de centenas de metros de altura em meio a uma floresta verde-clara. Depois de dias preso em um vagão, sem dormir, agitado com o efeito de Ra'om, aquela vista e o ar fresco me revigoraram minimamente.

Finalmente, quando não vimos nada além de uma natureza intocada, chegamos a uma pequena parada turística, onde uma mulher nos deu um mapa e instruções de como chegar ao chalé. Não havia mais estrada. Teríamos que seguir o restante do caminho a pé.

Àquela altura, estava ficando tarde e uma tempestade se aproximava, trazendo ventos fortes e uma queda na temperatura. Eu estava tentado a passar a noite na van, levando em consideração a segurança do grupo, mas todos estavam determinados a dormir em algum lugar em terra firme.

Recolhemos nossas mochilas e seguimos por uma trilha que subia em meio à densa floresta. Uma hora depois, as árvores começavam a ficar espaçadas e a trilha se transformou em um caminho de pedras horrível e instável. Abaixo de nós se espalhava uma rede de fiordes, com águas tão calmas que espelhavam perfeitamente as nuvens carregadas acima.

— Para onde a gente está indo, Jode?

Eu já tinha perguntado a localização e jogado as coordenadas no GPS. Mas estava sentindo o efeito de 30 quilos de comida nas costas. Os treinadores da RASP teriam aprovado aquela escalada.

— Você me disse que a gente precisava de um lugar remoto — respondeu Jode. — Para ser remoto precisamos trotar um pouco.

— Quer dizer escalar.

— Não, Gideon. Quis dizer *trotar*.

Estávamos fazendo aquilo toda hora, eu e Jode. Eu havia me tornado um autocorretor humano para todo o tipo de expressão britânica esquisita que ele falava. Ele usava *luxo* como verbo, *boda* significava comida, *brioco* era bunda, *casinha* significava banheiro... E absolutamente tudo podia ser *brilhante*, *cintilante* ou os dois: *brilhantemente cintilante*, o que, para mim, era uma coisa só. Pensando bem, eram três. Meu bracelete, minha espada e minha armadura. Eles realmente eram *brilhantemente cintilantes*.

— A gente deve estar chegando — comentou Daryn. Ela carregava uma mochila tão pesada quanto a minha, e não parecia minimamente cansada. Era uma garota forte. Forte e bonita.

Olhe para baixo, Blake. Concentre-se na trilha.

— Disseram que esse chalé quase não é usado, porque fica muito distante das trilhas — acrescentou ela.

— Mas é de graça, né? — perguntou Bas, ofegante ao meu lado. Ele sorriu para mim, mostrando os dentes brancos na luz tempestuosa. — De graça, até butijão na testa.

Aquilo me fez rir, algo de que eu estava precisando. Um chalé a horas do sinal mais próximo de civilização me parecia a cena inicial de um filme de terror; e eu já tinha visto criaturas dignas de filmes de terror. Sabia que elas eram reais, então não estava exatamente calmo.

Chegamos ao local quando a última gota de luz natural descia no horizonte. Estudei o lugar conforme nos aproximamos. A localização era incrível — um penhasco exatamente sobre um fiorde, com vista panorâmica para uma cadeia de montanhas que se estendia ao infinito. Mas nossa acomodação em si não era impressionante.

Na verdade, eram dois chalés pequenos sobre um penhasco. Quando nos aproximamos, reparei que o primeiro estava com o telhado parcialmente caído e sem uma porta. O outro era bem na encosta e um pouco maior que o banheiro externo que ficava um pouco mais acima na montanha. O chalé parecia inabitado, mas fui na frente e conferi os arredores. Entrei com minha espada — desejando que fosse uma M4 —, cheguei a pequena cabana, finalmente relaxei e passei uns minutos estudando a nova acomodação.

Tinha mais ou menos 3 metros quadrados e parecia mais uma toca de animal que qualquer outra coisa. A parede adjacente à montanha era feita de pedras gigantes do tamanho de pneus. As outras três paredes eram uma combinação de tábuas de madeira irregulares, mais pedras e toalhas enroladas e revistas que serviam para tampar alguns buracos. Três plataformas de madeira serviam como apoios para os sacos de dormir, a mais alta a apenas 45 centímetros das vigas do teto.

Uma lareira havia sido construída em uma das paredes. Sobre ela, panelas enferrujadas, colheres e facas penduradas em um arame. Os objetos se batiam com o vento que passava pela porta aberta, uma cena que parecia tirada de um pesadelo. Estava começando a entender por que aquele lugar estava vago. O lado bom era que eu não tinha avistado ratos ou camundongos, e as duas janelas pequenas pareciam funcionar.

— Gostei — decretou Daryn.

Ninguém falou nada. O lugar em si não me incomodava. Eu não sentiria falta do serviço de quarto ou do chocolate sobre o travesseiro. Mas não gostava da ideia de ficarmos de novo uns em cima dos outros. A gente precisava muito de um pouco de espaço.

— Serve — falei. — Você pode escolher primeiro onde quer dormir, Daryn.

Ela botou a mochila no beliche superior. Marcus e Jode rapidamente se jogaram nos outros dois. Idiotas egoístas. Mas deixei passar porque estávamos todos exaustos e o tempo começava a esfriar.

— A gente precisa de lenha — avisei. — E uns gravetos, antes que fique escuro demais.

— Eu busco os gravetos — disse Daryn, saindo primeiro. Eu não podia culpá-la. Ela tinha acabado de passar alguns dias com quatro caras ranzinzas que não tomavam banho havia... bem, alguns dias. Sinceramente, eu estava enojado por ela.

Quando Daryn saiu, ficamos ali parados por um instante processando sua ausência. Processando como ela havia alterado todos nós. A calma da garota era contagiante. A Seletora acrescentava algo ao grupo que era palpável. Sem a presença de Daryn, uma onda de tensão surgiu entre nós.

Depois de um momento, Jode sentou na plataforma escolhida por ele.

— Estou podre de cansado. Vou ficar aqui mesmo.

— Estar *cansado* não te dá passe livre — falei. — Levante.

— Corto a lenha de amanhã — disse ele, bocejando. — No momento, preciso dormir mais do que preciso de uma fogueira.

Marcus nem se deu o trabalho de responder. Ele simplesmente se jogou na outra plataforma.

A raiva se revirou dentro de mim. Será que eles achavam que aquilo era uma viagem de *lazer*? Eles não entendiam o que estava em jogo?

Era esse o problema. Eles *não* entendiam. Nenhum dos dois havia passado pelo que eu passara. Nenhum dos dois sabia como era ter um demônio rastejando dentro da cabeça, o mal deixado por ele perdurando, poluindo sua essência.

— Prestem atenção — falei, tentando me segurar à minha última gota de autocontrole. Bastian estava encostado na parede e era o único que prestava atenção. Ele me observava atentamente, como se estivesse preocupado com meu próximo movimento. — As coisas serão assim: Daryn está no comando. Ela dá ordens, nós as obedecemos. Quando ela não estiver por perto, vocês devem prestar atenção em mim. Se não gostarem da ideia, falem agora.

Silêncio total. Marcus virou de lado, de costas para mim.

Sebastian saltou da parede e parou na minha frente, provavelmente salvando a vida deles. Ele me empurroú para fora, até a beirada do penhasco. Paramos em um platô que, no escuro, lembrava uma versão em miniatura de Stonehenge — meia dúzia de rochas achatadas posicionadas em volta de uma área para fogueiras. O luar atravessava as nuvens com longos raios de luz, e o ar parecia rarefeito e puro, o que tornava respirar quase doloroso. Inspirei em fortes golfadas.

— Gideon... — começou Bas. — Cara, você precisa se acalmar.

Espiei a beirada do penhasco. Estava escuro demais para enxergar qualquer coisa, mas eu podia *sentir* a queda de centenas de metros. Dei um passo para trás.

— Estou calmo — assegurei.

— Não, você não está. Está pilhado há dias. Eu sei que o que a Ordem fez foi pesado. É uma droga. Mas você precisa tentar pegar leve com a gente, sabe?

Olhei para ele. Eu tinha contado uma versão resumida da tortura mental que Ra'om aplicara em mim — eles precisavam saber do que a Ordem era capaz —, e agora eu estava arrependido até mesmo disso.

Bas suspirou.

— Só vou dizer uma coisa, ok? Sei que você não está dormindo muito bem. Se quiser, posso ajudar.

— Você pode... o *quê*? Está se oferecendo para me apagar? Quer ser meu *sonífero*? Muito legal da sua parte, Bas.

Ele gesticulou.

— É sobre isso que estou falando, Gideon. Exatamente isso.

Parei para pensar... e era verdade. Eu estava sendo um babaca. Sabia que estava assim havia dias. Estava difícil conviver comigo. Ninguém nunca tinha me chamado de o cara mais legal do mundo, mas passara um pouco além da conta. Não era eu. Eu tinha uma ferida que não estava cicatrizando com a rapidez necessária. Não cicatrizava nem um pouco.

— Não me leve a mal, ok? — disse Bas. — Mas você precisa relaxar o brioco um pouco.

Eu gargalhei. As expressões de Jode estavam afetando todo mundo.

— Não tem como levar isso de outro jeito — argumentei. Sentei em uma das pedras e passei a mão na cabeça. Meu cabelo estava grande demais. Estava me incomodando. — Valeu pela oferta, mas vou dar um jeito.

— Tudo bem.

Ele sentou em uma das pedras e esticou as pernas. A fumaça começava a subir da chaminé de pedra do chalé, e as janelas tremeluziam com o brilho do fogo. Daryn. Ela resolvera tudo.

— Estou me sentindo meio aliviado, na verdade — confessou Bas. — Não me sinto bem usando minha habilidade em um de vocês.

— É, essas nossas habilidades são bem inúteis. Por que a gente tem uma arma que não funciona contra nosso inimigo?

Bas sorriu.

— Faz sentido que você veja assim. Mas... e se não são armas? E se a gente tiver essas habilidades para aprender?

— Aprender? Eu já sei como ficar com raiva.

— Não foi o que quis dizer.

— Então explique.

— Sinto que você poderia ter pedido de um jeito mais educado, mas tudo bem. Vou te dizer o que eu acho. As coisas que podemos fazer, tipo a sua coisa com a raiva, o medo de Marcus, a minha fraqueza e o desejo de Will... Acho que são coisas que nós precisamos conquistar. Tipo, a coisa da fraqueza não é algo que eu precise *exercer*, mas sim algo que preciso *resolver em mim*.

— Você acha que você recebeu a fraqueza como uma habilidade para que você enfrentasse sua própria fraqueza?

Aquilo começava a soar familiar. Lembrei da minha conversa com Daryn em Roma.

Ele ergueu os ombros.

— Talvez. Para que você acha que serve a sua raiva?

— Para irritar Daryn?

Ele sorriu.

— Você é muito bom nisso. Mas deixe eu te fazer uma pergunta. O que deixa você mais irritado do que tudo? Com raiva de você mesmo...? Não dos outros.

— Essa é fácil. Fracasso.

— A mim também. Mas que tipo de fracasso? Fracasso de que forma especificamente? É sobre isso que ando pensando. Eu já tinha essa... essa espécie de buraco em mim. Por ser de uma família grande, eu sempre era jogado por aí. A gente não tinha dinheiro suficiente, sabe, então sempre me botavam na mão de um parente diferente. Cada hora eu estava morando em um canto. Eu ia onde pudessem me alimentar. Ninguém me tratava mal nem nada do tipo. Mas também não me sentia *especial*. Eu já contei como meus pais me chamavam? Meus pais de verdade? Cinco, porque eu era o quinto filho. Acho que começou como uma brincadeira. Mas penso que uma parte de mim acredita nisso. Que sou apenas um número. Mais uma boca. Meio que... invisível.

Ele hesitou, e um vento passou por nós, um ruído em meio ao silêncio.

— Como foi que comecei a falar sobre mim?

— Não tem problema. Você estava explicando sua jornada de vida em busca de atenção, então faz sentido. Sinta-se perdoado.

Bas riu.

— *Exatamente*, cara — disse ele. E então deu um tapa nas pernas e se levantou. — Preciso de chocolate.

Ele voltou para o chalé, mas fiquei ali mais um pouco, preenchendo os pulmões com o frio ar da Noruega. Pensando no que ele dissera.

Eu sabia qual era o meu maior fracasso.

Capítulo 47

Na manhã seguinte, acordei antes do sol nascer e fiz um reconhecimento do terreno em volta do chalé. Era uma boa localização, próxima a água corrente, com boa visibilidade, mas precisei descer para achar um lugar decente para os treinos. Demorei uma boa meia hora para chegar até a água, mas gostei do campo esverdeado que descia inclinado até a margem.

Quando todos acordaram, levei o grupo até lá, planejando meu discurso enquanto engolia uma barra de granola durante a trilha. Estava determinado a adotar uma postura proativa. Parecia o único modo para eu lutar contra aquelas imagens e a raiva. Era hora de tomar conta da situação.

Quando chegamos ao novo lugar de treino, fui para o meio do campo e os outros formaram um círculo à minha volta. De cada lado do rio havia uma muralha íngreme de granito, cercando o local com uma boa proteção. Lá no alto, numa ponta da rocha que parecia uma bigorna, eu podia ver parte do chalé com o telhado caído. O nosso estava logo atrás, fora de visão. Mesmo que a Ordem tivesse nos seguido até a Noruega, e eu não acreditava nisso, Alevar teria que sobrevoar diretamente em cima do fiorde para nos ver. Torcia para que a gente tivesse conseguido ganhar algum tempo.

— Então, eis a nossa situação — falei. — Daryn está aguardando instruções sobre o local onde deixaremos a chave, mas a gente precisa se preparar caso a Ordem nos ache. Isso quer dizer que precisamos dominar nossas habilidades e ferramentas.

Continuei, explicando como aquilo exigiria máximo esforço da nossa parte. A gente precisava fazer nosso melhor e treinar pesado. A filosofia ensinada no RASP não era de praticar até *acertar* tudo. Era de praticar até não ser *capaz* de errar.

Enquanto eu falava, minha respiração era visível no frio da manhã. Bas fazia que sim com a cabeça, como se dissesse *Claro, claro, concordo total-*

mente. Jode parecia armazenar tudo que eu dizia para usar como referência no futuro. Marcus estava de braços cruzados, encarando a grama sob os pés. Daryn escutava, me observando com seus olhos estáveis. Todo mundo ainda estava ali, semiengajado, e eu não estava gritando ou sendo sarcástico demais. Era um bom começo.

— Ok, vamos começar — falei. — Primeiro, vamos ensinar Jode a conjurar seu arco, depois discutiremos algumas medidas de segurança e faremos exercícios.

— A gente não pode trabalhar a coisa dos cavalos primeiro? — perguntou Jode. — Eu sei cavalgar.

Minha resposta imediata era *Bem, eu não sei.* Em relação àquele assunto em especial, eu tinha decidido que seria um cavaleiro sem cavalo. Eu havia amado minha armadura quando a tinha usado. E estava começando a gostar da espada também. Mas não estava empolgado para treinar com uma criatura que era basicamente a agressividade em forma de fogo.

— A gente vai chegar à parte dos cavalos — garanti. — Primeiro as armas.

— Se você insiste.

— Insisto.

Jode franziu a testa. Dava para ver que a minha resposta também havia decepcionado Bastian — compreensível, porque Sombra era incrível —, mas segui em frente, tentando ajudar Jode a conjurar sua arma. Marcus se afastou quase imediatamente e sentou, apoiado em uma árvore na trilha. Daryn se juntou a ele alguns minutos depois, criando um ótimo ponto de distração visual.

Então eu ia trabalhar pesado enquanto ele ficava sentado conversando com ela?

Inacreditável.

Uma hora depois, Bas e eu estávamos nos revezando em passar instruções para Jode, mas ele ainda não conseguia evocar o arco. Daryn e Marcus conversavam animadamente sob a árvore. Marcus estava até *sorrindo.*

— De novo, Jode — pedi, esfregando os olhos. A noite passada tinha sido mais uma luta. Eu havia me revirado no chão duro em frente à lareira. Precisava apenas de *uma noite* sem ver a minha mãe diante do meu túmulo.

— Continue tentando. A gente só fracassa quando desiste.

— Isso mesmo — encorajou Bas. — Se cair do cavalo, basta colocar a sela de volta.

Olhei para ele.

— E se a sela não cair? E se apenas a pessoa cair?

— Por falar em cavalos — disse Jode.

— Nada de cavalo. Tente de novo.

Mais uma hora se passou. Bas e eu começávamos a ficar impacientes.

— Siga a luz, Jode — disse Bas. — A sua luz interna mais preciosa.

— Apenas siiiinta a luz. Com toda sua vontade.

Jode desdenhou.

— Sotaque britânico. Não faço nada que não seja *sentiiiiir*.

Continuamos o treinamento, mas eu e Bas havíamos esgotado nosso vocabulário tentando explicar como alcançar nossos poderes. A gente conseguia, usando certa pureza de intenção. Um desejo de fazer o melhor, o necessário, o correto. Parte daquilo vinha do controle, e parte da entrega. Eu estava brincando, mas em grande parte era como encontrar um fiapo de sentimento em particular. Eu não podia encontrar por Jode. Ele precisava descobrir sozinho. Eventualmente, acabou conseguindo.

No instante que o arco apareceu, o braço esquerdo se levantou.

— E agora? — perguntou ele, piscando os olhos para mim.

— Respire fundo, Ellis. Relaxe — falei, segurando o punho dele e mantendo-o firme. Examinei a arma de perto.

O arco era de um branco radiante, quase difícil de olhar diretamente. Era longo e encerado, e parecia balanceado e leve. A corda era tão fina que desaparecia em certos pontos, como uma teia sob a luz do sol. Era a arma mais bonita de todas, sem dúvida. Pensei em minha irmã, que tinha um olho muito bom para enxergar a beleza das coisas. Anna teria gostado de vê-lo.

Não notei nenhuma flecha, mas tive um instinto.

— Aponte a 3 metros de distância — instruí —, diretamente para o chão, e puxe a corda... *lentamente*.

— Para o chão — repetiu Jode, enquanto virava a arma. — Puxar.

A corda brilhou no instante que seus dedos a tocaram. Ele olhou para mim de relance, como quem dizia *Se isso der errado, a culpa é sua*; e então soltou o ar e tensionou a corda.

Na metade do movimento, houve um flash de luz e a flecha apareceu. Esguia. Luminosa. Nenhum ornamento. Apenas um fino raio de luz.

Sebastian começou a comemorar e a dar tapas nas costas do Jode. Eu também não conseguia conter meu sorriso. Agora tínhamos um conjunto completo, e o arco e flecha eram ainda mais impressionantes. Era uma arma que eu conseguia entender. Que me lembrava minimamente as que eu conhecia.

— Finalmente — disse Marcus, enquanto ele e Daryn se aproximavam.

— E agora? — perguntou Jode.

— O que você acha? — gritei. Não conseguia conter minha empolgação.

— Vamos atirar em alguma coisa!

Descemos até o rio. Eu queria encontrar um ambiente fechado, que minimizasse as possibilidades de estrago. Basicamente uma área de tiro. Mas encontrei um vale entre dois montes que dariam para o gasto.

Fiz todo mundo ficar no monte leste, enquanto eu descia e subia o monte oposto. No caminho, recolhi um galho da grossura de um bastão de beisebol, mas com o dobro do comprimento. Enfiei-o nas pedras soltas, empilhando um monte delas para mantê-lo de pé. Depois, dei um passo para trás e me parabenizei. Era um bom alvo. Estávamos quase prontos.

Eu me virei e olhei para todo mundo no outro monte, tentando medir a distância. No dia seguinte eu levaria os rádios e usaria o GPS para conseguir a distância exata, mas parecia que estava a uns 120 metros.

— Agora? — gritou Jode. Um flash branco surgiu nas mãos dele.

— *Não!*

Corri montanha acima como um cabrito montês pegando fogo.

E então ouvi a risada deles.

— *Babacas* — resmunguei. Mas algo dentro de mim relaxou um pouco. Se eles estavam implicando comigo, significava que estavam fazendo algo juntos. Era um bom sinal.

Quando voltei, eles pareciam imersos em uma discussão profunda sobre a posição do arqueiro.

— Acho que estou pronto — disse Jode.

Ele parecia tenso e duro demais, como se fosse parte de uma fonte, soltando água pela boca, mas deixei para lá. Ele estava preparado mentalmente e não parecia que iria se machucar. Eu teria chance de treiná-lo depois.

— Ok, Robin Hood. — Dei um passo para trás com Bas, Marcus e Daryn. — Manda ver.

Nem um instante se passou entre o arremesso da flecha e o estrondo do outro lado do monte. Uma fração de segundo.

Uma explosão emergiu no ar, como se todas as árvores de uma floresta tivessem se partido. Meu peito se arqueou com a pressão. Pedras voaram pelo ar.

E então, o efeito colateral — uma fumaça se ergueu ao som de uma pequena avalanche descendo a colina.

A gente quase se matou correndo até lá. O galho que eu havia armado praticamente evaporara. Pulverizado. No lugar dele, encontramos uma pequena cratera de 1 metro de largura e meio metro de profundidade, negro no meio, cercado por cinzas finas nas beiradas.

Um poder explosivo *pesado*.

— Incrível! — exclamou Sebastian.

Precisava admitir. Com certeza era muito mais legal que uma espada.

Com nós quatro de posse de nossas armas, seguimos para o treinamento de verdade. Passei algumas instruções sobre o manuseio seguro das armas. Não sacar uma arma sem ter um plano. Ficar sempre ciente do ambiente ao redor. Nunca atirar sem ter um alvo em mente. Depois dividi a gente em dois grupos de armas — aéreas e de combate. Era a coisa certa a ser feita em termos táticos, mas significava que eu teria Marcus como parceiro. Então, era grande o potencial para problemas.

Jode e Bastian ficaram para trás treinando em nosso novo centro de tiro, Daryn ficou com eles, enquanto Marcus e eu voltamos para o gramado. Ele invocou a foice, eu, a espada, e começamos — usando a parte cega da espada e a base da foice porque não queríamos nos matar. Na verdade, isso não era verdade. A gente queria se matar, mas evitamos o uso letal das nossas armas e prosseguimos com uma porradaria segura. Nada do que estávamos fazendo lembrava um treino de luta. O nível de intensidade era muito mais alto. A gente se revezou nas vitórias — ele ganhou, depois eu —, mas foi basicamente um empate.

No final da tarde, com os dois cobertos de suor e ferimentos novos, ele me levou na direção do rio. Pisei na água, que era basicamente uma geleira derretida. Tão gelada que queimava. Fiz um movimento para dar a volta e enfiei o pé em um buraco. Quando dei por mim, caí de bunda, com a água na altura do peito e uma navalha de 45 centímetros colada no meu nariz.

— Com quem você está lutando? — gritou Marcus.

— Do que você está falando? — gritei de volta. O frio perfurava meus músculos. Estava na água havia apenas alguns segundos, mas já tremia muito.

— Sei que não é comigo — disse ele. E em seguida ele mudou a atenção para Daryn, que vinha descendo a margem na altura do centro de tiro.

Marcus virou a foice, oferecendo a ponta cega para me ajudar a levantar. Será que ele se importava com o que Daryn pensava dele? Ou queria realçar que estava vencendo nosso exercício? Como se a minha imagem sentado no rio não fosse clara o suficiente.

Empurrei a foice, levantei e comecei a correr. O sol já tinha descido atrás das montanhas, e meus dentes rangiam de frio. Eu precisava subir até o chalé e ficar na frente da lareira.

Daryn correu e me alcançou, bloqueando a passagem para a trilha. Ela olhou para minhas roupas ensopadas. E para meu corpo trêmulo. Ela não conseguia decidir o que dizer, e eu não conseguia olhar para ela sem ver os braços de Samrael ao seu redor, os dois sorrindo.

— Gideon...

Não me pergunte.

Não me pergunte se estou bem.

— Acho que a gente devia treinar com os cavalos. Acho que ajudaria.

É. É disso que eu preciso.

Nem respondi. Desviei dela e segui para o chalé.

Terminamos o dia em volta do círculo de pedras. Todos juntos, mas não juntos.

Jode e Bas também não tinha ido bem no treino. Daryn estava mais quieta que de costume. Marcus e eu havíamos retrocedido. Ficamos sentados em volta da fogueira e comemos arroz e feijão direto da panela. Compartilhamos algumas latas de pêssego e barras de chocolate. Depois acendi a lareira do chalé e apagamos.

Os dias que se seguiram não foram melhores. Na verdade, foram piores. Eu não conseguia dormir mais que algumas horas por noite. As imagens de

Ra'om começaram a me perseguir durante o dia. Eu me pegava encarando o nada, dividido entre fazer o que estivesse fazendo e ver as piores coisas imagináveis. Coisas que eu imaginava sem parar.

Mas continuei com a pesada rotina de treinamento. Do nascer ao pôr do sol, trabalhávamos com as armas e até mesmo com a armadura, mas o progresso era ínfimo. A mira de Bastian com as balanças e a de Jode com o arco se mantinha no mesmo nível — vergonhoso. Todos os dias eu repassava os conceitos básicos de uma boa pontaria. Criava novos alvos e fazia com que tentassem posições novas, mas nada ajudava.

Jode pensava tudo à exaustão. Passava muito tempo dentro da própria cabeça. Eu dizia para ele atirar, e ele me contava a história dos arqueiros. Detalhava a batalha de Agincourt e como a arma seria eficiente na nossa estratégia. Eu sabia que falar sem parar era sua maneira de ficar enrolando. Quando finalmente atirava, era mediano. Sério, não era ruim. Mas ele errava por alguns centímetros e achava inaceitável. Queria desistir. Ele esperava perfeição, o que eu admirava. Mas Jode não tinha paciência para os fracassos necessários que aconteceriam até lá.

Jode ficava me pressionando para começarmos os treinos com os cavalos. Bastian também. Mas continuei dizendo não.

Eu sabia que a gente deveria treinar com os cavalos. Éramos *cavaleiros*. Mas nossas armas eram mais importantes — pelo menos eu pensava assim — e o meu cavalo? Nem queria pensar nisso.

Bastian não desistia como Jode, mas não tinha muita confiança com as balanças, e o sujeito não tinha uma molécula de agressividade dentro de si.

— Não sou como você, G — disse ele no quarto dia, errando o alvo por 1 quilômetro. — Acho que você está procurando agulha num cativeiro.

— Você vai acertar, Bas — encorajei. — Hoje você quase me decapitou só duas vezes.

— Cara, foi mal.

— Não esquenta. Tente mais uma vez.

Entreguei as balanças e dei um passo para trás, confiante. Pronto para me abaixar.

Ele as girou sobre a cabeça. Aquela parte parecia dominada. O problema era o lançamento, que lembrava bastante acertar uma bola de beisebol com um bastão. Uma série de movimentos exatos que precisavam se desencadear na ordem certa, resultando em um momento único e perfeitamente sincronizado.

Bas soltou a balança. Ela voou para trás de nós, destruindo um arbusto. Eu queria rir, mas temi que isso pudesse desencorajá-lo.

— Sou muito ruim nessa coisa, Gideon. E, além do mais, não acho que seja certo. Como isso pode ser o jeito correto de fazer o bem?

— Como assim?

— Lutar.

— Você está mesmo perguntando isso a um soldado? — Eu tinha que acreditar que aquilo era parte de fazer o bem. Senão, o que seria a minha vida? Ou a do meu pai? Ou de Cory? Ou de qualquer um que lutou em nome do bem? — Cara, sério?

Bas riu. Ele balançou a cabeça e olhou para a água.

— Você mesmo disse. Você é um soldado. Eu não. Nem sei como lutar com alguém. O que posso saber sobre lutar contra demônios?

Aquela pergunta também me preocupava seriamente. Quanto tempo até a Ordem nos encontrar? Quanto tempo ainda tínhamos para nos preparar? Naquele instante, um ano não me parecia suficiente.

Nossa melhor chance era Daryn. Nossa Seletora precisava trazer informações novas, um plano de ação, um local de chegada. Eu mataria alguém por um objetivo. Por algum plano de verdade, em vez daquele padrão atual de treinar e se esconder que seguíamos.

A única vantagem real do treinamento com Jode e Bastian durante aquela primeira semana era que *eu* estava começando a ficar muito bom com o arco e as balanças. O arco era meu favorito — as flechas pareciam ter um alcance infinito e a precisão era impressionante —, mas, quanto mais eu usava as balanças, mas eu gostava delas. As correntes podiam ser usadas como um laço, os discos eram mais afiados que facas e, quando lançados do jeito correto, eles voltavam como um bumerangue. Era uma arma com *muita* versatilidade.

No entanto, meu treinamento com a espada não progrediu muito. Eu e Marcus continuávamos praticando um com o outro — quero dizer, dando porrada um no outro. Eu odiava o sujeito e vice-versa. A única vantagem era que nosso poder de cura funcionava como um botão de reset. Terminávamos o dia com cortes, olhos roxos e bocas rachadas, mas, na manhã seguinte, estávamos quase sempre prontos para outra.

No total, passamos uma semana treinando sem conseguir nada. É sério. Nada.

Eu não sabia como unir o time. Era meu fracasso como líder. Detestava a situação em que eu estava com Daryn. O constrangimento e a maneira com que tudo entre nós era forçado desde a Itália. E eu estava absurdamente cansado, pela falta de sono, e mentalmente exausto, graças à Ordem. Com tudo aquilo, no final da semana eu havia me tornado uma bomba, então não foi uma surpresa completa o que aconteceu entre eu e Marcus no dia seguinte.

Capítulo 48

— S enhora?
       É Beretta.

Beretta está me interrompendo.

A interrupção traz uma expressão maligna para o rosto de Cordero. Lentamente, ela se vira para ele.

— Sim?

Siiiim. Tem um sibilo de demônio na expressão da mulher.

— Preciso deixar meu posto — avisa Beretta.

— Tem algo acontecendo que eu não saiba?

— Não, senhora. Preciso me reportar ao meu comandante.

Texas não diz uma palavra, mas toda a sua postura indica que está apoiando o parceiro. O modo como ele observa Cordero. A postura dele. Aqueles caras estão arriscando tudo por mim. Beretta quer reportar que há algo de errado.

Será que ele descobriu o *que* é?

Ele sabe que Cordero não é Cordero?

Cordero finalmente assente.

— Ok. Mas volte depressa.

Beretta sai. Agora me pergunto quem está do outro lado da porta. Será que são mesmo do exército? Será que são *pessoas*? Ou será que Samrael está lá fora com Ra'om? Com Bay e Ronwae? Todos podem estar ali.

Cordero e eu nos olhamos, como se nada fora do normal estivesse acontecendo. Imagino quem está realmente de frente para mim. Cabelo fino, cor de minhoca. Aquele terno escuro, sujo e grande demais, sobrando nos punhos e na barra da calça. Nos ombros. Mas aquilo também era apenas um disfarce. Malaphar de verdade é um monstro de cera derretido, com pele caída e membros desossados.

O aquecedor arma. *Plic, plic, plic.*

A trilha sonora perfeita para os pesadelos que terei pelo resto da vida. Isso se eu sobreviver.

— Mudei de ideia — digo. — Posso beber água?

Quem sabe Texas pode cortar minhas amarras quando trouxer água. Ou afrouxá-las. Ou me entregar sua faca. *Qualquer coisa.*

— Mas está quase no fim, não está? — argumenta Cordero. — Acho que sobreviverá.

Tudo tem sentido duplo agora.

Concentre-se, Blake. Avalie, planeje, execute.

Busco pela minha espada novamente e encontro o caminho, a concentração, o sentimento. O alívio interrompe momentaneamente meus batimentos cardíacos. *Isso.* Ela está aqui. Já posso invocá-la. Também consigo sentir Jode, Bas e Marcus pelo bracelete. Eles estão próximos, como eu pensava. Minha armadura continua sumida. E Caos também, mas estou voltando a mim.

Preciso saber por que Malaphar está ali. Quer alguma coisa — de *mim*. Fiquei sentado aqui, contando a minha história. Ele está tentando achar alguma pista.

Pista sobre o quê? A Ordem tem a chave.

Não?

Pensei em Daryn na lanchonete perto de Los Angeles, a primeira vez que vi a chave na corrente em volta do seu pescoço. Será que ela me disse em algum momento, de *verdade*, que aquela era a chave?

— Estava contando que você e Marcus finalmente chegaram ao limite — instiga Cordero.

Sou um alvo fácil amarrado nessa cadeira.

Tempo. Tempo é a única coisa que posso controlar.

Daryn está aqui. O resto do grupo também. Texas e Beretta. Um deles vai me salvar. Alguém vai me tirar dessa cadeira antes que Malaphar acabe comigo.

Preciso continuar com meu blefe.

Preciso ganhar tempo.

Capítulo 49

Tudo começou por causa do meu ciúme.

Eu estava voltando da minha ronda pela área. Fazia a mesma coisa todo dia em busca de algum sinal da Ordem. Depois de algumas horas sozinho, estava completamente integrado ao silêncio dos fiordes, meus sentidos concentrados nos cheiros e sons de Jotunheimen.

Parei de imediato quando vi Daryn e Marcus no círculo de pedras. Eles estavam sentados na mesma pedra, com as cabeças juntas e de costas para mim.

Por um segundo, achei que estivessem se beijando.

Ou prestes a se beijar. Ou que tinham acabado de se beijar.

Algo do tipo.

Ouvi Daryn rindo, e então Marcus disse:

— Dare, não vai dar certo se você continuar se mexendo.

Fui até eles, com uma pressão vulcânica dentro do peito.

— Boa tarde — cumprimentei.

Daryn girou na minha direção.

— Oi. — O sorriso desapareceu do rosto dela. — Farpa — disse ela, levantando a mão. — De cortar lenha.

Um ódio irracional tomou conta de mim quando olhei para Marcus.

— Vou esperar você no gramado, Ceifador — avisei, e engrenei em uma marcha montanha abaixo.

Marcus apareceu cinco minutos depois. Por algum motivo, eu tinha conseguido não explodir enquanto esperava.

— Sem arma — falei, quando ele se juntou a mim no centro do nosso campo de treinamento.

Ele assentiu, e começamos, mano a mano.

Quinze minutos depois, eu havia rasgado a pele sobre os nós dos dedos da mão direita e adquirido uma nova frota de ferimentos. Marcus havia me socado na testa. Estava quase certo de que eu tinha uma concussão. Eu já tinha convulsionado algumas vezes, mas agora era a vez do Marcus. Ele estava ajoelhado, tossindo por conta de um soco no estômago.

— Só para deixar claro — comecei. — Se você magoar Daryn, mato você.

Ele me encarou com ódio, passando a manga na boca.

— Cara, como você é *burro*. — Ele se endireitou. — Você entendeu tudo errado.

— Eu vi vocês...

— Você não viu nada. — Ele balançou a cabeça. — Você está com algum problema na cabeça, Guerra.

Ele estava certo quanto a isso. Meus ouvidos zuniam, e eu não conseguia manter o equilíbrio. Minha boca se encheu de saliva. O vômito chegaria em breve. E aqueles eram apenas os sintomas físicos.

Eu estava perdendo parte de mim para Ra'om e Samrael. Estava começando a me autodestruir. Lembrei da pergunta de Marcus no nosso primeiro dia ali. *Com quem você está lutando?* Estava começando a descobrir a resposta.

Marcus me observou com seus olhos cinzentos e frios.

— Ela estava falando de você.

Espere. Ela estava?

— Não tinha uma farpa?

— Tinha uma farpa. Mas o assunto principal era você. — Ele virou a cabeça na direção da trilha. — Ande, Blake. Alguém tem que se certificar de que você não vai cair do penhasco.

Comecei a andar.

Não falamos mais nada no caminho de volta para nosso chalé-quartel--general, mas Marcus parou e esperou enquanto eu vomitava na lateral da trilha. As três vezes. Era um grande passo para nós dois.

Um passo gigante.

Eu ainda me sentia meio abalado quando chegamos. Jode, Bastian e Daryn estavam reunidos em volta do fogo, que tinha se tornado nosso lugar de encontro no final do dia. Eram apenas umas cinco da tarde, mas parecia bem mais. A sombra da montanha já tomava conta da clareira.

— Gideon, olhe só isso! — Sebastian levantou um violão no ar. — Dare trouxe para a gente!

Um *violão*?

E *Dare*?

Oi?

Falei que voltaria logo, corri até o chalé e troquei a camiseta por uma amassada, mas basicamente limpa, e também me lavei antes de voltar para fora. Havia duas pedras livres na fogueira, uma de cada lado de Daryn, o que era perfeito. Exatamente onde eu queria ficar.

Eu não sabia qual era o plano. Sabia apenas que algo precisava mudar. E tinha quase certeza de que esse algo era eu.

— Você vai gostar disso, Gideon — comentou Jode, abrindo um sorriso perverso. — Sebastian quer que a gente forme uma boy band.

Bas estava abraçado ao violão, afinando o instrumento. Fazia uma semana que eu só ouvia vento, fogo, nossas armas em ação, nossas vozes. Em comparação, aquele violão parecia rico e cristalino, como se a minha audição tivesse ganhado alta-definição.

Ele ergueu os olhos, sorrindo para mim.

— Pense bem, G! A gente pode se chamar Os Cavaleiros do Fiorde.

Eu ri, e ouvi a história de como o violão tinha aparecido. Enquanto eu fazia minha ronda, Jode e Daryn desceram até a estação de turismo. Daryn tinha feito amizade com a atendente, uma mulher chamada Isabel. Quando estavam indo embora, Daryn convenceu Isabel a dar o violão, que tinha sido esquecido por algum turista, para eles.

— Isabel? — perguntei, olhando de relance para Daryn. Aquele nome parecia familiar.

Ela fez que sim, e então eu soube. A Seletora da qual Daryn havia me falado, sua amiga, estava por perto.

— O violão está sem uma corda — avisou Daryn. — Esse é o único problema.

— Não importa — disse Bas. — É demais.

— Que bom que gostou. — Daryn puxou as mangas sobre as mãos. — Não tinha certeza se algum de vocês tocava, mas achei que não tinha importância. Se praticarem um pouco todos os dias, podem aprender. Ou se algum de vocês tiver alguma experiência com instrumentos musicais na carreira, ou como hobby, sei lá, talvez essa pessoa possa ensinar aos outros, deduzindo que os métodos de ensino não sejam totalitários e inflexíveis. Ou simplesmente grosseiros. E as *outras* pessoas, que talvez possam se beneficiar com o aprendizado do violão, não interferirem e criarem problemas desnecessários sendo teimosos, negativos nem desistindo facilmente. Enfim, achei que vocês fossem gostar.

Nós quatro nos entreolhamos. A gente tinha acabado de levar um esporro sutil, mas bem preciso.

Bastian começou a tocar algo, lutando para ajustar a música com uma corda a menos. Reparei que era a corda mais fina. A que fica na parte de baixo. Mas ele se adaptou rapidamente, e seus dedos se mexiam com agilidade, tocando uma música que parecia uma perseguição, as notas subindo e descendo. Escutamos em silêncio conforme ele fazia as cinco cordas trabalharem juntas. E faziam isso *muito bem*, criando algo totalmente completo.

Todos nós entendemos. Pegamos a mensagem em alto e bom som.

Bas começou a tocar outra música. Eu queria ficar ali ouvindo, mas precisava fazer algo antes.

— Daryn.

Ela se virou rapidamente para mim, surpresa.

— Vamos dar uma volta? — convidei.

Ela não disse nada, apenas se levantou.

Seguimos por uma trilha montanha acima, em vez da trilha conhecida até a área de treinamento. Meu coração batia forte durante a caminhada. Fazia mais de uma semana desde que ficamos sozinhos pela última vez, e eu tinha um monte de coisas a dizer. Tentei organizar as palavras.

Paramos ao chegar a uma planície. O som do violão estava mais distante, porém ainda audível.

— Isabel está aqui — falei. — Tem algo acontecendo? Sabemos algo novo?

— Não. — Daryn cruzou os braços. — Ela é apenas reforço. Vai nos ajudar, caso necessário. — Ela hesitou, chutando a grama. — Eu não sabia que ela estaria aqui até vê-la, o que foi bom.

Dava para entender. Eu queria olhar para Daryn havia dias sem ter que me controlar ou pensar demais. Agora ela estava bem na minha frente e fiquei rapidamente obsessivo. Não conseguia desviar o olhar. Estava com saudades de conversar com ela. Só queria ficar perto dela de novo.

— Você está com um calombo gigante na lateral da cabeça — indicou ela.

— Quando você e Marcus vão parar de... O que você está olhando, Gideon?

— Você. Estou olhando você.

Os olhos dela começaram a brilhar com algum sentimento que fez a minha garganta ficar em carne viva.

— Como estou? — perguntou ela.

— Daryn, eu...

— A gente pode se abraçar primeiro?

— Sim.

Puxei-a para perto e a abracei. Ficamos ali, nos segurando até nossas respirações se acalmarem. Passei as mãos pelas costas dela, sentindo seu cabelo macio.

— Como você está, chefa?

— Bem melhor. — Daryn virou a cabeça e se aninhou no meu peito. Aquilo enviou uma onda de pura energia positiva pelo meu corpo. — Você?

— Muito bem.

Ao longe, Bas começava mais uma música.

— Gideon, sinto muito que as coisas tenham ficado estranhas depois de Roma — disse ela, olhando para mim.

— Não, eu que sinto muito. A minha cabeça não está muito boa.

— Eu sei com o que você está lidando. Sei do que são capazes.

— Mas ainda assim tive uma atitude bosta...

— Mas também foi culpa minha. Eu não devia ter deixado nada acontecer entre nós.

— Você acha que não tem nada acontecendo entre nós? — Eu não estava entendendo. Por que a gente estava ali, abraçados? — Tipo, o que é isso aqui?

— Não sei. — Ela deu um passo para trás. — Acho que é um meio que encontramos de fazer isso tudo ser menos doloroso.

Aquela conversa certamente não estava tomando o rumo esperado. Não sabia mais o que fazer com meus braços, agora que ela não estava neles. Enfiei as mãos nos bolsos. E me lembrei de tomar decisões inteligentes das quais não me arrependesse.

— Me diga o que você quer — pedi. — É um começo.

— Quero sempre estar nos seus braços como estava agora — disse ela.

— É isso que quero *toda hora*. Quero abraçar você e não largar nunca mais, mas não posso fazer isso. Eu teria que largar. Eu posso ter que ir embora amanhã, Gideon. A gente nunca mais se veria. Não quero que você me magoe, e acho que existe uma grande chance de que isso aconteça. Então não vamos deixar isso ainda mais difícil. Não vamos criar memórias para que eu sinta sua falta quando estiver sozinha novamente.

Tentei descobrir como eu me sentia com aquilo tudo. Era horrível. Louco. Incrível.

— Tudo bem — concordei. — Acho que estou entendendo o que você quer dizer. Prefere que a gente sofra agora para que a gente fique menos infeliz mais tarde. Não acho que vá funcionar, mas tudo bem.

Ela franziu a testa. .

— Tudo bem?

Dei de ombros.

— Não vou tentar convencer você a ficar comigo, Daryn. E não vou fingir que gosto da sua decisão. Mas, se você não quer criar memórias de nós dois, ok. Vamos ficar aqui, no lugar mais bonito que já vi na vida e compartilhar experiências completamente esquecíveis. Pode contar comigo, Martin. Eu topo.

— Está falando sério?

— Sim.

— Então você concorda que sejamos apenas amigos?

— Opa, opa. Calma aí. Não.

— *Não*? Não estou entendendo!

— Não quero apenas ser seu amigo. Se o plano é esse, então quero ser seu *melhor* amigo, Martin. Com apertos de mão personalizados, piadas internas e telepatia. O pacote completo. E não vou abrir mão disso. Então, é isso ou nada.

Eu já havia recusado a oferta de *amizade* uma vez. Não cometeria o mesmo erro duas vezes. Seria qualquer coisa que ela quisesse. Mesmo que me destruísse.

Ela me deu um soco no ombro pela piada, mas o sorriso era imenso. Eu queria morrer. Estava iniciada a minha destruição.

— Você é ridículo — disse ela.

— Não faço nada pela metade. Você sabe disso, parceira.

Ela balançou a cabeça e, então, se lançou em meus braços e concluímos a conversa daquele jeito. Não era nada parecido com nenhum abraço que eu tinha dado em um amigo. Nada daquilo era. Aquele novo status da nossa relação já provava ser algo interessante.

Descemos de volta aos chalés, falando o caminho inteiro, mas não fazia ideia sobre o quê. A minha cabeça repassava tudo que ela havia dito. Eu olhava para ela e pensava, *Essa garota incrível acabou de me dizer que sempre quer estar nos meus braços.* Por que isso não estava acontecendo? Tentava descobrir por que eu me sentia tão bem, mas, ao mesmo tempo, parecia que tinha levado uma surra.

Recebemos olhares do resto do grupo quando voltamos, mas Bas teve a decência de continuar tocando violão. Me juntei a eles em volta da fogueira, mas Daryn foi até o chalé e voltou com um cobertor. Ela sentou na mesma pedra, bem ao meu lado, jogando a coberta sobre nós, como a amiga maravilhosa que ela era. Comecei a suar imediatamente. Reparei que a perna dela tocava a minha. O cheiro de shampoo no seu cabelo. Reparei em tudo e com uma frustração inacreditável. Mas valeu a pena porque ela não parava de sorrir pra mim.

Sebastian terminou uma música, tirou o cabelo da frente dos olhos e começou outra.

— Você é muito bom nisso aí — elogiei.

— Valeu, G. Aprendi para ser ator. — Eu não entendia como ele podia tocar e falar ao mesmo tempo. Não parecia fácil. — Dá uma boa vantagem ter essas coisas no currículo na hora de conseguir um papel, então as pessoas aprendem um monte de coisas, tipo andar na corda bamba, idiomas e equitação. — Ele sorriu. — Eu queria ter feito essa última.

— O que você coloca no seu currículo? — perguntou Daryn.

— No meu? — Bas semicerrou os olhos em direção ao céu, como se a resposta estivesse lá em cima. — Ah, um monte de coisas. Fiz dança de salão durante um ano. Eu não sou muito bom no tango nem no foxtrote, mas sou sinistro na valsa. Falo espanhol, obviamente. Mas sou bom com sotaques em geral. Acho que tenho um bom ouvido. E sei tocar piano. Tenho dedos bizarramente longos. Também fiz um curso de dublê de lutas e...

— Espere aí — falei. — Você disse *dublê de lutas*?

Ele abriu um sorriso.

— Aham. Tenho um certificado de Combate Teatral. É um curso de 12 semanas em que a gente aprende a lutar com espadas e dar socos como se fossem de verdade. Não contei isso para vocês?

Eu o encarei, tentando processar aquela informação.

— Acho que ele não está acreditando em você, Bas — disse Daryn.

Ele riu.

— É verdade. Tenho diploma e tudo. — Ele parou de tocar o violão. — Pare de me olhar assim, Gideon. É para o *cinema*. Se eu ganhar um papel que precise lutar, vou saber fazer. É por isso que não contei nada pra você.

— Estou apenas tentando *entender*. Tipo... você aprendeu a tocar violão por causa do cinema, mas sabe *tocar* de verdade. E aprendeu a droga da valsa, o que também posso deduzir que você saiba dançar de verdade. Então, que diabos aconteceu? Por que a luta foi a única coisa que você não aprendeu de verdade?

— Guerra está levando isso como uma ofensa pessoal, me parece — disse Jode.

— E dá para me culpar por causa disso?

Jode riu.

— Não, *cara*. Não dá.

— Talvez a gente devesse botar umas câmeras por aqui, talvez ajude — disse Marcus, contribuindo de fato para a conversa.

Bas abriu um sorriso.

— Com certeza ajudaria. Sou demais com a câmera ligada.

Concordei com a cabeça.

— Mas isso é verdade. Como ator, Sebastian é tipo um leão no Saara. Um predador de primeira. Extremamente capaz.

Jode e Marcus não conheciam a história de como eu tinha conhecido Bas em um teste de elenco, então nós dois contamos. E não paramos mais. Conversamos e ouvimos Sebastian tocar violão enquanto a noite caía. Ficamos por horas ali, brincando. Finalmente *conversando*. Mas não me esqueci da nossa situação nem por um segundo.

O fogo me lembrava de Pyro. As brasas me lembravam dos olhos de Ra'om. Quando eu olhava para a escuridão, imaginava Alevar agachado e escondido dentro de suas asas. Quanto tempo ainda tínhamos?

Já passara da meia noite quando Sebastian parou de tocar. Meus olhos ardiam por causa do fogo e do cansaço, mas dormir era a última coisa que eu queria. Fiquei esperando alguém voltar ao chalé, começar o movimento, mas ninguém se mexeu.

Nossa diversão inocente tinha chegado ao fim. O fogo queimava baixo, e as sombras aumentavam, era hora para as histórias de fantasma ou para as confissões.

Jode coçou a cabeça.

— Tudo bem, eu começo — disse ele. — Pra mim, foi um acidente de carro.

Eu soube imediatamente o que era aquilo. Todos nós percebemos.

— Estava apostando corrida com uns amigos — continuou ele. — Os filhos dos sócios do meu pai, mais precisamente. Dois deles eu conhecia muito bem. A gente se odiava. A pista estava molhada e... perdi o controle, e batemos em uma árvore. Perdi a corrida. — Ele contava a história em frases curtas, como se quisesse terminar logo. — Quando acordei no hospital, descobri essa pulseirinha. — Ele ergueu o braço, o bracelete brilhava sob a luz fraca. — Foi assim que tudo começou.

Eu parecia estar vendo todo um novo lado dele. Na última semana, eu havia entendido que ele não era um guerreiro, mas agora sua hesitação e seu medo faziam sentido. Jode quis tanto ganhar que pagou o preço mais alto de todos.

Ninguém disse nada para consolá-lo. O que a gente poderia dizer? *Foi mal que você tenha morrido, cara.* Além do mais, todos nós tínhamos morrido.

Ficamos ali, ouvindo o vento. A gente entendia a situação.

E então Daryn me deu uma cotovelada.

— Ai... Tá bom — falei. — Acho que sou o próximo. — E então contei sobre o treinamento do RASP e o acidente com o paraquedas. Enquanto falava, percebi a reação de Marcus. Geralmente ele agia como se não se importasse com nada que eu dissesse, mas naquele momento ele prestava atenção, concentrado.

— O paraquedas deu problema? — perguntou ele, quando terminei.

— Não. Foi só... algo que aconteceu. Uma sequência muito rara de acontecimentos. E é ainda mais estranho porque aconteceu no mesmo dia que meu... — Eu me toquei a tempo e olhei para os rostos iluminados pelo fogo à minha volta. Será que eu poderia confiar naqueles caras para dizer a verdade, ou não? Decidi que sim e segui em frente. — Porque aconteceu no mesmo dia que meu pai morreu, um ano antes.

Eu não tinha certeza do que o olhar de Marcus representava. Parecia que ele estava vendo uma fraqueza em mim. Eu não precisava daquilo. De repente, senti que tinha feito o movimento errado. E então Bas falou algo, desviando a atenção.

— Eu me afoguei — disse ele. — Estranho, né? Que não tenha tido nada a ver com comida? Não é o que se espera do cavaleiro da Fome.

— Mas ainda assim teve a ver com alguma ausência — argumentou Daryn. — Só que de ar, em vez de comida.

— É. Acho que você tem razão. — A expressão no seu rosto era de gratidão. Ele mostrava tudo que sentia pelas expressões faciais. — Disseram que estive morto por quase cinco minutos. Todo mundo ficou muito surpreso quando voltei à vida. Foi tão estranho ver aquela gente toda chorando. Eu me senti tão assustado que chorei também. Caí aos prantos. Foi uma experiência completamente encharcada.

— No mar ou na piscina? — perguntei, como se fosse normal. Mas nada mais parecia pessoal demais. Quando você consegue contar a alguém que fez algo tão errado a ponto de morrer, pode contar basicamente qualquer coisa.

— Num lago — disse Bastian. — Lago Michigan. Eu visitava um amigo, e a gente estava com uma galera em uma barragem perto de um farol. A água parecia muito mexida. Todo mundo começou a falar que seria impossível sobreviver ali. E então tive uma necessidade absurda de me exibir e pulei na água. Idiota. Foi uma péssima ideia. Fiquei preso na corrente. Parecia um gancho me puxando. Não consegui nadar de volta. Fiquei vendo o farol se afastar cada vez mais.

"Quando vi o barco de resgate, soube que era tarde demais. A água estava *tão* gelada que meus músculos pareciam feitos de pedra. Não conseguia mais nadar. Afundei e depois disso não lembro de mais nada. Tenho um branco completo até acordar na praia. Atrás da equipe de resgate, vi meu amigo e as pessoas que estavam no grupo. Todo mundo aos prantos. Um monte de gente chorando ao meu redor. É o detalhe mais vivo na minha memória. A tristeza e o medo deles. E de como me senti mal por ter causado aquilo. E então o alívio de... estar vivo. — Ele ergueu os ombros. — Então, esse sou eu. Foi o que aconteceu.

Jode tremeu, como se pudesse sentir a água gelada.

— E você, Dare?

O sotaque fazia o apelido soar ainda mais formal que o nome dela.

Daryn se ajeitou ao meu lado. As pálpebras dela começavam a ficar pesadas.

— Ainda não morri. — Ela sorriu. — Tenho um pouco de esperança de que continue viva pelo máximo de tempo possível.

— Isso meio que não é engraçado, Martin — falei.

— Concordo — acrescentou Jode.

— Né? — disse Bas. — Não diga isso. O que a gente faria sem você? Ela riu.

— Ah, parem. Vocês ficariam *beeem*.

Cutuquei o braço dela.

— Ei, é sério. A gente não vai deixar nada acontecer com você.

Ela apoiou a cabeça no meu ombro.

— Eu também não vou deixar nada acontecer com vocês. Prometo. É a vez de Marcus.

Marcus imediatamente se curvou sobre os joelhos e esfregou a mão na nuca.

— Você não precisa falar — disse Sebastian. — Não se sinta pressionado.

— O *quê*? — falei. — Isso não é justo! *Sim*, sinta-se pressionado. Pode começar a falar, Ceifador.

Marcus me lançou um olhar letal, e eu vi algo nos olhos dele. O acordo para uma brincadeira entre amigos, como se estivéssemos apostando algo. Eu tinha feito a minha, agora era a vez dele.

Ele ajeitou as costas, endireitando os ombros.

— Apanhando — disse ele. — Com socos, depois chutes. E então um tijolo. E depois não sei mais.

Merda.

Ele tinha sido *espancado* até a morte?

Bas estava levantando do banco.

— Marcus, você foi *atacado*?

— Não. Eu fui atrás deles. Mas já estava rolando fazia um tempo.

— Deles? — perguntou Jode.

— É, eram... — Marcus estalou os dedos algumas vezes. Ao contrário de Bas, ele raramente demonstrava suas emoções no rosto, mas agora eu podia ver que estava com dificuldades. — Eram cinco.

— Você atacou cinco pessoas? — perguntou Jode. — Sozinho?

Marcus fez que sim.

Balancei a cabeça. Eu precisava admitir a minha admiração. Era preciso muita coragem para fazer aquilo.

— *Por quê?* — perguntou Bas.

Ele não respondeu. Descobrimos o limite do que seria compartilhado pela Morte.

— Você fez algum estrago pelo menos? — perguntei.

Marcus abriu um sorriso lento.

— Por um tempo me saí bem.

Claro que sim. O sujeito era o mais durão de todos.

Daryn se ajeitou ao meu lado. Sob o cobertor, a mão macia apertou a minha. Ela entrelaçou os dedos nos meus, e apertei de volta.

Estávamos formando um grupo, nós cinco.

Estávamos finalmente achando o caminho certo.

Capítulo 50

M uita coisa mudou depois daquele dia. Começamos a trabalhar melhor e a nos esforçar mais. Unidos em todos os sentidos. Jode teve algumas ideias que incorporamos aos nossos exercícios de combate. Ele havia lido um monte de coisas sobre teoria militar e queria que a gente treinasse no mesmo local, sem a divisão, para criar uma atmosfera positiva. Ele também queria que a gente incorporasse estratégias aos treinos e fizesse missões à noite para aprendermos a lutar no escuro.

Eram ideias ótimas. Ideias que eu também tivera, então acatamos todas elas. Mas a maior mudança em nossa rotina depois daquela noite foram os cavalos. Eu não podia mais evitar aquele momento; havia chegado a hora de treinar com os animais.

Começamos logo na manhã seguinte. Quando chegamos à área de treinamento na margem do rio, o sol começava a surgir atrás das montanhas. A neblina subia da água em grandes ondulações. Havia chovido mais cedo, e a grama parecia esponjosa sob meus pés. Nos reunimos em um círculo, e me lembrei do primeiro dia, embora não fôssemos nem remotamente mais as mesmas pessoas. Estávamos unidos agora. Um time.

— Acho melhor ir um de cada vez — disse Daryn. — Deve ser mais seguro.

Tínhamos concordado na descida até ali que ela e Jode liderariam o treinamento com os cavalos. Daryn tinha alguma experiência com equitação da época dos acampamentos de verão. Jode também cavalgava. E Bas já tinha uma boa relação com Sombra.

Olhei para Marcus, e concordamos silenciosamente que estávamos prestes a levar um banho. Nenhum dos dois estava animado com aquilo.

— Ok, Bastian. Vamos começar com você.

Ele abriu um sorriso espontâneo. Sebastian deu alguns passos para trás. Um segundo depois, Sombra surgiu de uma fumaça ao seu lado.

Eu nunca me cansava de ver sua materialização. Nem de olhá-la. Era linda. Esguia e com pernas longas. De um preto muito profundo, com uma neblina de escuridão que subia pelos cascos e pela crina. Era absolutamente irreal. Mas Bas estava ali, acariciando sua fronte larga como se fosse apenas uma égua comum.

Sombra analisou o grupo, mas ficou ao lado de Bas. Bem ao lado, embora não estivesse selada. Um animal sem qualquer problema de conduta. Era apenas uma égua lustrosa e incrível. Eu queria o arco de Jode, mas teria matado para aquela égua se ela não fosse de Bas.

— Gideon, sua vez — disse Daryn.

— Vou por último.

— Ok. Jode?

— Muito bem — disse ele. — Mas preciso avisá-los. Meu cavalo é espirituoso. Só o vi uma vez, mas foi memorável. É melhor ficarem alertas.

Ótimo. Meu estômago já estava se revirando. Jode tinha experiência com cavalos, e se *ele* estava nervoso com sua montaria... minha situação não era nada boa.

Jode saiu do círculo e fechou os olhos por um instante. Um redemoinho de luz subiu da terra ao lado dele, recortes brilhantes que se entrelaçaram para formar um garanhão branco — o extremo oposto em cor de Sombra, só que muito mais forte e largo.

O cavalo de Jode mal tinha aparecido quando viu Sombra, abaixou as orelhas e saiu galopando.

Sombra baixou a cabeça e soltou um som que eu nunca tinha ouvido sair de um cavalo. Metade ganido. Metade rugido. Completamente apavorante.

O cavalo de Jode parou, retesando os músculos, as pernas travadas, mas ele deslizou alguns metros, cravando um buraco na grama úmida antes de finalmente conseguir parar. Ele balançou a cabeça e bufou, produzindo um vapor pelas narinas, como uma nuvem na manhã gelada.

Sombra não estava nem um pouco abalada. Ela continuava parada, como quem dizia *Pode vir. Estou muito pronta.*

O cavalo de Jode balançou o rabo algumas vezes e então deu uma meia-
-volta preguiçosa e trotou de volta até seu cavaleiro. De repente, ele parecia
incrivelmente entediado, observando as grandes muralhas em volta do fiorde.
Nos observando. Completamente desinteressado de tudo. Até mesmo de Jode.

— É isso mesmo? Sombra acabou de botar banca aqui? — perguntei,
tentando interpretar o comportamento equino.

Sebastian sorriu.

— Aham, cara. Sem sequer se *mexer.*

— Éguas — disse Jode, secamente.

— As fêmeas são mais fortes em todas as espécies — disse Daryn ao se
aproximar lentamente do cavalo de Jode com as mãos estendidas. — Estou
surpresa que vocês não tenham aprendido isso ainda.

Eu meio que tinha.

O cavalo de Jode observou Daryn com os olhos atentos, o pescoço curvado como um grande arco. O pelo do garanhão era uma espécie de branco
que parecia brilhar por dentro, emanando um halo de luz, como a lua.

Daryn esticou a mão quando se aproximou. O cavalo a cheirou, subindo
pelo seu braço. E então fungou o cabelo dela, o que fez Daryn dar uma risada.

— Oi, garotão — disse ela, coçando atrás das orelhas dele, totalmente
à vontade.

Eu não estava totalmente à vontade. Dava para fazer meu estômago de
trampolim naquele momento. Aquela coisa toda de documentário sobre a
natureza iria pelos ares assim que meu cavalo aparecesse.

— Ele tem um nome, Jode? — perguntou Daryn.

— Não pensei muito nisso — respondeu ele.

— Ele é tão bonito. Parece uma lanterna. Que tal Luminoso
Jode sorriu.

— Perfeito.

— Bom garoto, Luminoso. — Daryn afagou o longo pescoço do garanhão,
e então se virou para Marcus. — Pronto?

Ele desviou os olhos para mim. Estávamos começando a nos entender,
mas eu já conseguia ler a mente dele muito bem. Como ele mal falava,
aquele era o jeito de entendê-lo, através do olhar ou da postura. Todos nós
aprendemos, mas eu sou completamente expert em matéria de Marcus.

Naquele momento, ele estava pensando *Só vou fazer isso porque quero ver* você *fazer o mesmo*.

Ele se afastou do círculo, girou os ombros e abaixou a cabeça.

Alguns segundos se passaram. Eu estava começando a achar que ele não conseguia acessar seu cavalo quando uma centelha fraca apareceu na grama à frente dele. Um movimento que parecia um redemoinho de folhas cinzentas. Conforme o movimento se transformou em um pequeno tornado, percebi que eram mesmo cinzentas. Que se solidificaram em longos fios e foram aos poucos formando um casco, um calcanhar, patas. Até o cavalo estar completo, tão sólido quanto eu.

O cavalo de Marcus também era uma égua, mas menor que Sombra. E bem menor que Luminoso. Era compacta e leve. Perfeitamente proporcional. Só de olhar para ela, tinha a impressão de que seria rápida. O pelo era de uma cor que eu nunca vira antes em um cavalo. Um tom muito, muito pálido de dourado.

Ela ficou parada, olhando primeiro para mim, depois para Sebastian e então para Daryn. E então Sombra e Luminoso. A égua fez sua ronda, interpretando cada um dos presentes, até que viu Marcus e nós perdemos toda a graça. Ela só tinha olhos para ele.

Marcus não tinha se mexido. Ele parecia mais ansioso que nunca, apoiado na ponta dos pés, como que prestes a sair correndo. Parecia não ter ideia do que fazer.

— Daryn? — chamou ele, lançando um olhar incerto, de relance.

— Pode ir — disse Daryn. — Vá até ela.

Marcus deu alguns passos em direção à égua e parou. E então o bicho deu alguns passos, diminuindo o espaço entre os dois. Ela abaixou a cabeça. Estava tão perto que as orelhas tocaram o peito dele. Marcus levantou a mão, passando a palma pela fronte macia do cavalo. A égua fechou os olhos e se apoiou nele.

E foi isso. Marcus relaxou os ombros. Seu corpo *inteiro* relaxou. Ele manteve a mão na égua ao se aproximar, e o acordo tinha sido selado. Eles estavam juntos.

Balancei a cabeça. Sério? Fácil *assim*?

Marcus abriu um sorriso para mim, amando demais o que aconteceria em seguida.

— Ruína — disse ele. — Vai ser o nome dela.

Era um bom nome. Ela parecia antiga. Como se tivesse sido escavada e espanada depois de alguns mil anos dentro de uma cripta.

— Fique à vontade, Guerra.

— Obrigado, Morte. Estou acompanhando a ordem.

Suspirei enquanto observava o restante do círculo. Bastian e Sombra. Jode e Luminoso. Marcus e Ruína. Daryn, mais certa de si que nunca. Uma formação tão pacífica. Eu nunca tinha enfrentado um desafio que me fizesse querer sair correndo. Aquele havia chegado perto, mas não tinha a menor chance de eu ser o único cara que não cumpriria o acordo. Impossível.

— Então — falei. — É melhor vocês se afastarem. Meu cavalo é especialmente espirituoso. Ele é meio intenso, na verdade. Maníaco.

— Nossa, que inesperado — ironizou Jode.

— Você consegue, Gideon — encorajou Bas.

Daryn sorriu.

— Vai ficar tudo bem.

— Total.

Eu estava suando e com o coração acelerado. Precisava acabar logo com aquilo.

Já se tornara instintivo invocar a espada e a armadura, mas me senti desajeitado procurando pelo Cavalo de Fogo. Estava tateando no escuro em busca daquele lugar onde eu me sentia concentrado, alinhado com as minhas intenções de cumprir um dever, defender, de não me render quando me faltassem forças. Finalmente, senti a conexão que só podia ser *dele*. Alinhei meus pensamentos com os dele e pensei *Apareça, seu baderneiro*.

Depois disso, tudo aconteceu muito depressa. Meu cavalo surgiu, como um maçarico no centro do círculo. Empinando, com os cascos arranhando o céu. Uma fúria em chamas. A própria rebeldia em forma de cavalo.

Todos os humanos no círculo recuaram um passo para trás — eu também —, mas os outros cavalos, não. Todos aceleraram; partindo para a briga. Instantaneamente, vimos crinas e rabos balançando para todos os lados, dentes à mostra, terra voando, em uma batalha equestre.

Nós cinco ficamos afastados, observando. O que mais poderíamos fazer? Aqueles cavalos eram poderosos e rápidos. Sua força era incrível. E a luta era pesada. Meu cavalo e Luminoso tinham a vantagem do tamanho e da força, mas Ruína e Sombra eram velozes e ágeis. Cada movimento criava borrões de sombra e de luz, cinzas e fogo, e os sons emitidos por eles ecoavam pelo silêncio do fiorde.

— Será que eles vão parar em algum momento? — perguntou Bastian.

— Sim — respondeu Daryn, mas não parecia muito certa.

— Eles vão se entender — concordou Jode. Mas ele também parecia preocupado. Até mesmo Marcus parecia com vontade de se meter e separar a briga.

Mas eu não. Eu não tinha nenhum apego ao meu cavalo. Nem sabia se podia tocá-lo porque ele estava, afinal de contas, em chamas.

Fiquei observando e vi quando ele levou uma forte mordida no pescoço e correu para o lado, jogando lama para todos os lados com os cascos imensos. Caiu em cima de Sombra. A égua tropeçou em um pedaço solto de madeira. Ela ia cair, e meu cavalo também. O Gigante de Fogo ia cair em cima dela e esmagá-la.

Sombra desapareceu antes que isso acontecesse. Ela se desmaterializou em uma nuvem negra retorcida que voou na direção do rio. Ruína galopou atrás dela, batendo os cascos no cascalho. Deu alguns passos e então se transformou também, em cinzas. Agora dois borrões, um preto e um cinza, voavam sobre o rio.

Luminoso e meu cavalo, dois lerdões, se juntaram por último. Luminoso se transformou em luz, como o sol refletido na água. Depois, o Gigante de Fogo se transformou em uma chama e também desapareceu. Não havia mais nenhum cavalo. Apenas talhos de luz sobre a água.

Tudo aconteceu em segundos.

Corremos para a margem do rio atrás deles. Feixes de luz, escuridão, fogo e cinzas se contorcendo e entrelaçando em meio às árvores. Subindo repentinamente e, então, caindo logo acima da superfície da água gelada de novo. Meu coração não bateu uma só vez durante um minuto inteiro. Dos quatro cavalos, o meu chamava mais atenção. Nunca tinha visto nada tão incrível. Nunca.

Sebastian estava torcendo e gritando sem parar. Daryn e Marcus riam e corriam pela margem do rio, seguindo a corrida dos cavalos. Apenas eu e Jode ficamos ali, incapazes de nos mexer.

Jode balançou a cabeça.

— Seu cavalo causou um caos e tanto.

Era isso que ele era, pensei.

Caos.

No mesmo dia, no final da tarde, quando o resto do pessoal estava no chalé-quartel-general acendendo a lareira e preparando um jantar excelente de arroz, feijão e ervilhas enlatadas, recrutei minha encantadora de cavalos favorita e grande amiga para uma aula particular.

Daryn me deu instruções enquanto a gente descia a trilha até a água: falar durante o treinamento com Caos. Ser firme, mas também entender que cavalos têm personalidades diferentes, assim como pessoas.

— Alguns são confiantes — explicou ela, quando chegamos ao gramado —, mas outros são tímidos e...

— Timidez não é o problema dele.

— Mas... e se fosse?

— Ele não é.

Ela me deu um sorriso com um levantar de sobrancelha.

— Eu acho que *você* é tímido.

— Acha?

— Aham.

— Sério?

Dei um passo na direção dela.

Ela viu o que eu estava querendo e saiu correndo. Ela era rápida — precisei acelerar —, mas a alcancei. E então a levantei nos meus ombros e giramos até a hora em que precisei nos jogar cuidadosamente no chão.

— É bem fácil fazer coisas totalmente desimportantes com você — falei, enquanto esperava o céu parar de girar.

— Estava pensando na mesma coisa. Vai ser tão fácil esquecer de você.

Doloroso. Cada momento com ela era incrível e doloroso.

As nuvens estavam carregadas acima de nós, um grande novelo de lã estendido sobre as montanhas. Fazia um pouco mais de uma semana que estávamos ali. Quanto tempo teríamos até que as asas pretas de Alevar surgissem nos céus?

Daryn levantou a cabeça apoiada nos cotovelos. O cabelo dela caiu sobre o ombro, encobrindo a chave.

— Está pensando na Ordem, não está?

Ela já sabia que sim, então apenas fiquei olhando.

Daryn suspirou e uniu as sobrancelhas.

— Sei que não depende de mim, mas me sinto responsável. Como posso não saber o que devemos fazer em seguida?

— Você vai saber.

— Sim, mas *quando*?

— Quando tiver que saber. — Não conseguia mais ficar ali deitado tão perto dela. Saltei de pé e estendi a mão, levantando-a. — Vamos trabalhar.

Chamei Caos pela segunda vez naquele dia. Ele apareceu em flâmulas, fogo num segundo, cavalo no outro; um cavalo em *ataque*.

Saltei na frente de Daryn, convocando minha espada e armadura rapidamente, sabendo que, mesmo com aquela ajuda, eu não teria quase nenhuma chance contra a tonelada do animal em chamas que corria em nossa direção.

— Gideon, está tudo bem — disse Daryn. — Apenas se mantenha firme.

Não parecia que ficaria tudo bem. Agitei a espada na minha frente.

— Caos, para trás!

Ele cravou os cascos dianteiros na lama um pouco antes de nos atingir. Os olhos estavam saltados, e então Caos saltou para o lado, como um grilo. Depois saiu correndo, galopando, antes de dar a volta e correr novamente na minha direção. Obedeci as instruções de Daryn e fiquei parado.

Caos me assustou novamente, saiu correndo, deu a volta, e fez isso por mais trinta minutos, repetidas vezes, até que uma espuma se formou em sua boca e ele finalmente parou de uma só vez, de forma agitada e repentina a uns dez passos de mim.

Olhei para Daryn.

— Bem, parece um bom momento para encerrarmos...

— Estamos apenas começando.

Balancei a cabeça, observando o cavalo. Caos parecia exausto, mas continuava assustador para caramba.

Daryn havia me alertado para me aproximar dele lentamente. Falando. Eu tinha que fazer aquilo agora, antes que perdesse a calma. Dispensei minha espada e armadura, e então dei um passo à frente.

— Como está se sentindo hoje, Caos? — perguntei. — Eu me chamo Gideon.

Ótimo. Duas frases e eu já tinha feito papel de idiota. Na frente de Daryn *e* de um cavalo. Eu nem sabia que a última parte era possível. Continuei falando e me aproximando.

— Tenho certeza de que temos muitas coisas em comum. Você é claramente um garanhão em ótima forma física. Extremamente perigoso. Malvado. Com uma beleza estonteante.

— Nossa — disse Daryn atrás de mim.

Aquilo me fez sorrir, e eu estava precisando. Estava mais nervoso que nunca. Os músculos da perna de Caos tremiam. A respiração virava vapor com as bufadas. Ele tinha olhos dourados... e que não desviavam dos meus. Parecia que ele queria comer a minha cabeça.

— Continue — disse Daryn. — E tente ser positivo e legal, talvez? Acho que ele consegue sentir o que você está dizendo.

Positivo, ok. Legal, ok. Espera aí... *legal*?

Merda. Ok.

— Acho que você vai ser um ótimo cavalo de guerra — falei, enquanto me aproximava cuidadosamente. — Assim que parar de tentar me matar, acho que vamos nos dar muito bem. Não que eu não valorize o seu nível de agressão. Quem sabe se a gente conseguir mudar o foco, pode ser que seja bom. Tem outro problema também. Esse negócio de você estar pegando fogo. Mas vejo um grande potencial assim que a gente descobrir como resolveremos essa parte.

Eu estava quase lá. Mais três passos e eu conseguiria tocá-lo.

Caos retesou os lábios, e de repente eu estava olhando para um *monte* de dentes gigantes.

— Não se preocupe — disse Daryn ao meu lado. — É assim que os cavalos sentem o cheiro das coisas. Ele está apenas conferindo seu odor. Estenda a mão e deixe que ele cheire você.

— Tem certeza de que ele não vai me morder?

— Não — disse ela, rindo. — Não tenho.

Ela pagaria por isso.

Eu podia sentir o calor de Caos irradiando em torno do animal. E pude sentir seu cheiro — algo parecido com asfalto e metal quentes e suor de cavalo. Estiquei a mão lentamente, dando adeus aos meus dedos.

Caos estendeu o pescoço até me alcançar, sua boca pairando sobre a palma da minha mão. A respiração dele tocou a minha pele em bufadas curtas e quentes. Achei que os olhos dele fossem dourados, mas era uma cor mais intensa. Tipo âmbar.

Reparei que o nível de chamas sobre o corpo dele tinha diminuído. Naquele momento estavam apenas no rabo. O focinho era sólido e imenso, e a mecha da crina brilhava em tons de cobre, dourado e vermelho, cada uma em um tom diferente.

— Você é especial, não é? — falei.

Ele me olhava tão intensamente. Parecia que não apenas me *escutava*; e sim me *compreendia*. Aquilo me deu a confiança necessária.

— Ok, Vermelhão. Agora vou tocar em você. Se estiver pensando em me queimar, agradeceria muito se... não me queimasse.

Estendi o braço e repousei a mão no pescoço dele. Senti um músculo forte coberto por uma fina camada de pelo que irradiava calor. Era quente. Mas eu esperava mais. Parecia apenas que ele tinha ficado parado debaixo do sol.

Mas o que me impressionou, após alguns segundos, foi a respiração. Eu estava sentindo a respiração dele. Sua pulsação. Toda a força dele. Todo aquele fogo, interno e externo.

Se eu conseguisse achar uma maneira de me conectar, aquilo seria meu.

Ele seria meu.

Talvez funcionasse.

Depois daquilo, comecei uma missão para me aproximar dele. Passei os dias seguintes chamando Caos e deixando-o correr até cansar, depois me aproximando e descansando a mão no seu pescoço. Aos poucos chegamos a um ponto em que ele me deixava passar a mão por toda a extensão de seu corpo. Dava para ver que ele gostava, já que diminuía as chamas para mantê-las longe de mim. A penugem vermelha era apenas morna, e, como o tempo em Jotunheimen continuava esfriando, o calor era bom.

Continuei falando durante meu trabalho com ele porque Daryn assim havia me instruído. Contei a ele sobre minha mãe e Anna. Contei sobre os Giants e falei de beisebol em geral, o que levou um tempão. Contei sobre o RASP, algo que ele gostou mais. Eu ficava jogando pedras na água, como sempre me mexendo de um lado para o outro, e ele vinha até mim, com seus grandes cascos batendo na beirada da água, como se quisesse me escutar melhor.

Mesmo com os olhos direcionados para o fiorde, eu sentia a atenção de Caos. Ele me escutava mesmo quando eu não falava nada.

Após alguns dias, comecei a percorrer a margem do rio enquanto falava, e ele trotou bem ao meu lado, os cascos como pequenos meteoros batendo, o rabo balançando no ar e várias partes de seu corpo em chamas. Caos tinha muitas qualidades, mas sutileza não era uma delas.

Rapidamente, me tornei viciado à sensação de estar com ele. Comecei a ficar impaciente nos treinos com Marcus, ansioso em voltar para Caos. Eu era o primeiro a acordar e o último a dormir, como sempre, mas agora era porque eu queria passar o máximo de tempo possível com meu cavalo.

Pequenos detalhes me abalavam. O modo como ele me olhava quando eu parava de falar, como quem dizia *Por que parou, Gideon?* O modo como ele encostava em mim para indicar que queria cafuné. O modo como, quando a gente via os outros com seus cavalos, ele ficava um pouco enlouquecido e agia de forma protetora. E, o melhor de tudo: quando eu mencionava o nome de Daryn, ele fazia uma pose e se acendia inteiro. Completamente exibido.

Ele era engraçado. Uma companhia simplesmente fantástica.

Depois de alguns dias de treino com ele, calcei meus tênis de corrida e me mandei. Ele continuou ao meu lado, então acrescentamos corrida à nossa rotina. De vez em quando passávamos pelos outros caras e eles comentavam. Diziam que eu tinha entendido errado o significado de correr com um cavalo. Ou faziam apostas de quando eu começaria a usar uma sela para ser montado por Caos. Eu não me importava. Adorava correr sozinho, porém ainda mais com um cavalo como companhia.

Poucas coisas eram melhores que aquilo.

Mas havia uma coisa melhor. Quanto mais tempo eu passava com Caos, mais eu ficava calmo, e passei a ver cada vez menos as imagens de Ra'om. Passei a dormir melhor. Os pesadelos aconteciam com menos frequência. Conseguia passar muitas horas sem pensar em Samrael com Daryn, ou vendo meu pai caindo do telhado. À noite, quando eu olhava para a escuridão, já não via os olhos vermelhos de Ra'om; via os olhos de Caos. A cada dia que passava meu cavalo consertava um pouco mais a minha cabeça. Ele conseguiu o impossível: me acalmar.

No entanto, a única coisa que não fazíamos era *cavalgar*.

Quando nos aproximamos de duas semanas em Jotunheimen, eu sabia que havia chegado a hora. Acordei e desci até o rio antes dos outros acordarem. Queria tentar sozinho da primeira vez.

Havia chovido durante dois dias inteiros, e nosso centro de treinamento tinha virado um lamaçal. A neve chegaria a qualquer momento. A Ordem também.

Convoquei Caos, e ele veio diretamente até mim, sacudindo a cabeça. Ele também estava feliz em me ver.

— E aí, Vermelhão? — cumprimentei, passando a mão no pelo dele. Ele retribuiu com um esfregão de cabeça, mandando que eu me mexesse. Caos achava que iríamos correr. — Vamos tentar algo diferente hoje. Algo novo.

Seus olhos âmbar permaneceram fixados em mim. Ele também estava pronto.

— Vamos nos equipar, Caos — falei. Eu sabia pelo resto do grupo que os acessórios dos cavalos surgiam na hora de montar. Queria ter certeza de que Caos também sabia disso. — Sua sela e rédea vão aparecer. E depois vou subir nas suas costas. Vou sentar em cima de você, então prepare-se, ok? Lá vamos nós.

Apoiei a mão direita no lombo de meu cavalo e agarrei um pedaço da crina com a esquerda, com força. Vi um estribo de relance, então enfiei o pé ali e tomei impulso.

Tudo se encaixou perfeitamente — ambos os pés estavam nos estribos, eu estava sentado sobre a sela, e as rédeas estavam em minhas mãos —, mas meu primeiro pensamento não foi para o equipamento. Eu havia subestimado o tamanho de Caos. Eu estava *muito* alto.

A segunda coisa que reparei era que não somente havia surgido o equipamento de Caos, mas também minha armadura — *e* — que eu estava pegando fogo.

As chamas corriam pelos meus braços. Subiam dos calcanhares, pelas minhas pernas. Eu me abaixei e passei a mão no pescoço de Caos, e as chamas que ali estavam me cercaram. Precisei de um segundo para entender o que acontecia, mas Caos enrijeceu a musculatura sob mim e acelerou com tanta força que quase voei da sela.

Pressionei as pernas, abaixando os calcanhares como Daryn havia me ensinado e segurando com toda a força possível. Eu não esperava que ele fosse rápido — ele era feito para ser forte, não rápido —, mas ele era *rápido*. O cascalho na margem do rio se tornou um borrão cinza, e o vento batia contra meu rosto.

Como eu não tinha nenhuma experiência em montaria, a sela pulava como uma britadeira. Partes preciosas do meu corpo jamais seriam as mesmas, disso eu tinha certeza. Felizmente, logo percebi que, se eu mudasse o peso do corpo para as pernas e para a frente, eu ficaria no mesmo ritmo da passada de Caos. Segurei as rédeas, fechadas como um jóquei, e senti uma felicidade extremamente verdadeira e profunda conforme cortávamos o campo.

Por que eu tinha adiado aquele momento? Não queria parar nunca mais. Queria dar a volta ao mundo, cavalgando.

E então vi Daryn e os rapazes descendo a trilha, e o momento chegou ao fim. Tive dificuldade para me lembrar das instruções — pegar leve com a boca de Caos, usar minhas pernas para controlá-lo — e fiz uma bagunça, enviando sinais confusos e puxando as redes como um brutamontes. Fiz tudo errado, mas de algum jeito ele me entendeu. Diminuiu a velocidade, trotou até o grupo e parou.

Sentado ali na sela, com Daryn e os rapazes me olhando, eu me sentia o máximo, mas meu instinto me disse para fingir que não era nada demais. Apenas uma manhã normal, correndo pelo fiorde com meu cavalo incendiário gigante.

Não deu certo. Senti um sorriso se abrindo e não consegui controlá-lo de jeito algum. Sabia que eu estava parecendo incrível, com a armadura e o cavalo. Em chamas. Quero dizer, com que frequência aquilo *acontecia*?

— E aí, pessoal? — cumprimentei, abaixando para acariciar o pescoço de Caos.

Ouvi alguém dar uma risadinha e lancei um olhar furioso.

— O que foi?

Marcus coçou o queixo. Dava para ver que ele tentava não sorrir.

— O seu cavalo, cara. Ele se mexe de um jeito...

— Isso se chama ação dos joelhos, que é quando o joelho e a parte da perna abaixo dele formam quase um ângulo reto em relação ao chão quando o cavalo anda — explicou Daryn.

— Caos é bem alto — acrescentou Jode. Ele franziu a testa e cerrou os lábios, mas eu podia ouvi-lo rindo.

— É maneiro, G — elogiou Bas. — Ele meio que... empina. Me lembra uma dança irlandesa. Sabe, aquelas em que...

Ele nem conseguiu terminar a frase. Começou a gargalhar. De repente, todos estavam rolando de rir.

— É porque ele é grande, seus idiotas — falei. — É como um tanque. E saca só essa lama. Ele precisa de tração nas quatro patas.

Calei a boca porque sabia que estava piorando a situação. Eu e Caos apenas teríamos que esperar. Mas eu não me importava. Sabia que éramos incríveis.

Quando todo mundo se acalmou, o resto dos rapazes também montou seus cavalos. Sombra se materializou aos pés de Bastian e se levantou com ele nas costas. *Através* dele. Vi a escuridão girar em volta das pernas do garoto, subindo, encobrindo seu corpo. Bas desapareceu por um segundo, consumido por aqueles laços pretos, e então reapareceu montado, também de armadura. Cavalo e cavaleiro, pretos do casco ao capuz.

Àquela altura eu já tinha visto Bas se fundir com Sombra algumas vezes. O restante do grupo também. Eles também andavam treinando suas montarias todos os dias. Enquanto Caos e eu corríamos, eu os via cavalgando ao longo da margem ou em forma elementar pelos fiordes. No caso de Marcus, uma faixa de poeira dourada. Eu sabia que Caos e eu também seríamos capazes. Em algum momento, eu me transformaria em fogo junto com ele. Mal podia esperar. Estávamos um pouco atrasados, mas chegaríamos lá.

A transição do Jode era a mais rápida, quase instantânea — um clarão de luz e, em seguida, ele estava montando em Luminoso. Bem mais que Sebastian, Jode tinha aquela cara de estrela de Hollywood, com o cavalo branco e a armadura clara. Era o único de nós que de fato parecia ser um bom sujeito.

Marcus invocou Ruína por último. O redemoinho de cinzas o cobriu, fazendo com que ele desaparecesse em uma ventania e voltasse montado em Ruína. Ele usava o capuz da armadura levantado, deixando parte de seu rosto sob a sombra, mas não o sorriso.

Daryn recuou um passo, abrindo espaço.

— Vocês estão *assustadores* — disse ela.

Mas a gente sabia que era *assustadoramente incríveis*.

Olhei em volta. Era a primeira vez que ficávamos daquele jeito, os quatro montados.

Vermelho, branco, preto e dourado.

Uma gangue de verdade.

Capítulo 51

— **P**arece impressionante — corta Cordero, secamente. — Queria ter visto você desse jeito.

Você viu, eu acho. *Você viu.*

— E o seu relacionamento com Caos é muito bonito.

Eu a observo, pensando. Será que ela faz alguma ideia do quanto eu *não* contei? Será que ela percebeu?

Meu relacionamento com Caos não é *bonito*.

Caos me *transformou*.

Contei coisas a ele que não contei a ninguém.

Falei sobre meu pai.

Eu me lembro — caminhávamos na beira do rio certa tarde, e o reflexo dele brilhava na água. Eu falava. Colocava para fora tudo que eu havia carregado sozinho no último ano. Toda a raiva que eu sentia por ter ficado sentado naquela picape fazendo nada quando podia ter salvado a vida do meu pai.

Foi demais para mim. Eu me sentei no cascalho e chorei feito criança.

Naquele momento, tudo se tornou claro. O quanto daquela raiva era, na verdade, culpa. Como a minha raiva tinha sido uma muleta. Uma distração para não sentir dor. Naquela tarde, eu senti finalmente essa dor. Meu coração se partiu naquele leito de rio. Parecia tão destruído que eu achei que fosse morrer. E então senti a respiração quente do cavalo em minha testa e, quando olhei para cima, lá estava ele. Caos. Olhando para mim, como quem diz *Ainda estou aqui. Levante. Vamos seguir em frente.*

E seguimos. Eu segui. E *ainda* sigo.

Por causa dele.

Meu cavalo.

Jamais teria imaginado.

Que Caos me daria o que eu precisava para deixar o passado. E seguir em frente.

Mas ele me deu.

— Uma curiosidade. — Cordero se recosta na cadeira e me analisa. — Como é a sensação de se transformar em fogo?

— Indescritível.

Cordero esfrega os dedos e então bate a ponta na mesa.

— Algumas pessoas diriam que essa definição é vaga, Gideon.

— Você está perguntando para mim como é a sensação de se transformar em outra coisa?

Os olhos pretos se prendem aos meus.

Fiquei instantaneamente arrependido de ter aberto a boca. Estou amarrado. Indefeso.

Onde está a porcaria do *Beretta*? Fazia pelo menos meia hora desde que tinha saído.

Cordero repara.

— Faz tempo que ele saiu, não é mesmo? Talvez tenha se enrolado.

Cordero se levanta, dá a volta na mesa e vem em minha direção.

— Senhora — diz Texas —, não acho que...

— Não tem problema — interrompe ela, impedindo que termine. — Quero dar uma olhada numa coisa.

Cordero é esperta e se aproxima pela direita, desviando de qualquer chance que eu possa ter de usar a minha espada.

A mão de Texas desliza para a arma na cintura.

— Quero ver isso de perto. — Cordero se ajoelha ao meu lado... mas o cheiro de Malaphar penetra meu olfato. Ela bota a mão no meu braço, e meus músculos ficam tensos. Uma sensação terrível invade minha garganta. — As suas habilidades são ligadas a isso?

Nem consigo responder.

— Vamos tentar outra pergunta — diz Cordero. — Você disse que consegue sentir os outros cavaleiros através disso aqui, como se fossem peças de um só objeto. Consegue senti-los agora?

Só consigo ouvir a voz de Daryn.

Com vocês quatro juntos, eles conseguirão rastreá-los mais depressa.

A Ordem é atraída pelo poder do bracelete.

Vejo Alevar na rua em frente ao Vaticano, apontando para o rádio na minha mão.

Não é para o rádio.

É para o bracelete.

— Você não está respondendo. Estou invadindo seu espaço pessoal? — pergunta Cordero, mas não é mais a voz dela. Ela está arranhada e ligeiramente mais grossa.

— Perdão, Gideon. Parece que deixei você desconfortável. — Ela se levanta e senta na beirada da mesa, bem na minha frente. — Você ajudou muito até agora, então vou quebrar um pouco as regras e contar algo que acho que não deveria. Tenho certeza de que está preocupado com Daryn. *Dare.* Gosto muito quando a chama assim. Mas não precisa mais se preocupar. — Ela dá um sorriso sarcástico. — Ela está aqui. Daryn está logo ali fora com alguns dos meus colegas. Não é uma ótima notícia?

Respire, Blake. Respire.

Cordero desdenha.

— Resolveu ficar quieto agora, Gideon, logo quando estamos chegando perto do espetáculo final. Bem, deduzo que o final seja um espetáculo. Mas talvez não. Ainda não ouvi a história toda, não é mesmo? Vamos terminar. Tenho certeza de que está ansioso para ver Daryn. Continue cooperando e verá que ela está bem. — Cordero faz uma pausa e abre um sorriso maligno. — E inteira.

Capítulo 52

D e certa forma, a noite que a Ordem apareceu foi como qualquer outra. Nós cinco estávamos dentro do chalé, esmagados em volta da pequena lareira, tentando nos aquecer. Nosso novo hobby era apostar em corridas de cavalo, e, de forma nada surpreendente, Jode estava ficando rico. Nossa moeda de aposta — barras de chocolate norueguês — se empilhava diante dele como se fossem barras de ouro.

— Nunca apostem contra mim — aconselhou ele, com um sotaque arrogante. — Sempre se arrependerão.

— Não podemos fazer outros tipos de aposta? — perguntei. Na forma elementar, ninguém era mais rápido que Luminoso. Na forma equestre, Sombra e Ruína eram muito parecidos. Eu e Caos éramos os únicos que jamais ganhávamos e isso estava começando a ficar chato. — Testes de força, por exemplo.

Bas sorriu.

— Que tal se a gente apostar qual cavalo lavra a terra mais rápido? Seria divertido. Caos iria ganhar com certeza.

— Ou qual cavalo tem o melhor passo de dança — sugeriu Jode.

— Ou qual chama mais atenção — disse Daryn.

— Qual pesa mais — disse Marcus.

Eles estavam se divertindo implicando comigo, mas dava para sentir a tensão silenciosa.

Mais cedo, Daryn dissera ter sentido a pontada de uma de suas dores de cabeça. E todos nós estávamos nos perguntando se tinha chegado a hora. Se finalmente saberíamos para onde levar a chave.

Conforme a noite avançava, apesar de nossos esforços para manter o clima leve, parecia que estávamos de guarda para Daryn. E mais tarde como se nossa animação por um possível sinal tivesse sido em vão.

Jode contava sobre as baleias que tinha visto de manhã, quando Daryn se aproximou de mim e apoiou a cabeça no meu ombro. Jode gaguejou, mas se recuperou rapidamente e continuou.

Depois de alguns segundos, Daryn fechou os olhos.

Jode hesitou, esquecendo as baleias.

— Gideon, você acha que...

Marcus e Bas pareciam ter parado de respirar.

— Não sei. — Eu queria tirá-la dali. Ou expulsar os outros. Não porque eu não confiava neles... eu confiava. Mas porque Daryn tinha me pedido para que não vissem o momento.

Por que eu não havia pensado nisso mais cedo?

Botei o braço em volta dela. Não era uma solução. Mas melhorou.

E então ficamos ali sentados, ouvindo o estalo da madeira e o assobio do vento que passava pelas rachaduras do chalé.

Daryn abriu os olhos apenas alguns segundos depois.

— Onde você viu as baleias, Jode? — perguntou ela. — Perdi essa parte.

Nenhum comentário sobre a chave.

Ela havia apenas cochilado.

Nós nos entreolhamos, pensando *Merda. A gente precisa se acalmar.*

Bas soltou um suspiro longo e demorado.

— Vou pegar mais madeira.

Ele ficou de pé com um salto e saiu do chalé.

— As baleias — disse Jode. Ele apertou os olhos. — Ah, sim. Vi as baleias... três, eram três... perto de uma baía a oeste de Gjende.

Falamos sobre aquilo por mais um tempo. As baleias. Depois sobre Gjende, que ficava além de aonde eu chegava com Caos. A viagem sobre aquelas montanhas era lenta e trabalhosa. Mas misturado a Luminoso em sua forma elementar, Jode ficava praticamente invisível durante o dia, assim como Bas e Sombra à noite. Eles podiam viajar por longas distâncias. Dava uma vantagem muito grande a eles, quando comparado a Marcus e eu. Mininuvens voadoras de cinzas eram bem perceptíveis, quanto mais de fogo. Eu e Caos não deixávamos os arredores com frequência.

Depois do alarme falso, eu estava começando a me acalmar quando Daryn me deu a mão e apertou. Olhei para ela, mas ela encarava nossas mãos entrelaçadas.

Ela estava pálida. E então seus olhos encontraram os meus.

— Sinto muito — sussurrou ela.

Um pavor tomou conta de mim, e olhei para a porta. Sebastian não tinha voltado.

— O que foi? — perguntou Jode. Marcus estava congelado.

Saltei de pé e corri porta afora, em direção à noite.

A clareira tinha diversos pontos de fogo, iluminando a área.

A Ordem estava por toda parte. Não eram apenas sete.

Eram dezenas.

Jode e eu estávamos certos. Ronwae e Bay comandavam hordas.

Vi Ronwae primeiro. Em sua forma de escorpião, tinha o mesmo porte de Caos, mas ficava junto ao chão sobre seis patas. Seu casco vermelho parecia ainda mais vermelho naquele momento. As garras eram do tamanho do meu braço e se abriam e fechavam, ansiosas. Mas não eram nada se comparadas ao ferrão que saía de suas costas, balançando para a frente e para trás.

Ela parecia mais que suficiente, mas na escuridão atrás dela, ao redor dela, havia mais dezenas de réplicas. Não eram exatamente iguais, eram ligeiramente menores. Os cascos não tão avermelhados quanto os de Ronwae. Mas, ainda assim, extremamente perigosos.

Um pouco além, Bay estava parada sobre a pedra em que eu e Daryn havíamos compartilhado uma coberta havia algumas noites. Mesmo de onde estava, eu podia ver a força de seus ombros e pernas, o couro sarnento e as garras afiadas. Ela ergueu a cabeça para o céu escuro — seus caninos eram tão longos que pareciam presas de elefante — e cheirou o ar, soltando fumaça das narinas.

Assim como os escorpiões de Ronwae, a horda de Bay se amontoava na escuridão atrás dela, cada figura mais disforme e grotesca que a outra — um show de horrores.

Uma bola de fogo surgiu na entrada da trilha, chamando minha atenção. Pyro estava ali, exibindo orgulhosamente suas presas e o fogo nas mãos. Como se aquilo pudesse me intimidar. Se não fosse por Daryn e pelos caras, ele não representaria nada.

Eu não estava vendo Malaphar, mas Sebastian estava parado no centro da clareira, no meio de tudo. Ele estava imóvel, olhando para a frente. Não me encarava.

Parecia com Sebastian, mas...

Eu não achava que era ele.

Não estava vendo Ra'om, mas Samrael surgiu na escuridão em forma humana, vestindo casaco e calça de tecido refletivo, como um anúncio de roupas esportivas ao ar livre. Ele sorriu, totalmente à vontade com toda a bizarrice ao redor.

— Gideon, é bom vê-lo novamente.

Ele desviou os olhos para além de mim.

Marcus e Jode tinham me seguido para fora do chalé. Haviam sacado suas armas, a foice e o arco. Daryn estava parada entre eles.

Quando Samrael a viu, seu sorriso desapareceu e os olhos se encherem de ânsia. Instantaneamente, me lembrei da imagem de Ra'om — Samrael atacando Daryn — e o ódio tomou conta de mim. Um ódio que vinha do meu âmago.

— Finalmente — disse ele. — Eu sabia que a encontraria.

Daryn chegou perto de mim. A chave pendurada no pescoço brilhava contra a jaqueta escura. Ela mantinha a postura confiante de sempre, mas seus dedos tremiam.

— Eu não estaria tirando onda se fosse você — disse ela. — A gente está aqui há semanas.

Samrael voltou a sorrir.

— Sim. Estavam bem escondidos. Mas o que são algumas semanas de atraso quando se está construindo um reino?

— Não vai conseguir pegar a chave, Samrael. Nunca.

Ele deitou a cabeça.

— Não sei se eu diria *nunca*. Por que não fazemos isso de uma forma simples, Daryn? Pelo seu bem. Pelo bem de Gideon, que gosta tanto de você. — Ele estendeu a mão. — Traga-a até mim.

— Você me ouviu — disse ela.

— Mais uma rejeição? — perguntou Samrael. — Achei que seria assim.

O tempo diminuiu de velocidade enquanto ele olhava para cima, levantando os olhos para a escuridão.

Alevar.

O demônio da noite estava quase invisível no céu, as asas pretas fechadas como as de um falcão em mergulho. Eu o vi, lá no alto. E então ele logo estava sobre nós, de asas abertas, suspenso no ar por apenas um instante.

Daryn e eu corremos na direção do chalé.

Ela acelerou na minha frente. Vi quando ela alcançou Marcus — chegou até a segurança do chalé —, e então voei para trás. Caí no chão, sentindo o ar deixar meus pulmões.

Alevar estava em cima de mim. Suas penas me cobriam, me deixando na escuridão total. Invoquei minha armadura enquanto garras afiadas rasgavam meu rosto e braços. Localizei o ombro da criatura e invoquei minha espada, que furou a asa do demônio ao se materializar.

Ele urrou, emitindo um som ensurdecedor. Em seguida, saiu de cima de mim, batendo as asas furiosamente enquanto recuava com um voo desajeitado.

Levantei a tempo de ver Pyro lançando fogo na minha direção. Me joguei de volta no chão, ouvindo o ar tremer com a explosão que se deu atrás de mim. O calor me alcançou e me engoliu.

Olhei para cima, forçando os olhos no calor do fogo. O chalé estava em chamas. Consumido pelo fogo, como se o sol estivesse diante de mim.

Onde estavam os outros?

Estavam bem à frente havia um instante.

Ouvi alguém gritar meu nome e virei.

Um dos javalis de Bay galopava em minha direção, com o focinho enrugado e os caninos à mostra.

Caos. Eu precisava dele.

Ele surgiu em um mar de chamas e nos fundimos.

Absorvendo seu fogo, juntando-o ao meu.

Agora éramos inseparáveis.

Fogo e luz.

Intocáveis.

Subimos no céu da noite, alto o suficiente para enxergar todo o penhasco abaixo. Nosso chalé em chamas. Um enxame de demônios. Os focos de incêndio cercando toda a cena.

O movimento familiar da foice chamou minha atenção. Marcus montava Ruína, Daryn estava na sela atrás dele. Vi Jode próximo, em cima de Luminoso. Uma onda de flechas voava de seu arco, uma após a outra, derrubando as criaturas de Ronwae e Bay com golpes fatais. Sons explosivos tomavam o ambiente conforme os demônios estouravam em pedaços de garras, ferrões, pele, carcaças e sangue escuro.

Jode.

Ele era uma *máquina.*

Mas eram muitos. Não havia fim para a quantidade de criaturas.

No centro de tudo, vi Sebastian. Ele continuava no mesmo lugar, no centro da clareira, parado como uma estátua. Mas não estava sozinho. Samrael estava ao seu lado, com uma de suas facas de osso pressionando a lateral da barriga do cavaleiro.

Eu e Caos mergulhamos no ar e sobrevoamos a clareira. Avistei um dos escorpiões de Ronwae no meio da confusão e cheguei por trás, me materializando com Caos em pleno galope. A espada estava pronta e cortei o ferrão da besta com precisão, depois inverti a pegada e golpeei a espada para baixo, rachando a armadura nas costas dela. Caos saltou para o lado, desviando do rabo do escorpião moribundo, e quase voei da sela.

Quando recuperei o equilíbrio, incitei o cavalo na direção de Marcus e Daryn. Jode tentava protegê-los, lançando uma flecha atrás da outra, mas a onda de demônios começava a cercá-lo.

Cortei tudo que surgiu no meu caminho. *Estava quase lá.*

Mais adiante, vi uma das criaturas de Bay correndo na direção de Marcus. Depois outra. Marcus as viu e escolheu uma, golpeando com a foice. A navalha se prendeu à carcaça dura do monstro. Quando o demônio caiu, Marcus girou com força, preso como um peixe em um anzol. Ruína viu o outro monstro e recuou. Presa entre os dois movimentos bruscos, Daryn voou por trás de Marcus e caiu no chão.

— Daryn!

Eu não conseguiria chegar a tempo. As criaturas de Bay vinham de todas as direções. Caos empinou, chutando os monstros com os cascos enquanto eu cortava qualquer um que se aproximasse.

Daryn se levantou e saiu correndo. Correu como uma atleta, forte e rápida, mas não havia escapatória. Estávamos de um lado da montanha com apenas duas trilhas de saída para o penhasco. Pyro incendiara ambas. Ela chegou até o limite imposto pelas chamas, recuou e então girou o corpo buscando desesperadamente outra saída.

Mas não havia outra saída.

Eu precisava chegar até ela. Marcus e Jode estavam em perigo. Sebastian estava em perigo. Mas Daryn tinha a chave. Tentei me transformar em fogo, mas Caos resistiu. Ele queria ficar ali, lutando.

— Caos! — gritei, e ele entendeu, finalmente cedendo. Nos transformamos rapidamente, encontrando aquele estado no qual éramos uma só coisa, perfeita, e voamos até Daryn. Voltando à forma humana, me abaixei, procurando sua mão. — Vamos!

Ela me agarrou e saltou na sela atrás de mim.

A confusão na clareira havia se intensificado, e os focos de incêndio se espalhavam pela mata atrás do penhasco. Os mísseis de fogo de Pyro estavam em batalha com as flechas brilhantes de Jode. Os escorpiões de Ronwae e as criaturas de Bay entraram em surto, todos com medo do fogo.

— Entregue-a para mim! — gritou Samrael do outro lado da clareira. Ele apontava a faca para o pescoço do Sebastian.

Mas aquele não era Bas. Não poderia ser.

Mas... e se fosse?

Eu estava confiando na minha intuição. Mas, se eu estivesse errado, estaria apostando a vida de Bas.

Golpeei uma criatura corcunda que vinha correndo, e ela caiu, gemendo.

— Gideon, vamos! — gritou Daryn, chutando o focinho de outra criatura.

Havia apenas um jeito de sair dali. Com sorte, ela sobreviveria. Me livrei da espada, virei para trás e a puxei para a minha frente. E então pressionei os calcanhares nos flancos de Caos.

Ele saltou para a frente em um golpe de pura força, em linha reta.

Diretamente para uma parede de fogo.

Fiz o possível para envolver Daryn com meu corpo, minha armadura, com tudo que podia, enquanto Caos desbravava o coração do incêndio. O mundo ficou laranja fluorescente e, então, branco. Um ensurdecedor som agudo perfurou meus ouvidos. Seria Daryn gritando? Mesmo com a armadura, minhas pernas começaram a esquentar, mas o pior era a sensação dolorosa dos dedos de Daryn esmagando minhas costelas. O calor virou um maçarico. E então passamos do ponto de maçarico, e me questionei se havia ido longe demais.

Em seguida, saímos do fogo para um gramado. Para a noite gelada.

Puxei as rédeas de Caos e paramos. E então rezei para que os próximos instantes não me destruíssem.

— Me diga que você está bem.

Daryn tremia em meus braços.

— Estou bem.

Ela se soltou de mim e desceu da sela. Quando chegou ao chão, respirou fundo e seu pé direito se levantou.

Desci do cavalo.

— Onde você está machucada?

Quando me aproximei, fui atingido por um odor muito forte. Meu estômago se revirou quando percebi o que era. A panturrilha dela estava ferida. Vermelha e em carne viva no centro, ralada nos cantos. Eu não conseguia parar de olhar.

Será que Caos tinha feito aquilo? Eu e Caos? Ou o fogo?

Não tinha importância — ela estava ferida. Ela estava *machucada*.

Mas tinha importância. Eu queria saber... era culpa minha?

Concentre-se. Pense no próximo passo.

— Você precisa ir a um lugar seguro. Precisa de um médico.

Ela concordou com um aceno discreto de cabeça.

— Vou procurar Isabel.

Desviei o olhar para a trilha que levava os turistas de volta à estação. A Seletora. A amiga de Daryn ajudaria.

Caos remexeu a terra com o casco. Os olhos brilhavam, ferozes, e o fogo o consumia. A aparência do animal refletia o que eu estava sentindo.

— Ele quer voltar — disse Daryn. — Você quer voltar.

Eu queria estar em todos os lugares. Com ela. E também na briga.

— Eu posso descer sozinha, Gideon. *Você* precisa *voltar*.

— A chave está em volta do seu pescoço, Daryn. Eles vão achá-la.

— Não, não vão. — Ela tirou a corrente pela cabeça e a botou em volta do meu pescoço. — Não faz diferença. Você a protegeu durante todo esse tempo.

Fiz que sim com a cabeça. Eu tinha Caos. Poderia lutar para defender a chave. E ao ficar com a chave, eu desviava o foco de Daryn para que conseguisse chegar até Isabel. Era a opção menos pior.

Disse para ela entrar em contato com Cory em Fort Benning.

— Diga que você está comigo. Diga que estamos em uma situação de combate com inimigo e que precisamos de transporte aéreo para sair daqui. Diga para ele achar nossa localização via satélite.

Cory era esperto. Ele falaria com as pessoas certas.

Eu sabia que estava expondo a situação, mas estávamos perdendo. Precisávamos de toda ajuda possível. E eu queria que Daryn saísse dali. Para o mais longe e da forma mais rápida possível.

— Pode deixar — disse Daryn, enquanto se afastava. — Vou ligar para ele, Gideon. Sei que eles virão. — Ela hesitou. — A gente se vê — despediu-se ela. E então correu... Ela correu para a escuridão, a passada prejudicada pela queimadura na perna.

Subi na sela. Eu e Caos nos transformamos em fogo e voltamos diretamente para a zona de combate. De volta à loucura. Ao chegarmos, procurei Marcus, mas não o encontrei. Também não achei Sebastian. Montado em Luminoso, atirando flechas brilhantes, Jode foi mais fácil de identificar.

Ele lutava contra o demônio de fogo. Pyro estava protegido atrás de uma pilha de pedras. As flechas de Jode o mantinham ali, mas Jode também enfrentava uma horda de criaturas.

Eu e Caos voltamos à forma física atrás de Pyro a toda velocidade. Jode me viu e parou de atirar imediatamente. Pyro se levantou, achando que tinha conseguido uma brecha.

Um erro.

Golpeei a espada com vigor, mas a força de Caos fez quase todo o trabalho, estraçalhando o demônio em dois.

Um a menos. Faltavam seis.

Eu e Caos seguimos em frente, matando monstros, mas eles eram intermináveis. Sempre chegavam mais, e pude entender o motivo. Os escorpiões menores rolavam do corpo de Ronwae como bolas de gude, e então cresciam para o tamanho normal. E as corcundas nojentas nas costas de Bay se soltavam, como amebas cinzentas, transformando-se em suas réplicas mutantes.

O tempo ganhou uma noção estranha. Vi flashes da foice de Marcus percorrendo arcos amplos. Jode e Luminoso no centro de uma chuva de flechas. Cada segundo congelado, tão vívido quanto uma foto. Cada segundo interminável. Eu estava confuso. Imerso na guerra, lutando para sobreviver. Nada nunca parecera tão distante e tão real.

Ali perto, Jode mirou uma flecha, virou para a esquerda e a disparou. Atrás de mim — quase *em* mim — um dos escorpiões menores fugiu pelos arbustos, quebrando os galhos.

Não precisei dizer para Caos perseguir a criatura; ele simplesmente *foi*.

Ela era rápida, com suas seis patas habilidosas, mas eu e Caos nos transformamos a fim de ganhar terreno, mudando para a forma normal quando a alcançamos. O escorpião soltou um grunhido quando nos viu, abaixando o ferrão. Caos correu para o lado, desviando, e então soltou um rugido, respondendo com uma explosão de força que iluminou sua crina e patas.

Chegamos mais perto, fechando o cerco. Perto o suficiente. Firmei as mãos na espada, levantei os braços e cravei a ponta em sua carcaça.

O escorpião se revirou drasticamente. Meus cotovelos estavam duros, meus ombros pareciam prestes a explodir. Voei da sela, e meus joelhos bateram no chão, e então me vi sendo arrastado.

A criatura se revirava para todos os lados. Tentava me jogar para longe enquanto eu me segurava à espada cravada na lateral do seu corpo, num esforço para não ser pisoteado. A pele nas palmas das minhas mãos se rasgou quando perdi a pegada. Eu não conseguiria segurar por muito mais tempo.

Uma luz surgiu à minha direita — era Caos, em forma de fogo. Ele girou em círculos em volta da criatura. A coisa gritou e parou abruptamente. E então seu corpo se ergueu, subindo como um barco na maré cheia. Eu sabia o que aconteceria mesmo antes de ver o ferrão descendo.

Larguei a espada, me joguei no chão e rolei para debaixo do corpo do escorpião — o único lugar seguro. O ferrão atingiu o local onde eu estivera um segundo antes, perfurando a terra, e depois chicoteou de volta para cima. E então ouvi uma rachadura quando a barriga do escorpião se partiu sobre mim.

Burro, o demônio ferroara a si mesmo — e eu estava debaixo dele.

Fechei os braços e rolei para a esquerda o mais rapidamente possível. Mas não foi o suficiente. Um peso enorme atingiu minha perna. Tentei me libertar, mas o escorpião pesava pelo menos meia tonelada e meu pé estava muito para baixo.

Caos relampejou, abriu as narinas, o corpo inteiro em chamas. Olhei para ele e soube que ele não entendia a situação. Ele achava que o escorpião estava me machucando, e estava. Mas sua resposta para isso era chutar a armadura da criatura.

— Caos! — gritei. — Caos, não!

Ele continuou chutando, cada pisada esmagava ainda mais a casca grossa da criatura, aproximando-a mais ainda do meu pé. O peso ia esmagar minha perna.

Marcus chegou correndo. Pegou as redes de Caos e o afastou. Caí na terra, precisando de um segundo para processar o alívio que senti. Meu próprio cavalo quase tinha me aleijado. Marcus voltou e parou diante de mim.

— O que você aprontou, Blake?

Com um puxão, ele sacou minha espada e a enfiou sob o corpo da criatura, aliviando o peso sobre minha perna.

Quando rolei para fora e me levantei, senti uma dor na parte de fora do joelho. Meus olhos estavam queimando; minha garganta, seca. Um som abafado zunia em meus ouvidos.

— Cadê Sebastian? — perguntei.

Os focos de incêndio em volta do penhasco pareciam perder força.

— Não sei — respondeu Marcus. — Não era ele mais cedo. Era Malaphar. Samrael estava blefando.

— É, mas onde ele está?

Foquei minha atenção aos sinais do bracelete. Bas não parecia estar por perto.

Os olhos de Marcus encontram a chave em volta do meu pescoço.

— Cadê *Daryn*?

— Foi buscar ajuda.

Ali perto, Jode atirou em um dos monstros de Bay que atravessava a escuridão em nossa direção. Metade das entranhas da criatura desapareceu, incinerada. Ela caiu no chão e soltou um último grito agonizante.

Do outro lado da clareira, Bay jogou a cabeça para trás e soltou um rugido. Suas miniaturas responderam imediatamente, saindo de trás dela em direção às brechas do fogo, desaparecendo na noite. Ronwae e seus súditos correram atrás, e o campo de batalha começou a ser esvaziado.

Será que iam atrás de Daryn? Por que fariam isso? Ela não tinha mais a chave. Estava em volta do meu pescoço. A Ordem era atraída pelo poder da chave... então deveriam vir atrás de *mim*.

No centro da clareira onde Bas estivera parado com Samrael, vi um redemoinho escuro e familiar. Sombra se materializou. Ela olhou diretamente para mim e Marcus enquanto empinava, soltando um som de desespero assustador; e então saiu correndo, desaparecendo na trilha que descia a montanha.

O medo correu pelas minhas veias, e eu e Marcus montamos, acelerando nossos cavalos e a seguimos. Jode se juntou a nós, e ninguém disse nada.

Estávamos fazendo exatamente o que a Ordem queria. A chave batia contra meu peito enquanto eu cavalgava, tamborilando exatamente sobre meu coração. Mas estávamos falando de Sebastian. Tínhamos que encontrá-lo.

Percorremos a trilha por onde havíamos passado centenas de vezes nas últimas semanas. O fogo diminuiu conforme deixamos o penhasco para trás e descemos para a margem do rio. A escuridão aumentou, e eu sabia exatamente o porquê.

Quando chegamos ao final da trilha, já tinha perdido totalmente a noção de tempo. A corrida até ali havia levado horas e parecia ter acabado do nada. Nosso campo de treinamento na margem do rio — tão familiar depois de tanto tempo — era escuridão total. Eu sabia que o rio deveria estar bem adiante, mas não o conseguia ver.

Diminuímos o passo dos cavalos. Segui para a lateral, deixando Marcus entre Jode e eu. Nossos cavalos emanavam mais luz do que Ruína, mas isso não ajudou muito. Não dava para enxergar nada além de cinco passos em qualquer direção. Lá no alto do penhasco, o brilho das chamas era visível. Uma longa fileira de fumaça subia pelo céu.

Um som distante chamou minha atenção — algo que eu não ouvia fazia semanas. O barulho de hélices de helicópteros atravessava o fiorde. Será que aquilo era uma ajuda norueguesa em resposta aos incêndios, ou Daryn tinha conseguido passar meu recado? Quanto tempo havia se passado desde que eu a vira pela última vez? Uma hora? Duas? O tempo parecia elástico.

— Já estou de saco cheio — disse Jode, preparando uma flecha.

Ele atirou, começando bem à frente, e então seguiu na direção horária. Girando em um círculo, enquanto Marcus e eu permanecíamos parados.

Vi uma movimentação na escuridão profunda. Alevar, batendo as asas em um voo desajeitado, como quem está machucado. Sinalizei a posição dele para Jode. Ele atirou mais uma flecha.

Na mosca.

Alevar girou até cair na terra e desapareceu no chão.

Dois a menos. Faltavam cinco.

Olhei para Marcus. Bay saltou sem aviso da escuridão com os dentes à mostra, muito maior que seus monstros.

Os cavalos se assustaram. Caos disparou para a frente. Ruína e Luminoso para a direita. Marcus girou a foice e errou — foi a última coisa que vi. Caos galopou, absorvendo a escuridão. Puxei as rédeas, inclinando para trás, mas ele não parou.

Eu não conseguia enxergar mais nada. Havia perdido Marcus e Jode. Ouvi os cascos de Caos tocarem o cascalho e então um golpe na água. Estávamos dentro do rio.

Finalmente consegui controlá-lo e tentei me orientar. O som dos helicópteros aumentava, e o penhasco estava mais visível agora que a escuridão de Alevar se dispersava. Coloquei Caos em movimento, mantendo a espada em punho enquanto eu procurava por Bas ou Sombra.

Eu não esperava vê-lo apenas alguns segundos depois.

Sebastian caminhou até mim no meio da escuridão. Não parecia estar sob o controle de Samrael. Não parecia robótico ou outra pessoa. Era ele. Eu podia *sentir* isso através do bracelete.

— Bas. — Desci do cavalo e me aproximei, a espada ainda em punho. Era ele, mas eu não queria arriscar. — Me diga que é você, Bas.

— Sou eu. Sou eu, olhe. — Ele olhou diretamente para a escuridão. Sombra trotava ao seu lado. Sebastian botou a mão no pescoço da égua, e ela se acalmou com o toque. — Viu? Sou eu. Alevar apareceu do nada. Ele caiu em cima de mim quando saí do chalé e bateu bem na minha cabeça... — Ele arregalou os olhos. — O que é isso em volta do seu pescoço? Ai, *não*. Gideon, isso é...

— Monte em Sombra, Bas. — Não era hora de explicar nada. — Vamos sair daqui.

Ouvi um relincho agudo atrás de mim.

Caos.

Quando me virei, meu cavalo estava se transformando em fogo e fugindo.

— Caos! — Eu não estava entendendo... Até ver a imagem de um dragão imenso aparecer na escuridão.

Ra'om surgiu, suas garras cravando na terra por conta do enorme peso.

Eu vira o demônio somente na minha cabeça, graças a Samrael. Mas eu jamais tinha visto um dragão pessoalmente. Fiquei abalado.

Os olhos vermelhos de Ra'om eram como eu me lembrava. Como eu tinha visto em meus pesadelos. Envolto por sombras. Penetrantes. Maus. Mas seu corpo enorme — escamado, sinuoso, *poderoso* — era ainda mais assustador do que eu me lembrava. Ele tinha mil vezes o meu tamanho.

— Gideon — chamou Bas atrás de mim. — A *chave*.

Com certeza não conseguiríamos sair dali sem perder algo. A chave. Nossas vidas. Provavelmente as duas coisas.

Ra'om parou, espichando o pescoço para o alto. As asas, prateadas como o restante do corpo, estavam dobradas, e o rabo grosso e eriçado repousou na grama. Ele abaixou a cabeça, aproximando-se da minha altura e abriu a boca de leve. Em meio às presas, vi o movimento rápido de uma língua preta. E, mais ao fundo, o brilho laranja do fogo. Um rugido grave saiu de sua garganta, e o brilho se intensificou.

Quando me levantei, senti que ele entrava em meus pensamentos, forçando sua entrada.

Como vai, Gideon?

A voz cavernosa ecoava das profundezas da minha mente.

Parece que Samrael estava certo. Você nos deu mais trabalho que o esperado.

Senti a presença dos outros membros da Ordem. Malaphar, Ronwae, Bay. Pensei em Bas, atrás de mim. Eu não sabia se ele corria perigo. Mas não poderia ajudar mesmo assim. Não podia ajudar nem a mim mesmo.

Talvez a gente devesse recrutá-lo. Acho que seria um bom acréscimo à minha Ordem. Seria tão gratificante ver você e seus cavaleiros ao meu lado. Acredito que seja seu lugar de direito. Como um de nós. É só dizer, Gideon. E posso deixá-lo tão forte quanto Samrael.

E então lá estava ele — Samrael —, caminhando a passos largos na minha direção, vindo do lado oposto do centro de treinamento.

Ele parecia satisfeito consigo mesmo enquanto se aproximava. A presença assombrosa de Ra'om fazia com que eu me sentisse insignificante, mas Samrael parecia poderoso. Vitorioso.

— Acho que não, Ra'om — disse ele, embora olhando diretamente em meus olhos. Samrael ergueu a faca e apontou logo abaixo do meu queixo, apoiando a lâmina gelada em meu pescoço. — Ele jamais será tão forte quanto eu.

O rugido dos helicópteros tinha se intensificado. Eles estavam próximos. Pelo bracelete, senti Jode e Marcus se aproximarem, mas eu sabia que nada mais ajudaria. Era tarde demais.

Samrael afastou a faca. Enganchou a ponta sob a corrente de prata em volta do meu pescoço, tirando-a por cima da minha cabeça. Para suas mãos. Sorriu.

— Obrigado por isso.

O dragão soltou um sibilo de satisfação; um som horrendo e arrepiante.

O que acha, Gideon? Posso lhe dar um poder diferente de tudo que já imaginou. Não quer juntar-se a nós? Não quer virar nosso semelhante?

Lutei contra o poder que ele tinha sobre mim — e senti que ele se afastava, abrindo mão do controle. Meu corpo voltou ao meu domínio. Minha habilidade de falar, restaurada. Engoli em seco, limpando a garganta, e olhei de Samrael para Ra'om.

— Oferta interessante — comentei. — Que tal se, em vez disso, eu matasse vocês?

Samrael partiu para o ataque, mirando meu pescoço; mas eu estava preparado e desviei. A lâmina cortou meu ombro, rasgando a pele e o músculo. Minha mão se abriu, e a espada caiu na grama.

Eu me preparei para o próximo ataque de Samrael. E então Ra'om jogou a cabeça para trás e rugiu, lançando uma nuvem de fogo. Hesitei, cego pela luz repentina, esperando que a faca me atingisse mais uma vez. Atravessasse meu coração, meu pescoço. Mas nada disso aconteceu.

A luz se dissipou. Samrael não estava de frente para mim. Ele estava virado para Ra'om... onde Ra'om estivera. O dragão havia sumido.

Sumido, não; *se transformado.*

Samrael olhava para a figura sombreada de um homem ao longe. Não era nada além de um formato no escuro, mas eu sabia que era Ra'om e que ele e Samrael estavam se comunicando silenciosamente. O homem se virou e partiu em direção ao escuro da noite, e Samrael voltou os olhos para mim.

— Ra'om ordenou que eu poupe sua vida — disse Samrael. — Ele acha que seria um desperdício de potencial. Um erro, em minha opinião, mas a decisão é dele. Parece que sua vida continua. Por enquanto. Vou encontrá-lo novamente, Gideon. — Ele embolou a longa corrente de prata em sua mão, cerrando os punhos. — Logo depois que eu a encontrar.

E então ele seguiu Ra'om, levando o resto da Ordem consigo.

E a chave.

Capítulo 53

A sala de madeira parece uma caixa depois do que acabei de contar. Depois dos fiordes em chamas e das hordas de demônios. Depois de Ra'om.

Encaro os olhos de Cordero, mas não é mais Cordero. O rosto na minha frente pertence a uma mulher, mas só vejo Malaphar.

— E agora chegamos ao final, não chegamos? — perguntou Malaphar.

— Você foi resgatado naquele campo de treinamento logo após esse evento, correto? Você e os outros cavaleiros?

Não sei por que ele continua fingindo. Não acho que consigo fingir por muito mais tempo.

Estou ficando anestesiado de tanta adrenalina no meu corpo. Estou tremendo.

— Onde estava Daryn, Gideon? Por que ela não estava lá? Ela ficou com a amiga Seletora, Isabel?

Na verdade, Daryn estava lá. Depois que foi encontrar Isabel, ela voltou para o centro de treinamento. Eu vi. Os dois Falcões Negros estavam em terra. A equipe de resgate dos Estados Unidos tinha chegado com seus helicópteros para nos tirar de lá.

Eu me lembro da conversa rápida e caótica que tive com um deles. Com Texas — o mesmo cara que estava bem ali na sala. Eu tinha perguntado sobre Daryn. Ele não fazia ideia de quem eu estava falando, e a gente precisava partir. Havia fumaça demais. As hélices dos Falcões Negros não tinham sequer desacelerado. A gente tinha que *sair* dali.

Olhei para a trilha e vi Daryn. Parada exatamente no mesmo lugar onde a gente tinha se encontrado no dia que Marcus me jogou no rio. Ela estava parada, observando.

Sem fazer nenhum esforço para se juntar a nós. A *mim*.

Quando vi aquilo, fiquei louco.

Eu havia perdido a chave. Havia perdido Daryn. Havia decepcionado a mim mesmo. Havia decepcionado o restante do grupo. Quantas pessoas teriam sua bondade roubada pela Ordem? E por minha causa. Quanta maldade se espalharia porque eu tinha entregado a chave?

O fracasso tinha me destruído. *Hostil*, foi disso que Cordero tinha me chamado no início disso tudo. Era verdade. Eu havia perdido a cabeça. Tinha lutado para chegar até Daryn, atingindo qualquer pessoa que tentasse me impedir. Jode. Marcus. Meu ódio era imenso. Lutei até o momento em que fiquei sobrecarregado. E então Texas me deu uma cotovelada na cabeça. Quando acordei, estava dopado e preso a uma cadeira, com um capuz sobre a minha cabeça e um aquecedor estalando atrás de mim.

Neste lugar onde estou agora.

Texas me observa como quem está pensando exatamente na mesma coisa. Ele continua perfeitamente imóvel, mas sua mão se move lentamente, milímetro por milímetro, em direção à arma.

Engulo em seco e me obrigo a responder a pergunta.

— Daryn teria ido onde fosse necessário para proteger a chave.

— Interessante, Gideon. Porque, como você sabe, Daryn veio para *cá*. Está dizendo então que a chave está aqui? Está dizendo que a Ordem pegou uma chave falsa em Jotunheimen? Como uma distração? Está dizendo que você sabe onde está a chave verdadeira? O que você está dizendo, Gideon?

Não há mais espaço para mentiras nessa sala. Não há mais tempo para esperar ajuda. Nem de Beretta, nem de Daryn, nem dos rapazes.

— Nós dois sabemos onde está a chave verdadeira — digo. — Não sabemos, Malaphar?

A porta se abre. Samrael entra tão rapidamente que só vejo um borrão.

Texas saca a arma, mas Samrael empurra o braço dele para o lado e o esfaqueia — um golpe só, de forma precisa. Texas cai no chão. As tábuas de madeira tremem como um trampolim sob meus pés.

A coisa toda dura apenas um segundo.

Samrael está sobre ele com uma faca de osso.

Cordero — que se transformou em Malaphar — continua sentado na ponta da mesa.

E eu. Eu continuo sentado nessa cadeira.

Capítulo 54

O uço um chiado terrível. Texas se arrasta até a parede. Ele está sangrando na lateral do corpo, com dificuldades para respirar. Seu boné está caído ao seu lado sobre uma poça de sangue que não para de aumentar.

Perfuração no tórax. Ainda vivo.

Samrael pega a arma no chão e a entrega para Malaphar enquanto ele dá a volta na mesa. Ele olha para mim e, em seguida, para o bracelete no meu pulso com um fervor maligno nos olhos. Tira a corrente de prata com chave falsa de dentro do bolso. O colar de Daryn.

— Não preciso mais disso.

Ele joga o colar na minha direção. O objeto bate em meu peito e escorrega para o chão.

— Quando você soube? — pergunta Malaphar.

Meus músculos estão tremendo de raiva.

— Faz diferença?

Um sorriso se abre pelo rosto esburacado de Malaphar.

— Não. Mas acho que foi quando ouviu a história sobre Lagos. Quando Daryn disse que a chave havia desaparecido, ela estava falando a verdade. Sabe que dia foi isso? Porque ela não mencionou esse pequeno detalhe, não é mesmo? Foi no dia 2 de agosto, Gideon. E sabe onde a chave reapareceu? Em quatro lugares, mais precisamente. Sei que até você consegue decifrar essa.

Calma. Tenha calma.

— Muito inteligente, não acha? — pergunta Samrael. — Foi muito esperto separar a chave dessa forma. Espalhá-la pelo mundo, escondida em plena vista. — Ele gesticula com a faca na mão, como se o restante da sala fosse o mundo. — Causou uma confusão e tanto quando tentamos seguir o poder dela. Não conseguíamos entender por que estava mais fraco. Difuso. Até o momento que a recuperamos... mas aí, vocês cavaleiros estavam todos juntos. Uma excelente tática. Assim como confiar as peças da chave a pessoas que não sabiam o que carregavam. Fez com que vocês ficassem imunes às minhas habilidades. Tivemos que fazer tudo isso. Cavar conhecimento que nem você sabia que possuía. Foi um trabalho e tanto.

Ele fica em silêncio, e o único som é a respiração pesada de Texas.

— Me dê a chave — exige Samrael.

Olho para Malaphar.

— Não tenho como tirar. Já disse isso.

— Daryn é a guardiã — diz Samrael. — Não é? A única que pode exercer domínio sobre ela. É mais um método de proteção. Não é?

Balanço a cabeça. Não sei. Não sei, e, se eu não sair dessa cadeira, Texas vai morrer e eu também.

— Ela é cheia de surpresas. — Samrael desvia o olhar novamente para o bracelete. Ele aperta a faca em sua mão. — Tudo bem, não tem importância. Existem outras maneiras de remoção.

Ele se aproxima e dá um golpe com a faca.

O momento congela.

Vejo a lâmina branca descendo. Vejo a lâmina cortar meu pulso e um grande pedaço da madeira da cadeira.

Ouço a madeira se quebrando, e vejo minha mão caindo.

Ouço quando ela bate no chão.

O tempo volta ao seu ritmo normal, e retorno à realidade.

Não. Não é verdade.

O que estou vendo não faz sentido. No lugar onde deveria estar a minha mão não há nada. Fui parcialmente apagado. E estou sangrando. Estou sangrando como uma bomba de gasolina defeituosa.

Começo a ver pontos.

Fique acordado, Blake. Não desmaie, não desmaie, não desmaie.

Samrael agarra meu antebraço, mantendo-o preso com uma das mãos. Com a outra, ele mexe no bracelete.

Sinto calor, umidade, deslocamento, e então o bracelete escorrega para fora.

O bracelete, que é a chave, que esteve comigo esse tempo todo. Comigo e com os rapazes — e não em volta do pescoço de Daryn.

Muito esperto.

Samrael se ajeita.

— Obrigado, Gideon — diz ele, jogando o bracelete no ar como se fosse uma bola de beisebol. — Fico feliz que a gente tenha finalmente resolvido esse problema.

Ele se vira para Malaphar, e eles conversam, mas não consigo ouvir o que estão dizendo. A dor toma conta de mim com um som que parece uma solda de metal nos meus ouvidos. Se expande, criando um universo dentro de mim. Olho sem reação para o espaço entre as tábuas de madeira e continuo enxergando meu braço sem mão. Pisco repetidas vezes e não consigo afastar a imagem. Parece um arranhão em uma lente.

O grunhido metálico diminui e consigo ouvir Samrael novamente.

— Você que sabe — diz ele para Malaphar. — Mas vai ter que se explicar para Ra'om.

Ele me lança um olhar frustrado e vai embora.

Malaphar sorri para mim com suas manchas no rosto e seus olhos de besouro, e percebo o que acabou de acontecer. Uma discussão sobre quem irá me matar. Malaphar deve ter insistido muito.

— Somos apenas eu e você mais uma vez, Gideon. É uma pena que não vá conhecer a Cordero de verdade. Ela está aqui. Uma moça muito simpática. Inteligente. Acho que você teria gostado dela. Acho que ela teria gostado de você.

Eu não quero morrer aqui nessa cadeira.

Malaphar desengata a trava de segurança e aponta a arma para mim.

Olho diretamente para o cano.

Chegou a hora, é isso. É agora.

A arma dispara.

Um ruído branco...

Toma conta...

De tudo.

Capítulo 55

Estou aqui.

Ainda estou aqui.

Mas estou surdo e meu coração não está batendo.

Conto até cinco. Dez. Vinte.

O zunido no ouvido começa no 21, meu coração, no 30.

Texas está apoiado na parede, apertando a cintura. Sangue escorre pelos seus dedos. Ele segura a faca com a outra.

A faca. Ele usou a própria faca.

Malaphar está de cara no chão. Não consigo ver o pescoço dele, a parte da frente, mas uma poça de sangue preto está se formando sob seu corpo. Tocando o sangue vermelho que pertence a mim e a Texas.

Tem um buraco de bala e um painel rachado à minha direita.

A situação parece feia. E estou piorando ainda mais.

Texas toma impulso a partir da parede e vem até mim. O zunido em meu ouvido continua, mas posso ouvir o barulho da sua respiração pesada. Está inspirando ar como se fosse mergulhar, e as veias do seu pescoço estão saltadas.

Eu também não estou nada bem. Difícil pensar com toda essa dor. Começa na mão e não tem fim.

Merda.

Minha mão.

— Mão? Cadê minha mão?

Texas vira os olhos para o chão. Ele tenta me dizer algo, mas sai como um barulho engasgado, seguido por uma tosse, e então ele se inclina e cospe.

Estamos fazendo uma bagunça enorme. Espero que não tenha que limpar isso depois.

Ele se ajeita e tenta falar novamente, mas não é muito diferente do que da primeira vez, e não consigo parar de perguntar onde está a minha mão.

Cadê, cadê, cadê.

Uma pergunta inútil, mas não consigo parar.

Ela ainda parece parte de mim, mas não consigo vê-la.

Em meio ao meu looping de perguntas e ao chiado de Texas, ouço outra coisa. Tiros. Do lado de fora da sala. Em todo lugar. São disparos rápidos e frenéticos.

Os painéis de madeira e as janelas tremem. O tremor penetra a sola das minhas botas — o abalo sísmico de toda a ação do lado de fora. O bicho está pegando. Agora a briga é de todos.

Texas passa a manga da camisa sobre o queixo, como quem diz, *Ok. Chega de conversa. Hora de trabalhar.* Ele se ajoelha perto da cadeira e tira uma algema plástica do bolso. Ele a prende logo acima da minha mão amputada, fazendo um torniquete.

— Canhoto? — pergunta Texas, com a garganta arranhada.

Eu sou canhoto. Ele está tentando falar há um minuto, e era isso que ele queria saber. Se sou canhoto.

Quero responder, mas também quero urrar até minha garganta sangrar. Quero saber se Daryn sabia. *Eu sinto muito,* foi o que ela disse na nossa última noite no chalé quando apertou minha mão. *Será que ela sabia?* Só quero levantar dessa cadeira e pegar minha mão do chão. Mas apenas faço que sim e digo:

— Sim. Canhoto.

— Você é destro agora, garoto — diz Texas, com sua voz afogada.

Sou destro agora. Faço que sim com a cabeça. Ok. Mas não pode ser tão fácil assim.

E então meus olhos desviam dele, para a porta.

Para Marcus, que entra desesperado na sala.

CAPÍTULO 56

Quando Marcus vê o que aconteceu comigo, ele perde a cabeça. Começa a gritar e xingar imediatamente. Pedindo ajuda. Xingando a Ordem. Mais fora de controle que nunca.

Fico realmente comovido. Preciso admitir porque é a coisa mais legal que ele já fez por mim, disparado.

Minha mão continua no chão em algum lugar.

O bracelete de Marcus continua no seu pulso, o que quer dizer que ainda temos uma chance. Enquanto alguém tiver um dos braceletes, ainda temos chance.

As pessoas entram na sala atrás de Marcus. Um deles é um homem baixinho com um gorro preto. Ele pega a minha mão, examina e então a entrega para um cara ruivo mais ou menos da minha idade e dá ordens. O ruivo escuta, assente, escuta, assente; e depois sai correndo da sala como um ladrão.

Gorro Preto se ajoelha ao meu lado e abre um kit de emergência. Ele joga um spray de alguma coisa onde ficava minha mão, dizendo que está tudo sob controle, para eu não perder as esperanças, que uma reconstrução ainda é possível.

Não falo nada, mas não tenho tanta certeza por causa da rapidez da minha cura. O sangramento já está diminuindo. Minhas terminações nervosas e meu tecido muscular podem já ter resolvido seguir em frente, sem a minha mão. Até a dor está diminuindo. Algo está fazendo efeito. Adrenalina ou algum mecanismo de defesa. Estou menos agitado. As coisas começam a fazer mais sentido.

Enquanto enfaixam meu braço com gaze, levam Texas para fora da sala. O corpo de Malaphar é retirado. A mesa e a cadeira onde Cordero estava sentada saem logo em seguida, mas não tenho certeza do motivo para a urgência. *Alguma espécie de emergência corporativa?*

E então Beretta entra na sala. Ele me cumprimenta com a cabeça e me dá uma olhada que diz *A gente conseguiu, garoto, poderia ter sido bem pior.*

Parte de mim já tinha começado a aceitar que ele não tinha sobrevivido, e sinto um alívio em vê-lo. Ele não olha para o coto que faz parte de mim agora, o que conclui unanimemente: ele é um ser humano da melhor qualidade.

A bandagem está finalizada e sinto uma melhora. Deixa o final do meu braço mais bonito. Mais ajeitado.

Eu me forço a ficar de pé. Quero jogar a cadeira na parede, destruí-la, mas fico imóvel, esperando a sala parar de girar.

Tem sete, oito pessoas aqui. Apertadas no pequeno cômodo. Pisando em sangue humano e demoníaco. São todos do exército. Armados com rifles. Pistolas. Rádios. Todos falam e escutam ao mesmo tempo.

— Onde está ele? — pergunto para Marcus. — Onde está Samrael?

— Do lado de fora, com todo o resto — responde ele. — Daryn, Jode e Bastian estão lá fora.

A informação circula ao meu redor. A Ordem está lutando. Lutando pelos outros braceletes, é claro. Não vão embora até conseguirem todos.

Um homem se aproxima e me olha com uma expressão intensa. Eu me lembro e presto continência, lutando contra mais uma rodada de tontura.

— À vontade, soldado — diz ele.

À vontade. Parece impossível no momento.

As medalhas de condecoração do major Robertson indicam que ele já teve sua cota de batalhas. Nenhuma como a de agora, tenho certeza. Mas até mesmo isso parece deixá-lo confortável.

— Malaphar enganou a todos nós — diz ele para mim. Ele direciona o olhar para Beretta. — Só soubemos quando o sargento Suarez nos contou.

Suarez; o nome de Beretta.

— Nosso apoio aéreo chega em 20 minutos, senhor — diz Suarez.

— Dezessete — corrige um cara com um receptor.

Marcus e eu nos entreolhamos. Que tipo de estrago Ra'om, Samrael, Ronwae e Bay são capazes de fazer nesse meio tempo?

A resposta: muito.

— Pronto? — pergunta Marcus.

— Sim.

Estou pronto para lutar. Mas não acabei de perder somente a mão — perdi o bracelete. Não sei se ainda tenho minha espada, armadura e Caos.

Não sei nem ainda se sou Guerra.

Capítulo 57

Do lado de fora, a batalha segue intensa.

Paro nos degraus da frente com Marcus e absorvo o cenário. Existem pelo menos mais dez cabanas na ponta de um grande campo onde a batalha acontece. Uma densa floresta cerca o campo, pinheiros enormes elevam-se como pináculos. Nuvens carregadas sobrevoam os cumes de granito das montanhas recortadas ao longe. Amontoados de neve se espalham como tinta sobre as colinas. O cenário lembra Jotunheimen — se Jotunheimen estivesse totalmente destruído.

— Wyoming — diz Marcus, sentindo a minha falta de orientação. Um movimento cinzento surge à nossa frente, e então Marcus corre. Ele encontra Ruína durante sua materialização e galopam para a batalha.

Do outro lado do campo, vejo Jode e Luminoso — uma dupla brilhante no crepúsculo. Jode dispara flechas nos monstros e escorpiões de Bay e Ronwae — uma imagem frequente em nosso penhasco —, e então meus olhos se desviam para o cavalo preto e seu cavaleiro. Sebastian está aqui. Bas, que havia sumido na batalha anterior. Ele está aqui. E está *lutando*. Mas ele não tem escolha. Um dos braceletes está no seu pulso.

Não estou vendo Samrael, mas Ra'om sobrevoa tudo; uma enorme sombra obscura empurrando as nuvens carregadas.

E há mais uma novidade nessa luta. A força militar norte-americana não é pesada em contingente, de quinze a vinte homens, mas estão posicionados em locais de cobertura em volta das cabanas e dentro de tanques na estrada, e estão soltando chumbo grosso. Meus ouvidos captam apenas o som constante das metralhadoras M249 e o som pausado das M4. Nunca tive uma recepção tão calorosa. Vejo os monstros de Bay caindo, mas é necessário muito poder de fogo para quebrar a carapaça dos escorpiões. Minha espada penetra a proteção deles com muito mais facilidade.

E então vejo Daryn.

Ela está com um grupo de soldados atrás de um tanque. A panturrilha enrolada em gaze. Nosso galope de fuga do penhasco em chamas parece que aconteceu há 100 anos, mas não faz nem um dia, certo?

Ela me vê. Vem correndo imediatamente e então salta em meus braços. Quando eu a abraço, a sensação muda de incrível para incompleta.

Não sei mais onde termino.

Não sei como posso ainda sentir a mão que perdi, mas não sentir mais *ela*.

— Gideon.

Ela dá um passo para trás, e seu olhar se desvia para a bandagem no final dos meus braços. Seus olhos ficam arregalados, e ela congela, mas eu não.

Saio correndo, invocando Caos no meio do caminho.

Ele surge com uma chama concentrada e furiosa.

Ele ainda existe.

Eu me junto a ele em forma de fogo e subimos. Enquanto voamos pelo céu, me dou conta de que Caos se tornou mais parte de mim que minha própria mão, e agradeço a Deus que ele ainda esteja comigo. Não sei o que teria feito se o tivesse perdido.

Unidos em forma de fogo, somos algo maior que a *vida*. Em alguns instantes, me sinto curado. Inteiro. Não existe mais dor, nem vergonha. Deixei tudo isso para trás. E então sinto o medo e a raiva de Caos. Ele sabe o que aconteceu. Sinto que ele se agarra a mim enquanto descemos para o campo. Tento fazer a mudança, mas Caos quer me manter como fogo. Somos indestrutíveis desse jeito. Não podemos ser atingidos. Mas para lutar preciso me tornar humano. Vulnerável e perigoso. Insisto, e Caos entende. Ele finalmente cede, e entramos em sintonia. Cavalo e cavaleiro, juntos mais uma vez.

Corremos na direção do campo, e eu amarro as rédeas duas vezes sobre meu coto, ignorando a dor, lutando contra ela. E então invoco minha espada.

Ela se materializa na minha mão direita.

Você é destro agora, garoto.

Com sorte, as rédeas ficarão presas ao meu braço e conseguirei lutar desse jeito.

Marcus e Ruína correm ao nosso lado, e, juntos, seguimos para enfrentar Bay. Com a ajuda de seus monstros e dos escorpiões de Ronwae, ela está forçando um ataque sobre Jode. Ele poderia mudar de forma e voar para longe com Luminoso, mas os demônios encontraram uma fraqueza. Estão direcionando o ataque para as pessoas nas cabanas. Jode, que controla a arma mais poderosa e de maior alcance, está policiando o campo de batalha inteiro. Marcus olha de relance para mim à medida que nos aproximamos. Ele também sabe. Se perdermos Jode, perderemos tudo.

Alcanço uma das criaturas e enfio a espada em sua corcunda. Golpeio novamente, fazendo um rasgo em outra, e Marcus está ali para terminar o serviço com a foice. Nos movimentamos pela clareira em perfeita sintonia, tão letais quanto em nossas brigas. Marcus se aproxima de Jode, e eu sigo para Bay. Com a morte dela, espero eliminar o restante de suas criaturas, ou ao menos impedir que mais delas sejam criadas. É a melhor chance que temos. Não podemos vencer um inimigo que continua produzindo aliados.

A confusão da batalha toma conta de mim, e me torno puro instinto, reflexo, reação. Tudo vira um borrão até que uma das criaturas de Bay me ataca pela esquerda. E me dou conta: não posso bloquear ou golpear pela esquerda. Tenho um lado mais fraco agora.

— Gideon! — grita Marcus.

O tempo desacelera quando vejo *Bay*... e ela investe com toda velocidade e força que possui. O demônio salta com suas presas à mostra e garras afiadas. Ordeno que Caos imediatamente se transforme *em fogo.*

Tarde demais. Bay bate em mim. Meu braço esquerdo sacode contra as rédeas. Perco o equilíbrio, mas não tombo da sela. Bay cai para longe de mim, e Caos a chuta, mas ela não desiste. Luta com suas longas garras, rasgando as ancas do meu cavalo.

Caos relincha. Fica enlouquecido abaixo de mim, iluminando todo o corpo em chamas. Tento ordenar que vire totalmente fogo, mas ele está paralisado de medo. Ele não me escuta, e Bay não desiste. Ela rasga novamente a coxa do meu cavalo enquanto o bicho chuta e morde. Sinto seu peso vacilar sob meu corpo, as patas cedendo de cansaço. Dou um golpe em Bay, mas não consigo me virar o suficiente para alcançá-la. Preciso da espada na minha mão esquerda, mas essa mão se foi.

Estou prestes a me jogar em cima dela, quando ouço alguém gritando meu nome.

Do outro lado da clareira, Sebastian viu que eu e Caos estamos em apuros. Sombra acelera, e Bas gira as balanças sobre a cabeça. Arremessa a arma. As balanças voam em um movimento giratório rápido e acertam o alvo. Bay cai na terra, esperneando, as balanças em volta do pescoço. Desesperada, ela tenta tirá-las, mas estão entrelaçadas e presas.

Livre das garras de Bay, Caos foge. Ele acelera com muita força, agitado e sem rumo depois do ataque. Desprendo meu braço da rédea e me atiro da sela. Caio no chão, tropeçando, consumido, sem equilíbrio e com uma dor no braço que parece me tomar por inteiro. Sinto gosto de sangue na boca, mas ignoro. Recupero minhas forças e caminho até Bay.

Ela continua se debatendo de costas, mas prendeu uma das garras sobre a corrente. Em alguns segundos, estará livre.

Não darei essa chance.

Ergo minha espada para ajeitar a pegada. Posso ouvir gritos desesperados e vejo que as criaturas me olham com seus olhos desalmados. Elas já sabem que está tudo acabado. Desço a espada e a enfio no coração de Bay.

Ela treme e fica imóvel, os olhos sem reação. Seus monstros caem no chão e gritam como se seus corações também tivessem sido perfurados. Em segundos, estão em silêncio.

Já foram quatro. Faltam quatro, mais uma horda.

Estamos em mais da metade, mas não parece.

Samrael deveria contar como extra. Ronwae também.

Ra'om também. Dragões deveriam valer o dobro.

Olho para o céu. Lá no alto, Ra'om cospe uma furiosa chama. Eu sei que ele viu a morte de Bay.

Ajoelho e desato a arma de Bastian do pescoço de Bay. Tento. É mais difícil com apenas uma das mãos. Desenrolo os nós das balanças, tentando fazer o trabalho de dez dedos com apenas cinco. Quantas coisas serão mais difíceis agora? Não é hora de pensar nisso.

Enquanto tento recuperar as balanças, percebo uma diferença na intensidade da batalha. O ambiente está mais silencioso agora, sem os gemidos das criaturas. Também não ouço tiros. Nenhuma surpresa. Eles não poderiam prever uma batalha contra hordas de demônios em Wyoming.

Não estou montado, o que me deixa vulnerável para os escorpiões. Marcus e Jode vêm na minha direção. Me abaixo e puxo a corrente mais uma vez para liberar as balanças. Bastian precisa de sua arma. Elas se desenrolam e puxo com força. Finalmente saem de trás da cabeça de Bay, mas, em vez de sentir alívio, fico preocupado.

Se Sebastian precisa da sua arma, ele pode simplesmente chamá-la.

Por que não fez isso?

Levanto os olhos e procuro por ele, vejo Sombra primeiro, na metade do campo.

Ela está empinando e relinchando porque muitos escorpiões impedem que ela chegue até Sebastian — Bas, que está de costas, preso sob uma das garras imensas de Ronwae. Está completamente imobilizado. Mesmo que chamasse as balanças, não poderia usá-las.

Samrael está parado sobre ele, me observando, como se esperasse por mim.

Uma calma toma conta de tudo. Meu campo de visão se fecha. Tudo sai de foco, exceto aquele ponto no campo: Ronwae segurando Bas. Samrael olhando para mim.

Eles estão a cem passos de distância, mas vejo cada detalhe perfeitamente. Cada som. A força no rosto do Sebastian por causa da pressão da garra do escorpião. O sorriso contente de Samrael. O guizo silencioso do ferrão de Ronwae.

Sinto Jode e Marcus desmontarem do cavalo e se juntarem a mim.

E Daryn. Daryn para ao meu lado com o olhar atento em Sebastian.

O exército de Ronwae fecha o perímetro, impedindo que a gente se mova.

Nenhum de nós se move.

Somente Ra'om; uma sombra passando no alto do céu.

Samrael ergue meu bracelete.

— Preciso dos outros três, Daryn — diz ele. O tom em sua voz é implacável. — Destrave os braceletes e os traga para mim. Ou continuarei a removê-los por conta própria.

— Não. — Daryn balança a cabeça. — E eles não vão ajudar, Samrael. Mesmo se eu os levasse até você.

— *Você* vai me ajudar? — pergunta ele.

Daryn não responde.

— Acho que vai — diz Samrael. Ele se vira para Ronwae e sinaliza com a mão. — Vá em frente.

Ela afasta as garras do corpo de Sebastian e desce seu ferrão. Ele atinge Sebastian no peito e ali permanece à medida que o músculo do rabo flexiona, e quase consigo ver o veneno escorrendo para o corpo dele. E então ela retira o ferrão e Bas cai no chão.

Daryn está gritando. Estamos todos gritando. Jode é o único que ainda consegue pensar. Ele se coloca à nossa frente para nos impedir. Não há nada que a gente possa fazer. Já aconteceu. Não podemos fazer nada.

E aí escuto Daryn dizer uma frase que nunca achei que ela diria.

— Tudo bem! — grita ela. — Entrego os braceletes pra você!

Samrael sorri.

— Achei que você faria isso. — Aos pés de Samrael, Bas faz força para respirar. — Melhor se apressar.

Daryn se aproxima de Marcus e mil coisas passam pela minha cabeça.

O que estamos fazendo?

Como podemos fazer isso?

Como não podemos?

— Me dê seu braço — diz Daryn. Seus olhos estão distantes. Ela está em outro lugar. Também está tentando resolver uma situação em que todas as soluções possíveis são um desastre.

O rosto de Marcus está retorcido de raiva quando ele estende o braço.

Daryn estica as mãos e envolve o bracelete. Seus olhos estão quase fechados. Uma fraca luz amarela surge dentro de suas mãos. E o bracelete no pulso do Marcus se abre. Dissolvendo-se em cinzas brancas. Em um pequeno tornado em volta do braço dele.

Não há nenhuma surpresa ou admiração na expressão de Daryn quando ela se afasta, carregando as cinzas. Apenas concentração. Uma concentração de outro *mundo*. Ela junta as mãos, e as cinzas se unem, reconstruindo o bracelete do Marcus. Ela o encaixa em seu pulso. E então segue até Jode e começa tudo de novo.

Sob a orientação e o controle da Daryn, o bracelete dele se torna um círculo de luz, e então se transforma de volta à forma original sobre a palma de sua mão.

Não fico surpreso com o que vejo. As barreiras do possível deixaram de existir quando me transformei pela primeira vez em fogo com Caos. E sempre soube que ela tinha algo a mais. O que sinto crescendo dentro de mim é medo.

Eu sinto muito.

O que ela quis dizer com isso? O que ela *sabe*?

Daryn veste o bracelete de Jode. Ao lado do bracelete de Marcus.

O bracelete de Sebastian é o último.

Ela me olha de relance e se afasta. Enquanto caminha até Sebastian e Samrael tento me convencer de que ela não estava dizendo adeus bem agora.

Ela os alcança e se ajoelha ao lado de Bas. Ronwae se afastou. Não existe mais motivo para segurá-lo. Mesmo de longe, posso ver que ele está começando a convulsionar por causa do veneno.

Daryn passa a mão sobre a testa dele e aquilo parece acalmá-lo. Samrael fica por perto enquanto ela tira o bracelete, mas é para mim que ele olha. Samrael sabe o que me causa vê-lo tão próximo de Daryn.

Quando Daryn pega o bracelete de Sebastian, ela se levanta e Samrael entrega o meu bracelete.

Agora ela tem todos. Os quatro.

— Faça — diz ele, balançando a cabeça na direção do Sebastian. — Rápido, se quiser ter alguma chance de ajudá-lo.

Daryn segura os quatro braceletes na palma das mãos. Cada um deles se dissolve, transformando-se em pó. Em luz, sombra e fogo. Os elementos pairam sobre as mãos dela, girando em círculos. E em seguida eles se fundem, formando uma esfera. Um pequeno globo de vidro, flutuando sobre a palma de suas mãos.

Daryn dá um passo para trás, e a esfera se expande, alcançando a altura dela, e então fica maior. O dobro da altura de Daryn. Ela gira diante dela, um mundo girando sobre a grama pisoteada. Um pequeno universo de fogo, água, gelo e metal. Cada elemento. Cada estrela e cada oceano. É a coisa mais bonita que já vi.

Milagre.

É a única palavra possível.

Samrael se aproxima de Daryn e admira aquilo com um olhar vitorioso.

— Agora transfira para mim — diz ele.

Daryn balança a cabeça e enrijece o corpo. E então escuto um sopro de vento ao longe, ao mesmo tempo em que vejo surgir um ponto de pura escuridão na esfera.

Samrael está concentrado nela, como se a alimentasse e a construísse.

E é *exatamente* isso que está fazendo.

Sei que ele está contaminando a esfera. Sei exatamente a sensação de ser contaminado pela Ordem.

À medida que a escuridão se expande, vejo que se forma um túnel.

Um *portal.*

E através dele, surgem montanhas. São os mesmos picos recortados de Wyoming, mas encobertos de neve e banhados pela noite. O chão é uma fina camada de gelo e as árvores estão cobertas de geada.

O vento uiva e sopra às minhas costas. Espalhando folhas e sacudindo as árvores ao redor da clareira.

É o chamado daquele lugar. Um desejo sanguessuga maligno. O mesmo que já tinha visto nos olhos de Ra'om.

Daryn cambaleia para longe do portal, mas Samrael se aproxima. Fica ali, contemplando o mundo congelado que habita o outro lado. Suas roupas escuras balançam com a força do vento. Ele está hipnotizado pelo que vê. Um refúgio. Um reino. Um império feito do mesmo desejo malevolente que existe dentro dele. E que o alimenta.

Quando vejo, Sebastian está correndo.

Correndo com esforço. Como se cada passo fosse uma luta.

Mas Samrael está de costas e não espera o choque.

Sebastian dá de cara com ele e os dois voam para a frente.

Eles caem no portal — e instantaneamente são sugados para dentro.

Desaparecem.

Totalmente.

Perco os dois de vista quando o portal se fecha. A esfera se desfaz em um trambolhão violento dos quatro elementos, desaparecendo em um redemoinho sobre as mãos de Daryn.

Daryn aperta as mãos com força e abaixa a cabeça. Sua respiração está fraca, e as suas costas tremem.

Destruída.

Ela está destruída com o que acabou de fazer.

O que ela fez?

— *Sebastian* — diz Jode com um suspiro.

E então um rugido ensurdecedor chama minha atenção.

Ra'om corta o céu na nossa direção.

Capítulo 58

J ogo o corpo sobre a sela de Caos e miro na direção de Daryn. A distância é curta, mas Caos tem dificuldade. A passada está pesada de um lado, e ele reclama a cada galope. Desmonto e alcanço Daryn em três passos.

— *Gideon* — diz ela, com lágrimas nos olhos. — Era para ter sido eu! Não sabia que Bas faria aquilo! Era para ter sido *eu*!

— A gente vai trazê-lo de volta. — As balanças de Sebastian estão enroladas no meu braço esquerdo. Elas me dão esperanças de que ele ainda esteja vivo. — A gente vai conseguir.

Ra'om desce pelo céu, bombardeando as cabanas e as árvores com fogo. Ronwae e seus escorpiões atacam sem medo da morte. Estavam a alguns momentos de conseguir o que queriam. O fracasso os levara à loucura, mas estou na mesma situação.

O desejo de vingança bate na velocidade do meu coração. Estou cego. *Sei* que estou. Meu único desejo é ver a destruição dos membros restantes da Ordem. Meu único desejo é me juntar a Jode e Marcus na eliminação completa dos escorpiões de Ronwae.

Ra'om desce em nossa direção. Eu e Daryn desviamos, e Caos foge. As garras imensas do dragão arrancam a terra do local em que estávamos. Ele sobe para o céu, batendo suas asas enormes, seu longo rabo voando por último.

— Ele não vai parar — diz Daryn. Ela não está mais chorando. Agora é pura determinação. Leva nas mãos um pequeno globo, vivo com cores que giram dentro dele. Sei que são os nossos braceletes, unificados. Nosso meio para encontrar Sebastian. — Preciso levar isso para um lugar seguro.

— E *você* também, Daryn — acrescento, porque agora eu sei. Não precisamos apenas da chave. Precisamos da guardiã.

Caos volta para perto de nós, balançando a cabeça. Sua respiração é curta e agitada. Sombra está com ele e parece perturbada, com movimentos arredios e os olhos selvagens. Sei que ela está procurando por Bas.

— Ela vai comigo.

Daryn agarra as redes de Sombra. Pisa no estribo e monta a égua preta. Sombra se revira ansiosamente, mas Daryn é firme e Sombra se submete ao comando.

— Daryn, espere — digo, antes que ela parta. Pego as rédeas de Caos. Ele puxa a cabeça para trás, e seus olhos âmbar brilham, desafiadores. Ele quer ficar comigo, mas não posso permitir que isso aconteça. Não quando o sangue jorra da coxa dele. — *Vá, Caos.*

Daryn cavalga, e meu cavalo a segue, com o fogo subindo por suas patas.

E então fico sozinho, cercado pela guerra.

Pronto.

Vejo que Jode e Marcus atacaram Ronwae juntos. O escorpião vermelho está sem ferrão. Foi arrancado, assim como duas de suas garras. Jode atira flecha após flecha no corpo de Ronwae enquanto ela grita. Depois do que ela fez com Sebastian, não acho cruel o suficiente.

No céu, Ra'om enfrenta com facilidade os dois F-22 que finalmente chegaram. Ele gira e mergulha no ar, mais ágil do que os aviões. Um perfeito predador aéreo.

Fico ali observando enquanto ele voa baixo, cuspindo fogo nas cabanas, tentando encontrar algum ponto fraco. Os olhos... as narinas... a parte de baixo do corpo... as articulações...

Está enganado, Gideon. Também estou protegido nessas partes.

— Mentira sua — respondo, olhando para ele lá no alto. — Mas tudo bem. Vou encontrar um jeito melhor de matar você.

Ele fecha as asas e mergulha. Em apenas segundos, aterrissa na clareira à minha frente com um baque que faz a terra tremer.

Ra'om se abre inteiro, demonstrando seu tamanho. Os olhos vermelhos são desafiadores. Sua postura e a curvatura do pescoço demonstram orgulho.

Você devia ter aceitado minha oferta.

Caminho na direção dele.

— Você não é nada sem Samrael. Ele era mais forte que você. O que você faz além de se esconder? Só aparece para tirar vantagem. Mas acabou a vantagem, não é mesmo?

Ra'om estende o pescoço e levanta a cabeça, fechando os olhos. Uma onda de fogo emerge da sua boca, voando para o céu. O som da sua raiva penetra minha pele, atingindo a floresta, fazendo a montanha tremer.

Continuo andando.

— Sabe o que acho, Ra'om? Acho que Samrael nunca planejou levá-lo. Ele achava você fraco. Ele me disse isso.

Não. Samrael é meu sangue! Samrael está esperando por mim. Vou me juntar a ele e, quando isso acontecer, vou levar você comigo. Você será meu.

Continuo me aproximando e descubro. Orgulho. Essa é a fraqueza dele.

Orgulho conquistado, Gideon. Meu orgulho foi conquistado. Acha que pode me derrotar com sua espada e uma só mão?

— Sim. — Levanto minha espada. — Acho que nem preciso disso — digo, comandando-a de volta ao seu lugar de origem. — Você é apenas um lagarto com asas gigantes. Só que feio para caramba.

Ra'om abaixa a cabeça e estica o pescoço. Sei o que vai acontecer em seguida. Exatamente o que eu queria.

Desamarro as balanças do Sebastian do meu braço, seguro-as firmemente... e *corro*.

As chamas chegam como uma onda, e continuo correndo cegamente pelo fogo. Corro para o último lugar onde o vi. Para o lugar onde preciso que ele esteja.

Corro.

Cabeça baixa. Olhos fechados. Pés velozes.

Quando atravesso o fogo, estou quase na asa de Ra'om que está abaixada. Piso nela e salto, me atirando em seu pescoço e arrancando as balanças, segurando em uma das pontas. A corrente gira em volta do pescoço de Ra'om e trava. Enfio meu braço sem mão embaixo delas — e então meu rosto bate contra as escamas do dragão enquanto Ra'om voa para o céu.

Eu me agarro à corrente com toda força possível porque ele sobe cada vez mais alto, e já não sinto minhas entranhas. Devem ter ficado em algum lugar centenas de metros abaixo.

Ra'om dá um giro radical, e eu vacilo, quase caindo. Ele gira outra vez, tentando me jogar longe. As cabanas abaixo se transformam em pontos de incêndio. Ra'om se sacode e gira. O vento gelado bate em meu rosto, e meus olhos se enchem de lágrimas. As escamas dele são macias, impossíveis de segurar, e sei que tenho apenas alguns segundos.

Invoco a espada. Não consigo alcançar os olhos de Ra'om, e as escamas são grossas demais daquele lado.

Deveria ter pensado nisso antes.

Ele mergulha em queda livre.

Você se lembra, Gideon, quando estava sentado na picape quando seu pai caiu? Você se lembra de como se sentiu quando ele olhou para você naquele último momento?

Ele nivela o voo e vira para a esquerda, deixando as montanhas para trás, com um borrão de árvores, neve e rochas.

Você se lembra de como se sentiu quando ele atingiu o chão? Como se sentiu quando se debruçou sobre ele, vendo o sangue se acumular no ouvido, escorrendo para os tijolos vermelhos?

— Eu me lembro — digo, ajeitando a pegada na espada. — Mas vai ter que se esforçar mais.

Eu me perdoei. Sei que não foi culpa minha.

Ra'om vira a cabeça, surpreso.

Os olhos dele estão próximos, mas tenho uma opção melhor. Um ângulo perfeito para o ouvido. Estico o braço e enfio a minha espada, empurrando até não conseguir mais.

O corpo dele cede sob mim, assim como as asas, e flutuo por um instante. E então estou caindo.

Do céu, mas não sinto medo.

Caos me encontra. Ele me envolve e me transformo com ele.

E então voamos em forma de fogo.

Somos um só.

Capítulo 59

Em terra, encontro Marcus e Jode esperando por mim na cabana onde passei grande parte do dia amarrado a uma cadeira. É a única cabine intocada pelo fogo de Ra'om.

Suarez também está presente, e meia dúzia de pessoas. Estão falando há meia hora. Talvez uma hora. Talvez seja apenas cinco minutos.

Me desliguei depois que perguntei sobre Texas, que se chama Travis Low. Foi levado ao hospital de helicóptero, mas me disseram que está bem.

Um helicóptero Falcão Negro está aterrissado mais à frente, e uma fileira de caminhões de guerra toma conta da rua. Há luzes por toda a parte. Pessoas por toda a parte. Uma iluminação foi instalada em volta do campo. Está nevando um pouco.

Finalmente me dou conta de que acabou. Vou poder ver minha mãe... Anna. Posso ir para *casa*.

Mas Sebastian não.

Então vejo Cordero e não consigo pensar em mais nada.

Ela se aproxima com o major Robertson.

A expressão no rosto dele parece estranhamente informal e calorosa. Não gosto. Em seguida encaro os olhos da mulher com quem acabei de passar horas. Uma raiva me consome — quente e profunda —, e Caos relincha atrás de mim.

— Quieto, Caos — diz Jode, aproximando-se do meu cavalo.

— Esta é Natalie Cordero — apresenta Robertson. — Ela trabalha para o Departamento de Defesa. A Ordem a capturou em um local próximo daqui.

Cordero não estende a mão.

— Investigo esse tipo de assunto há muito tempo, soldado Blake — diz ela, objetivamente. — Dessa vez, cheguei mais perto do que gostaria.

Entendo porque me reuniram a Cordero bem agora. Para esclarecer as coisas. Logo de cara, antes que o ressentimento se espalhe. Mas não estou pronto e talvez nunca esteja. Não sei se algum dia conseguirei olhar para ela sem pensar em Malaphar. E ela deve ter percebido, porque pede licença e se afasta com Robertson.

— Cadê Daryn? — pergunto a Marcus. Percebo que estava com medo de perguntar. Porque, se Daryn estivesse no local, ela estaria *aqui*. Com a gente. Comigo.

Marcus passa a mão na cabeça e olha para mim.

— Ela foi embora.

— Quando a vimos pela última vez, ela estava com Sombra — diz Jode, me olhando atentamente. — Sombra não estava se acalmando, e Daryn disse que ia levá-la para passear. Sair daqui para ver se ajudava... mas não voltou mais.

Nos entreolhamos, e a pergunta paira no ar.

Será que Daryn vai voltar? Ou será que abandonou Sebastian naquele mundo infernal?

É isso mesmo?

Ele foi embora para sempre?

O que quer que seja que Daryn tenha feito, precise fazer, ou fará, não posso ficar irritado com ela. O meu trabalho era fácil. Matar demônios. Ela era encarregada da parte difícil. Seguir ordens, mesmo que aquilo significasse magoar as pessoas com quem ela se importava. Ela é mais forte que eu. Mas eu a conheço. Sei que, onde quer que esteja, está sofrendo.

Alguém se aproxima e pede para ver minha mão. O lugar onde minha mão costumava ficar, presa ao resto do corpo. Mas Marcus responde tão agressivamente que o sujeito quase cai de cara ao sair correndo.

Ele é tão babaca, Marcus. Aquilo faz Jode balançar a cabeça. Queria que Sebastian estivesse aqui para dizer algo bem Sebastian para Marcus. *Quem com ferro fere, atire a primeira pedra.*

Nós três ficamos ali, conversando, enquanto os holofotes são ligados. Enquanto os corpos dos demônios são fotografados, embalados e levados embora. Ficamos ali, vendo a neve cair. Apagando todo o mal que se passou naquele lugar.

Suarez chega com cobertores. Enrolamos os ombros com eles e buscamos coisas para dizer, porém nenhum assunto é seguro. Nenhum assunto nos faz esquecer. Mas tentamos. A gente se reveza, dizendo coisas insignificantes, prolongando o momento. Curtindo o *agora*, porque o *depois* não será bom. *Depois* teremos mais do mesmo — um acúmulo de sentimentos dos quais não poderemos escapar.

Estamos perdidos.

Não temos para onde ir. Não temos nada a fazer sem o direcionamento de Daryn.

Caos cutuca minhas costas com o rosto. Eu me viro e olho para ele. Meu pescoço está suando com o calor de sua respiração. Derretendo a neve sob meus pés. Olho para seus grandes olhos cor de âmbar e também desejo que ele pudesse consertar a situação.

Ficamos ali com nossos cobertores, observando a neve, mas Sebastian e Sombra não se juntam a nós, nem Daryn.

Ainda assim, resistimos.

Nenhum de nós chama o que aconteceu de vitória.

Capítulo 60

— A gente já volta— diz Anna para mim.

Olho para ela, depois para Jode, que tem o braço em volta do ombro dela.

Jode. E a minha irmã.

Ainda não consegui processar a informação.

— Aonde vocês vão? — pergunto.

Anna revira os olhos.

— Vamos pegar algo para beber, Gideon. Relaxe. Não vamos fugir.

Jode apenas ri. Eles contornam o Freedom Hall, em direção à tenda de bebidas e comida.

Minha mãe passa o braço dela pelo meu.

— Como está lidando com tudo isso?

— Bem — respondo. — Uma das mãos quer dar um soco nele. A outra... ah, não. Só tenho uma. Então, só quero bater nele.

Minha mãe balança a cabeça. Ela odeia quando eu faço isso — piadas com a minha mão. Mas faço isso o tempo todo. É impressionante a quantidade de expressões com mãos. *Lavo minhas mãos. Em boas mãos.* Hoje em dia percebo todas elas. Estou fazendo uma lista mental para que um dia Bas possa rir de todas. Algum dia isso vai acontecer.

— Estava perguntando sobre como está lidando com aquilo ali — diz ela. Seus olhos apontam para o grupo de soldados a alguns metros.

A cerimônia de formatura da nova turma do RASP acabou de ser encerrada. Trinta e nove soldados receberam pela primeira vez suas boinas do 75º Regimento Ranger. O soldado Marcus Walker foi o primeiro da sua classe.

Marcus parece ter perdido uns 7 quilos desde que se alistou há alguns meses. Ele sempre esteve em boa forma, mas agora está simplesmente ridículo. Vou precisar melhorar meu desempenho para deixar a gente no mesmo nível.

— Estou bem — respondo. — Meu bebê cresceu.

Ela sorri e aperta meu braço.

— Ele fez algo incrível, Gideon.

No silêncio seguinte posso ouvir as palavras que ela não disse: *por você*.

Não pedi para Marcus se alistar e virar um Ranger. Eu e ele nunca conversamos sobre o *motivo* que o levou a fazer isso, mas é óbvio. Para mim. Para Jode... para todo mundo.

Eu não tinha como terminar o treinamento com uma prótese na mão esquerda. Dizem que vou receber uma daquelas mãos mecânicas em breve, quase tão ágil e intuitiva quanto uma de verdade. Quando descobre que você é Guerra, o governo faz de tudo para deixá-lo feliz. Mas o RASP não era meu destino. Muitos caras nos Rangers se tornam amputados. Mas amputados não se tornam Rangers.

Estaria mentindo se dissesse que parte de mim não gostaria de estar naquele palco com Marcus. Rodeado pelos outros caras que passaram pelo programa, que perseveraram juntos e criaram uma ligação por causa disso. Mas eu já fiz isso. A minha turma só é muito menor.

Éramos cinco no começo.

Agora somos três.

Mas não posso pensar nisso agora. Não hoje. Talvez eu não esteja honrando a memória do meu pai diretamente, mas é melhor assim. Marcus não fez isso apenas por mim e meu pai. Fez também por ele. Um trio bem impressionante.

— Ele se saiu bem — digo.

Minha mãe faz que sim e aperta meu braço.

— Vocês todos se saíram bem.

Olho Marcus apertando a mão do coronel Nellis. Em seguida, os dois se viram para mim e prestam continência, retribuída por mim.

Minha mãe se afasta para conversar com outros pais. Vejo quando ela se aproxima de um casal mais velho e se apresenta como mãe de Gideon Blake e Marcus Walker. Inusitado, mas não surpreendente. Minha mãe e Marcus criaram uma relação logo no primeiro dia. Ela o amou com a mesma velocidade que eu o odiei — no começo.

Ela não fez nenhuma pergunta quando cheguei com ele e Jode de volta a Half Moon Bay, diretamente de Wyoming. Simplesmente nos recebeu e perguntou o que gostaríamos de comer. E então dividiu nossas tarefas. Lavar roupa, limpar o lixo, lavar a louça. Como se dissesse *Entrem no esquema, crianças. Podem viver como família ou podem viver como família. E, aliás, sou eu quem decide.*

A mulher mais incrível do mundo. Bem. Uma delas.

Nós três passamos as primeiras semanas em prisão domiciliar voluntária. Jogamos milhões de horas de videogames. Comemos umas cem tortas de frutas silvestres da Sra. C. Começamos a rezar juntos, pelo bem de Bas. Ensinei Jode e Marcus a surfar enquanto eu mesmo descobria como se surfava com uma só mão.

Jode deu em cima de Anna. Anna deu em cima de Jode. Os dois me enlouqueceram.

E minha mãe cuidou de todos nós.

Após alguns meses, Jode voltou para Oxford, mas Marcus ficou com a gente. Uma das coisas que aprendi sobre ele era que tinha crescido em lares temporários. Muitas crianças têm famílias temporárias maravilhosas, mas ele não foi uma delas. Marcus teve que se virar sozinho assim que fez 18 anos, ou seja, pouco antes de tudo começar. Ele não disse, mas tenho a impressão de que as coisas pioraram rapidamente.

Ainda não sei como ele morreu. Nem o motivo pelo qual foi espancado até a morte. Algum dia vou saber. Ao menos espero que sim. Mas não importa. Aceito o que ele quiser.

Eu, Jode e Marcus — não contamos para ninguém o que aconteceu. Assinamos contratos antes de deixarmos Wyoming. Prometemos que nunca falaríamos sobre a Ordem, a chave, Jotunheimen, nem nada disso. Disseram qual história deveríamos contar para explicar como perdi minha mão e como nos conhecemos.

Eis a história: não posso contar nada.

Tem funcionado.

Não gosto de esconder a verdade da Anna e da minha mãe, mas também não quero falar sobre o que aconteceu. Só pioraria tudo. Deixaria o sumiço dos dois ainda mais real.

Sebastian deveria estar aqui. Ele ficaria tão orgulhoso vendo Marcus assim. Daryn também. Acho que ela teria orgulho de mim da mesma forma.

Vejo Marcus abraçando os companheiros de classe enquanto tiram fotos e riem, comemorando a última semana juntos. Ele os parabeniza, mas também se despede, embora ninguém saiba. Amanhã, o restante da classe vai se reportar ao Batalhão dos Rangers, mas ele não.

Ele será transferido imediatamente para o regimento recém-formado da força militar norte-americana. Um grupo especializado em forças ocultas, mais confidencial impossível. Um grupo pequeno. Basicamente, eu, Suarez e Low. E alguns outros soldados que estiveram em Wyoming. A gente se reporta diretamente a Cordero, que acabou se mostrando uma pessoa muito legal. Ela não usa mais perfume. Acho que faz isso por minha causa.

Temos até um braço britânico, caso a gente precise. Dá um certo trabalho conseguir a liberação de Jode — Oxford é muito apegada a seus estudantes —, mas Cordero dá conta do recado. Ela conseguiu que ele viesse para a cerimônia.

Já faz quase seis meses. E me sinto diferente. Consegui resolver minhas questões com meu pai. Certamente sou uma pessoa menos furiosa. Mas tenho um novo buraco dentro de mim. Mais pessoas que fazem falta. Novas imagens para tirar da cabeça.

Bas à beira da morte. Sacrificando a si mesmo para empurrar Samrael para dentro do espelho do inferno.

E Daryn. Colada em mim em nosso círculo de pedra em Jotunheimen, o rosto dourado sob a luz da fogueira. Daryn de centenas de outras formas. Memórias dela que se misturam aos meus sonhos. Mas, sim, ela estava certa. Criamos uma quantidade considerável de lembranças indesejadas. E isso é tudo que sobrou dela.

Jode volta com uma garrafa de água. Ele gira a tampa e a oferece para mim.

— Não me diga que já perdeu a minha irmã? — pergunto, aceitando a garrafa.

Ele sorri.

— Está na fila para ir à casinha.

Marcus chega e se junta a nós. Alguns dos instrutores da minha época de RASP o acompanham. Suarez e Low saem com uns sujeitos que não conheço. Queria que Cory estivesse aqui, mas ele está em plena missão, como a maioria dos caras que se formaram na minha classe.

Eles começam a contar histórias sobre o treinamento. Uma após a outra. Dou risada, escutando meus irmãos de batalha. E fico pensando como seria se eu pudesse contar a minha história.

Cara, vocês não sabem de nada. Me chamem quando tiverem matado um dragão.

Marcus olha para mim, como se tivesse lido minha mente, e sorri.

Do esguelha vejo minha irmã. Ela está parada à sombra de um prédio, olhando para mim com uma cara estranha.

Vou até ela imediatamente.

— O que houve, Banana? Parece que viu um fantasma.

— Não... não era um fantasma — diz Anna. — Uma garota acabou de vir falar comigo. Ela parecia familiar, Gideon. Disse que conhecia você.

A adrenalina percorre meu corpo, como uma onda de calor.

— Qual era o nome dela?

— Ela não disse. — Anna estende a mão. — Mas ela me disse para entregar isso a você.

A chave prateada — que ficava pendurada no pescoço da Daryn — repousa em sua mão.

— Cadê ela, Anna? Cadê?

Minha irmã se vira. Sigo seus olhos.

E saio correndo.

AGRADECIMENTOS

É preciso um time para escrever um livro; tive muita sorte com meu time neste livro.

Obrigada a todos na Tor Teen pelo seus esforços e entusiasmo, especialmente a Kathleen Doherty, Amy Stapp e Melissa Frain. (Mel, você é a melhor editora e maior torcedora que eu poderia ter para contar essa história. Um mundo sem bananas para você!) Obrigada também a Adams Literary por tudo que fazem por mim.

A pesquisa foi uma das partes mais gratificantes durante o processo de escrita deste romance. Tive a oportunidade de conhecer um pouco da história de alguns heróis da vida real, que foram generosos o suficiente e compartilharam suas histórias comigo. (É claro que qualquer erro contido aqui não foi intencional e é de minha responsabilidade.) Coronel Andy Juknelis, do exército norte-americano; coronel Kyle Lear, do exército norte-americano; primeiro-tenente Wesley Milligan, do exército norte--americano; agradeço cada ligação e e-mail, mas acima de tudo sou muito grata pelo serviço nas forças armadas. O mundo é um lugar melhor graças a vocês.

Um obrigado para Lia Keyes, Katherine Longhshore, Lorin Oberweger, Terri Rossi, Pedro Carvalho, Jarrett Jern e Trish Doller, que leram versões desta história durante o processo e me deram conselhos excelentes. Taylor McGarry e primeiro-tenente John Decker, da força aérea norte-americana, também foram generosos com seus comentários. Sebastian Luna, obrigada por permitir que eu pegasse seu nome emprestado. É um nome muito bom!

Por último, mas não menos importante, um mundo de amor e agradecimento à minha família pela paciência, compreensão e apoio incondicional. Sou extremamente abençoada por ter cada um de vocês em minha vida. Agora... prontos para a próxima história?

Este livro foi composto na tipologia Minion
Pro Regular, em corpo 11/16, e impresso
em papel off-white no Sistema Cameron da
Divisão Gráfica da Distribuidora Record.